Contents

Teach
Yourself

Complete Swedish

Vera Croghan
and
Ivo Holmqvist

For UK order enquiries: please contact
Bookpoint Ltd, 130 Milton Park, Abingdon, Oxon OX14 4SB.
Telephone: +44 (0) 1235 827720. Fax: +44 (0) 1235 400454.
Lines are open 09.00–17.00, Monday to Saturday, with a 24-hour
message answering service.
Details about our titles and how to order are available at www.teachyourself.com

For USA order enquiries: please contact
McGraw-Hill Customer Services, PO Box 545, Blacklick, OH 43004-0545,
USA. Telephone: 1-800-722-4726. Fax: 1-614-755-5645.

For Canada order enquiries: please contact
McGraw-Hill Ryerson Ltd, 300 Water St, Whitby, Ontario L1N 9B6,
Canada. Telephone: 905 430 5000. Fax: 905 430 5020.

Long renowned as the authoritative source for self-guided learning – with
more than 40 million copies sold worldwide – the **teach yourself** series
includes over 300 titles in the fields of languages, crafts, hobbies, business,
computing and education.

British Library Cataloguing in Publication Data:
a catalogue record for this title is available from the British Library.

Library of Congress Catalog Card Number: on file.

First published in UK 1995 as *Teach Yourself Swedish* by Hodder Education,
part of Hachette UK, 338 Euston Road, London, NW1 3BH.

First published in US 1995 by The McGraw-Hill Companies, Inc.

This edition published 2010.

The **teach yourself** name is a registered trade mark of Hodder Headline.

Typeset by MPS Limited, a Macmillan Company.

Printed in Great Britain for Hodder Education, a division of Hodder
Headline, 338 Euston Road, London NW1 3BH, by CPI Group (UK) Ltd.,
Croydon, CR0 4YY.

Hodder Headline's policy is to use papers that are natural, renewable and
recyclable products and made from wood grown in sustainable forests.
The logging and manufacturing processes are expected to conform to the
environmental regulations of the country of origin.

The publisher has used its best endeavours to ensure that the URLs for
external websites referred to in this book are correct and active at the time
of going to press. However, the publisher has no responsibility for the
websites and can give no guarantee that a site will remain live or that the
content is or will remain appropriate.

Impression number   10 9 8 7 6 5 4
Year   2014 2013 2012

Credits

Front cover: © FocusEurope/Alamy

Back cover and pack: © Jakub Semeniuk/iStockphoto.com, © Royalty-Free/Corbis, © agencyby/iStockphoto.com, © Andy Cook/iStockphoto.com, © Christopher Ewing/iStockphoto.com, © zebicho – Fotolia.com, © Geoffrey Holman/iStockphoto.com, © Photodisc/Getty Images, © James C. Pruitt/iStockphoto.com, © Mohamed Saber – Fotolia.com

Acknowledgements

To Richard, Karin, Michael and James, and to Jytte and Jenny.

The authors would like to thank the consultants, Ingwor Holmqvist and Gun Sjöberg, for checking the material and making many valuable suggestions, and also Claes and Agneta Gudmundson, for providing us with most of the realia for the exercises. We are very grateful to Kungliga Operan and SJ (Statens Järnvägar) for permission to use an opera ticket and a railway ticket, to Svenska Institutet for the photographs in Unit 15, and to Volvo for pictures of their cars.

We are also very indebted to Philip Holmes and Ian Hinchliffe, whose grammatical works we have used, and to Andrew Cornish, Karen Donnelly and David Hancock for the illustrations, and to Martin Fiedler for scrutinizing the text so conscientiously.

Lastly, we would like to thank our editors, Virginia Catmur and Bettina Tolle, for their patience and help.

Vera Croghan
and
Ivo Holmqvist
June 2010

Meet the authors

I was born and educated in Sweden and studied there. My main subjects were Scandinavian Languages, English and Comparative Literature. While at university I worked in the office of Folkuniversitetet, which organized lectures and courses led by university teachers or students who had passed their exams in the relevant subjects. One of my duties was to occasionally stand in for teachers. Thus I got to teach Swedish to foreign students who had to learn Swedish before commencing their university courses. As well as being very enjoyable, these lessons helped me to pay for trips to England, and no doubt helped me to get my first full-time job, teaching Swedish at Aberdeen University. I moved to Norwich when the University of East Anglia opened and have taught Swedish there for over 30 years. I am delighted to be able to increase the numbers of my students with *Complete Swedish*, and I wish you the best of luck in your studies.

Vera Croghan

If you want to combine an interest in Nordic culture with an urge to see the world, what better way than taking up a position in Scandinavian Studies abroad? Having met as students at Lund University, my wife and I have done that, repeatedly. First, we headed for New Zealand, venturing as far south as we possibly could, and managed the Scandinavian department at Auckland University (1972–1974). Back in Sweden, we soon found greener pastures at the University of Odense, Denmark (1975–1980 and 1985–1990), years mixed with teaching at Grännaskolan, a Swedish college, and interrupted by my Nordic Council sojourn as a Senior Educational Officer in Helsinki, Finland. After that, a second antipodean period followed, from 1994 until Scandinavian Studies closed down in 2001. I then directed the European College in Strängnäs, near Stockholm. From 2003 to 2007 I took up the chair in Scandinavian Literature at the University of Ghent, Belgium. As the final stop on this meandering global odyssey we are now back in New Zealand, running a B & B, which gives us daily opportunities to make new friends!

Ivo Holmqvist

Only got a minute?

Going to Sweden? You are bound to face some interesting challenges, like knowing what to say when shopping, how to order a meal when eating out, how to book a room in a hotel, how to plan your train travels, how to rent a car. If you speak the language, you will enjoy the exotic Nordic places that you have been recommended even more – Skåne in the south, the rocky west coast, the Stockholm archipelago, Dalecarlia at Midsummer or the far north with its majestic mountains.

Even if the majority of Swedes are very good at speaking English – those under forty have had it as their second language since the age of six – your visit to Sweden will be much more rewarding if you have learnt some Swedish. This book will familiarize you with the written and spoken language – pronunciation, grammar, vocabulary – but also with Sweden and the Swedes. You will learn about exotic northern customs like the August crayfish parties, the December 13 Lucia with its **lussekatter**, or the many dishes on a traditional smorgasbord (you will soon learn its proper spelling, **smörgåsbord**) like **surströmming**, **janssons frestelse**, and all the other unknown words and traditions that will be explained on the pages to follow. Your first attempts at speaking Swedish will be met with encouraging words from the locals. You will soon feel confident and relaxed, and besides, after a while you will also understand the neighbouring Scandinavian languages. Once you master Swedish, you get Danish and Norwegian as part of the deal – three languages for the price of one! So, go for it! Take on a new language, a new culture, a new way of thinking – the Swedish way! Enjoy the journey into the unknown world of the Vikings and their descendants. You will be thrilled by Swedish, its melodious intonation, its intricacies and its familiarities – and Swedes will love to hear you speaking their language!

5 Only got five minutes?

"Tongue of honour and heroes! How noble and manly in movement! Clear as bronze is your sound, sure as the sun is your course." That is an approximate translation of the last stanza in Esaias Tegnér's 1817 poem "Språken" (The Languages) in which he glorifies Swedish, his mother tongue. The rhetoric, the strident nationalism and the hyperbole aside, Swedish is still, two centuries later, a nice-sounding language. For several reasons, it is fairly easy to learn for speakers of English. The two languages are closely related. If they are not siblings in the Germanic language family, at least they are cousins.

Of the three main branches on the Germanic tree, the eastern one, Gothic, broke off a long time ago. An important written source remains, the Visigoth Bishop Wulfila's fourth-century translation of the Bible from Greek to Gothic, contained in the Codex Argenteus. This Silver Bible is the highly treasured possession of Uppsala University Library, on display in a glass case, although well guarded. *Tjuven* (The Thief) by Göran Tunström, one of the most worthwhile of 20th century Swedish novelists, is an entertaining spoof about how an enterprising scholar steals that manuscript.

English, German and Dutch are the major West Germanic languages – the minor ones are Yiddish, Frisian, Afrikaans and Flemish (if regarded as distinct from Dutch) – all of them cousins or half-cousins to Swedish. Now for the immediate brothers and sisters: North Germanic languages are subdivided into two groups, the eastern one comprising Danish and Swedish, the western one Norwegian (strictly speaking Nynorsk – the dominant Bokmål has its origin in written Danish), Icelandic and Faroese. Once you master Swedish, you will be able to understand much if not most of written Danish and spoken Norwegian. Icelandic and Faroese will not come quite as quickly, and Finnish will be hard. Finnish is a Finno-Ugrian language, closely related to Estonian, distantly to Hungarian, but not to the Indo-European groups of Germanic, Celtic, Baltic (i.e.

Latvian and Lithuanian), Romance, Slavonic, Greek, Albanian, Armenian and Indo-Iranian languages.

Another reason why Swedish is not overly difficult is the fact that much of its vocabulary can be recognised instantly. From Greek and Latin come words in the religious and scientific spheres (**kyrka, brev, biskop, präst**), and from Low German there was an influx of mercantile terms during the Middle Ages, especially in the time of the Hanseatic League (**frakt, skomakare, rådhus**), as well as Danish words during the inter-Nordic Kalmar Union. French was the preferred language at the Swedish court and among the nobility in the 18th century (**trottoar, paraply, parfym, affär, kostym**). High German had its impact both in the 17th and then the 19th century when Germany was culturally dominant in Europe (**infanteri, pistol,** snälltåg for *express train*, and **stormakt** for **great power**).

The borrowing of English and American words (some would call it a blessing, others an onslaught) has been strong since the end of World War II. The river of English words flowing into Swedish at present may seem like a fast torrent, but from a historical point of view it is still only a trickle. Words that have made their way into Swedish after 1950 include **sex** (1946, not the cardinal number!), **tejp** (1949, for *tape*), **hamburgare** (after 1959 less likely a man from Hamburg), **dator** (1969, for *computer*), **vindsurfa** (1978), **baglady** (1982), **yuppie** (1985), and **loser** (1992), the last three exemplifying how direct borrowings will have some problems in adjusting to Swedish grammar.

Words have moved in the other direction as well. Soon after the Vikings had established Lindisfarne, their stronghold on Holy Island at the Scottish–English border, they made their presence felt in the Danelaw area. Its geographic boundaries, and their movements, can still be seen in English place names ending in -by (the Danish for *town*, the Swedish for *village*) and -thorpe (**torp**, i.e. *croft*), this long before Scandinavia was split up into national states. Eilert Ekwall, professor of English at Lund University, was a world authority on English place names, including the Scandinavian ones. Likewise, the distribution of Swedes settling in America may be traced in place names across the continent. Otto Robert Landelius, a diligent and prolific researcher into this, listed more than one thousand place names of Swedish origin in the United States.

"The gradual change from a synthetic to an analytical language is completed with the disappearance of dative and accusative forms of nouns and of congruence in adjectives" (Phil Holmes, on the transition from Later Old Swedish to Early Modern Swedish at the beginning of the 16th century). In other words: Swedish, once a heavily inflected language, has become much simplified. Nouns, for example, have now only one case plus genitive (Latin has six, Finnish sixteen), and the specific plural forms of verbs, congruent with nouns in the plural, disappeared at the beginning of the last century. Selma Lagerlöf, along with August Strindberg the major Swedish writer at the time, was one of the first to adopt this novelty – stalwarts stuck to the old way long afterwards. A wide-ranging spelling reform at the same time also made things easier, at least for the eye – some etymological links were lost in the process.

The sounds in Swedish are distinct (just listen to Birgit Nilsson, Jussi Björling or Anne Sofie von Otter singing in Swedish!). The pronunciation of Swedish comes easily to most speakers of English. It is a phonemic language, in contrast to English or Danish but similar to Finnish, in which everything with very few exceptions sounds as it is written. Few endings are shortened or swallowed. The exceptions are listed on the introductory pages, one basic rule being the softening of k and g in front of the soft vowels e, i, y, ä and ö. As for spelling, the Swedish alphabet has 29 letters, the three last ones with diacritic markings: å, ä and ö. That is a low hurdle; a higher one is the fact that Swedish – like Norwegian – is a tone language. The intonation patterns with their shifts in pitch and wide acoustic spectrum, and the distinction between acute and grave accents are taxing for speakers of non-tone languages.

Admittedly, of all versions of Swedish, some are slightly less accessible than others. The official language spoken clearly on radio and TV is close to the dialects west of Stockholm whereas city sociolects, including the ones in the capital, are a different matter. Diphthongs appear in the ancient dialects spoken on the Baltic island of Gotland and in Dalecarlia's remote valleys, as well as in the south, where the r-sound is guttural, not rolled. The Swedish spoken in Finland by slightly less than 6% of the population, a diminishing figure (they were double that number around 1900), has its distinct features. But all this is of little consequence to the learner of Standard Swedish.

On the other hand, the language mix in immigrant communities, often referred to as Rinkebysvenskan (Rinkeby is a southern Stockholm suburb heavily populated by New Swedes) is not always readily understood even by the majority of Swedes. Jonas Hassen Khemiri makes clever use of it in his hilarious novel *Ett öga rött* (An Eye Red). He, as well as his many colleagues who have been translated into a great variety of languages, makes best sense when read in the original. *Pippi Longstocking* by Astrid Lindgren is not as rebellious as *Pippi Långstrump*, *The Moomins* by Tove Jansson not as melancholy as *Mumintrollen*, *Blackwater* by Kerstin Ekman less arctic than *Händelser vid vatten*, the novels by Per Olov Enquist and Torgny Lindgren lose some of their flavour in other languages, and the crimes described by Sjöwall-Wahlöö, Henning Mankell and Stieg Larsson (his posthumous world-wide sales break all records) are much more graphic in Swedish!

When you have completed all 18 units in this book, you will be able to carry on a polite dinner conversation, order meals and pay for them, book tickets, decipher timetables, be mildly surprised by prices in a shop, do transactions in the bank (if you can find one open), drive on the right, get cured by a local doctor while in Sweden, enjoy the **smörgåsbord** delicacies – all of this in fluent Swedish. As a bonus, you will be fully informed regarding Swedish traditions and festivities and will be in the know about Swedish etiquette and ways of behaviour, avoiding all faux pas. And when you have thus taught yourself Swedish and gained full confidence in this new language, you will hardly need any translation. You will enjoy (or at least appreciate) Ingmar Bergman films without subtitles, understand linguistic niceties and nuances in Swedish novels, and read Swedish poetry as it was written. All the authors mentioned above are much better in the original, not least Esaias Tegnér and his iambic lines characterising Swedish: "Ärans och hjältarnas språk! Hur ädelt och manligt du rör dig! Ren som malmens din klang, säker som solens din gång."

Dr Ivo Holmqvist

Introduction

This course is designed for the absolute beginner and requires no previous knowledge of any foreign language. The aim of the course is to enable you to use Swedish in everyday situations and also to provide some background information about Sweden and Swedish culture.

Swedish is not a difficult language for an English-speaking student to learn. Like English, it is a Germanic language, so many words are similar, for example: **man, bok, hus, hund, land, hand, finger**. Many loan-words from German, French and Latin are also immediately recognizable to anyone with a knowledge of these languages, for example German *Frau, fragen, Freiheit, Rathaus* become **fru, fråga, frihet, rådhus** in Swedish. French *restaurant, parapluie, sergent, milieu* become **restaurang, paraply, sergeant, miljö** in Swedish. From Latin come **museum, laboratorium, pastor, universitet** and so on.

In these days of easy communications, TV programmes and films, and science and technology using an international (English!) terminology, more and more American and English words are entering the Swedish language, making it increasingly accessible to English-speaking people.

How to use the book

Each of the 18 units follows the same pattern.

Introduction. An introduction in English that explains what you will learn in the unit.

Dialogue. There are some dialogues at the beginning of each chapter. Using the recording, listen to them first to see how much you understand, then read them carefully.

Vocabulary. The vocabulary section that follows each dialogue contains the new words and expressions that you will need to understand it.

True or false? Statements about the dialogue that may be true or false. The aim of this exercise is for you to check whether you have understood the text.

What you need to know. Comments on life in Sweden relevant to the dialogue.

What to say. The important words and expressions used in the dialogues are repeated here.

Language points. Notes explaining grammatical structures and how to create your own sentences.

Exercises. In these you practise the new words and information you have learnt.

Do you understand? Further dialogues and texts, testing your comprehension.

In addition, the symbol ◀ indicates material included on the accompanying recording.

The best way to make progress is to work a little every day. Listen to the recording and read the dialogues several times, learning the vocabulary before you start the exercises.

Complete Swedish tells the story of John, a young Englishman who is going to stay in Sweden for a year to gain experience in the import and export trade. He also wants to see something of Sweden. His Swedish friend, Åke, stayed with John's family on an exchange, and now John is going to stay with Åke's family.

Pronunciation

Swedish is probably one of the easiest languages to learn to pronounce as it is usually pronounced as it is written. Once a few general rules have been learnt – and you have mastered the specific Swedish sounds – it is quite straightforward.

The easiest way to learn the pronunciation is to listen to the recording and imitate the native speakers there. Swedish radio and Swedish films – if they haven't been dubbed – are also very helpful. Swedish radio and television are valuable resources, available worldwide through the Internet. For details see **Taking it further.**

The most important thing to remember when pronouncing Swedish words is that all letters should be pronounced distinctly, even unstressed end vowels, and vowels and consonants in endings, e.g. **pojke** (*boy*), **före** (*before*), **medan** (*while*), **trädet** (*the tree*).

The Swedish alphabet has 29 letters. Their names (in brackets) are used when spelling words out loud.

◀) **CD 1, TR 1**

A a	(pronounced a)	K k	(pronounced kå)	U u	(pronounced u)
B b (	„ be)	L l (	„ ell)	V v (	„ ve)
C c (	„ se)	M m (	„ em)	W w (	„ dubbel ve)
D d (	„ de)	N n (	„ en)	X x (	„ eks)
E e (	„ e)	O o (	„ o)	Y y (	„ y)
F f (	„ eff)	P p (	„ pe)	Z z (	„ säta)
G g (	„ ge)	Q q (	„ ku)	Å å (	„ å)
H h (	„ hå)	R r (	„ ärr)	Ä ä (	„ ä)
I i (	„ i)	S s (	„ ess)	Ö ö (	„ ö)
J j (	„ ji)	T t (	„ te)		

The last three letters are vowels; this means that Swedish has nine vowels, as y is always a vowel in Swedish. The vowels are **a, e, i, o, u, y, å, ä, ö.**

The vowels in Swedish are pure sounds, not a combination of two sounds (diphthongs) as they often are in English. Diphthongs only occur in dialects.

The pronunciation of Swedish letters is explained below. However, the comparisons with English sounds are only approximate. Therefore you should listen carefully to the recording where native speakers have recorded the sounds and sample words. The guide below is only intended to help you if you have any difficulties. For most people, imitating the voices on the recording is by far the easiest way to learn the correct pronunciation.

Vowels

◀) **CD 1, TR 1, 02:12**

Swedish vowels may be long or short, but vowel length is connected with stress. A stressed vowel is more prominent than the other letters in the word.

A stressed vowel is long:

- as end-vowel in words of one syllable: **ja, vi, nu, se, två**.
- before a single consonant in the same syllable (for exceptions see below): **mor, far, vara, heta, gata, jul**.

A stressed vowel is short:

- before two or more consonants in the same syllable: **flicka, gubbe** (*old man*), **äpple, kall, kopp**. (Except before -r: **barn, lärd** (*learned*).)
- in a few common words of one syllable: **han, hon, den, min, din, sin**.
- often in words of one syllable ending in -m or -n: **vem, hem, kom, kam, som, rum, dum, man, in, kan, men, mun, än**.

An unstressed vowel is always short: the last **a** in **tala, resa**; the **e** in **pojken, åker**, etc.

The vowels are divided into two groups:
a, o, u, å are hard vowels
e, i, y, ä, ö are soft vowels.

This distinction is important in explaining the different pronunciations of the consonants **g** and **k**, and the consonant combination **sk** before the different vowel groups (see below).

Swedish letter	Pronunciation	Example
long a	like a in *father*	**far** (*father*)
short a	like the a- sound in *but*	**katt** (*cat*)
long e	no English equivalent. A little like e in *ear*, but with the tongue muscles very tense	**med** (*with*)
short e	like e in *men*	**penna** (*pen*)
long i	like ea in *heat*	**liv** (*life*)
short i	like i in *kiss*	**hiss** (*lift*)
long o	like oo in *moon* with tightly rounded lips	**bok** (*book*)
short o	like oo in *book* with less tightly rounded lips	**blomma** (*flower*)
long u	no English equivalent. Start with the u- sound in *true*, but round the lips very tightly	**hus** (*house*)
short u	like u in *full*, but not so tensely rounded lips as the long **u**	**hund** (*dog*)
long y	no English equivalent. Like the long **i** but with tightly rounded lips	**ny** (*new*)
short y	no English equivalent. Sounds like the short **i** but with rounded lips	**syster** (*sister*)
long å	like the aw- sound in *raw*	**gå** (*go*)
short å	like o in *Scot*	**åtta** (*eight*)
long ä	like the first vowel in the diphthong ea in *bear*	**äta** (*eat*)
short ä	more open than the English e in *set*	**lätt** (*easy*)
long ö	no equivalent in English. The tongue is in the same position as for **e** but the lips are rounded and protruded	**söt** (*sweet*)
short ö	like the u- sound in *curt* but shorter	**böcker** (*books*)

In the short vowels the mouth is often slightly more open than in the long vowels. This is most noticeable when an **ä** or **ö** is followed by an **r**, for example:

Long vowels	Short vowels
här (*here*)	**härja** (*ravage*)
lära (*teach*)	**lärde** (*taught*)
hör (*hears*)	**hörde** (*heard*)
dör (*dies*)	**dörr** (*door*)

Pronunciation exercise

◀) CD 1, TR 2

Practise the vowel sounds by repeating these words aloud. You will find it helpful to listen to the examples on the recording first.

	Long vowels	Short vowels
a	Karin	Anna
	Malin	Magnus
e	Erik	Pelle
	Eva	Svensson
i	Lisa	Nils
	Brita	Birgitta
o	Ola	Olle
	Moberg	Mollberg
u	Rut	Ulla
	Sture	Gunnar
y	Tyra	Yvonne
	Ystad	Yngve
å	Åke	Mårten
	Åland	Ångermanland
ä	Pär	Säffle
	Vänern	Vättern
ö	Öland	Björn
	Söder	Önnestad

Note: Some words spelt with **o** are pronounced with an å- sound, for example:

Mona	Lotta
Roland	Stockholm

Consonants

◀) CD 1, TR 2, 01:20

Swedish letter	Pronunciation	Example
b	like **b** in *bad*	**bo** (*live*)
c	is found mainly in words of foreign origin. As a rule, it represents the same sound as in the foreign word. Thus it is pronounced as **s** in front of the soft vowels (e, i, y, ä, ö) but as **k** in front of the hard vowels (a, o, u, å) in stressed syllables, and always as **k** in front of **k**	**cykel** (*bicycle*), **cancer** (*cancer*), **flicka** (*girl*)
d	approximately as in English, but with the tongue just behind the upper teeth	**dam** (*lady*)
f	like **f** in *firm*	**fem** (*five*)
g	like **g** in *go* in front of the hard vowels (a, o, u, å) or consonants in stressed syllables	**gata** (*street*), **god** (*good*), **Gud** (*God*), **gå** (*go*), **gris** (*pig*)
g	like **j** in front of the soft vowels (e, i, y, ä, ö) in stressed syllables	**ge** (*give*), **gissa** (*guess*), **gyllene** (*golden*), **gäss** (*geese*), **göra** (*do, make*)
g	like **j** finally after l and r	**älg** (*elk*), **berg** (*mountain*)
h	like **h** in *hot*	**het** (*hot*)
j	like **y** in *you*	**ja** (*yes*)

k	like **k** in *keep* in front of the hard vowels (a, o, u, å) or consonants in stressed syllables	**kan** (*can*), **ko** (*cow*), **kunde** (*could*), **kål** (*cabbage*), **klo** (*claw*)
k	like **ch** in *church* in front of the soft vowels (e, i, y, ä, ö) in stressed syllables	**kedja** (*chain*), **kind** (*cheek*), **kyss** (*kiss*), **kära** (*dear*), **köpa** (*buy*)
l	like **l** in *leaf*	**liv** (*life*)
m	like **m** in *me*	**mor** (*mother*)
n	like **n** in *no*	**ny** (*new*)
p	like **p** in *plate*	**plats** (*place*)
q	like **k** in *king*	**quiche** (*quiche*)
r	is a rolled **r** made with the tip of the tongue in central and northern Sweden; in the south it is not rolled but made with the root of the tongue at the back of the mouth	**ren** (*clean*)
s	like voiceless **s** in *see*. In Swedish s is never voiced as in *measure*	**se** (*see*)
t	is pronounced with the tongue just behind the upper teeth	**tand** (*tooth*)
v	like **v** in *very*	**vem** (*who*)
w	like **v** in *very*. It only occurs in names and words of foreign origin	**WC** (*toilet*)
x	like **ks**, never like **gz** as in *example*	**herr X** (*Mr X*)
z	like voiceless **s** in *see*. It only occurs in names and words of foreign origin	**zoo** (*zoo*)
ng	like **ng** in *ring*, never like **ngg** as in *England*	**ung** (*young*)
gn	like **ngn**	**regn** (*rain*)
sk	like **sk** in *skate* in front of the hard vowels (a, o, u, å) or consonants in stressed syllables	**ska** (*shall*), **sko** (*shoe*), **skulle** (*should*), **skål** (*cheers*), **skriva** (*write*)

sk	like **sh** in *she* in front of the soft vowels (e, i, y, ä, ö) in stressed syllables	**sked** (*spoon*), **skina** (*shine*), **skygg** (*shy*), **skär** (*pink*), **skön** (*comfortable*)
sch, sj, skj	like **sh** in *she*	**marsch** (*march*), **sjö** (*lake*), **skjuta** (*shoot*),
stj, si(on), ti(on)	like **sh** in *she*	**stjärna** (*star*), **passion** (*passion*), **station** (*station*)
kj, tj	like **ch** in *Charles* without the initial t- sound	**kjol** (*skirt*), **tjock** (*thick*)

Note: **d, g, h, l** are mute in front of **j** at the beginning of words or in compound words when these consonants belong to the same syllable: **djup** (*deep*), **gjort** (*done, made*), **hjul** (*wheel*), **ljud** (*sound*).

k followed by **n** is pronounced (unlike in English): **kniv** (*knife*), **knä** (*knee*). Swedes use **ck** instead of **kk**: **flicka** (*girl*), **mycket** (*very*).

q, w, x, z only occur in names and foreign words. Then **q** is pronounced like a **k**, and **w** is pronounced like a **v**. **Qu** is pronounced like **kv**, e.g. **Qatar, WC** (*toilet*), **Wennergren, Quist, Quinnan** (in old texts or jokingly = *woman*). **X** is pronounced like **ks**, e.g. **extra** (*extra*), and **z** is pronounced like voiceless s, e.g. **zebra** (*zebra*).

t is pronounced in **nation** (*nation*) and **motion** (*exercise*).

l is mute in **karl** (*man*) and **värld** (*world*).

rs is pronounced like **sh** in *mash* in central and northern Sweden, but not in the south, where the two letters are pronounced individually, e.g. **person** (*person*).

In **rd, rt, rl, rn** the **r** is assimilated with the following consonant so that these are pronounced almost like their English equivalents in central and northern Sweden. However, in the south the two letters are pronounced individually, e.g. **hård** (*hard*), **svårt** (*difficult*), **härlig** (*glorious*), **barn** (*child*).

Pronunciation exercise

◄》 CD 1, TR 2, 03:26

Practise the following tongue-twisters. Pay particular attention to the fact that the same sound can be spelt in several ways! Some of these sentences feature on the accompanying recording and, if you have it, you will find the practice very useful. Translations of these tongue-twisters can be found at the back of the book.

b   Barbros bror badade bara i Barsebäck.

c   Carls kusin dansade cancan med en cowboy i Canada.
Cecilia cyklade genom centrala Cypern efter cigaretter och citroner.

d   David drack druvsaft och drog igång dragspelsmusiken.

f   Fiffiga Fia friade till den förfärlige Fredrik.

g   Gustav grillade grisen i gryningen.
Gerd gillade gyttjebadet efter gympan.

h   Helan och Halvan har hälsats med heja-rop hela halva hösten.

j   Det satt en arg älg i julgranen i Göteborg.

k   Karin kramade den kluriga katten Katarina.
Kerstin kisade kyligt mot kycklingen i Köping.

l   Lasse linkade lamt längs Lunds lummiga alléer.

m   Mats matade många misstrogna musiker med miljövänlig medicin.

n   Nisse nobbade några nattliga nöjen med Nora.

p   Pelle passade på att prova pistolen på papegojan.

q   Quist diskvalificerade Quinnan.

r   Rut rosade Rolfs rara renar.

s   Sven svarade snällt när Sixten skrek svordomar.

t   Trofasta Tilda tackade tandläkaren när han drog ut den trasiga tanden.

v   Vill du veta var Vilhelm var i veckan?

x   Xantippa spelade xylofon för Xerxes.

z   Zigenaren Zakarias såg solen i zenit på Nya Zeelands zoo.

ng   I England talar engelskorna engelska.

gn   Magnus vankade lugnt bakom vagnen i regnet.

kn   Knut knyt knuten! Knut knöt knuten utan knot.

sk   Det är skam att skryta och skrävla i skolan.

sk	Den skenheliga chefen i den skära skjortan spelade skivorna i den sköna stjärnklara skärgårdskvällen.
sj	Sju sjuka sjuksköterskor skötte sju sjösjuka sjömän.
stj	Stjäl inte stjärnan!
skj	Jag gömde skjortorna i skjulet.

| tj | Kärringen tjatade på tjejen att inte kyssa den tjugonde kinesen |
| k | på kinden. Tjosan! |

Stress

Swedish has *sentence stress* (the words that are most significant for the meaning are stressed) and *word stress* (different syllables in words are stressed).

Word stress. The stress is normally on the first syllable of every word except in a number of loan words from other languages where there is no completely reliable rule. A great many by now follow Swedish pronunciation rules, at least in part, but others may retain the stress on the syllable that carried the stress in the original language. That is usually the case with words of French or Latin origin, e.g. **restaurang** (*restaurant*), **novell** (*short story*), **museum** (*museum*), **studera** (*study*).

If a word begins with the prefixes **be-**, **för-**, **ge-**, the stress is on the syllable following these prefixes, e.g. **betala** (*pay*), **förstå** (*understand*), **gedigen** (*solid*).

If a syllable other than the normal first syllable is stressed, the vowel in this syllable has been italicized in this book.

Accent

◀) CD 1, TR 3

Swedish is a tone language, which means that more than one tone may be used in one word. That is why it sounds as if Swedes are singing when they speak. There are two such word accents in Swedish: 'single tone' (also called *accent 1* or *acute accent*) and 'double tone' (also called *accent 2* or *grave accent*).

Single tone, as in English, is used in words of one syllable. Note that even when a one-syllable word takes an ending, it keeps its single tone accent, e.g. **boll** (*ball*) – **bollen** (*the ball*), **hund** (*dog*) – **hunden** (*the dog*).

Single tone is also used in many two-syllable words ending in -**el**, -**en**, -**er**, e.g. **cykel** (*bicycle*), **vatten** (*water*), **vinter** (*winter*), and in present tense verb forms ending in -**er**, e.g. **reser** (*travel*).

Double tone is used in most words of more than one syllable and in most compound nouns, e.g **flicka** (*girl*), **trädgård** (*garden*), as well as in verb forms ending in -**a**, -**ar**, -**ade**, -**at**, -**ad**, e.g. **tala, talar, talade, talat, talad** (*speak, spoke, spoken*). In words with double tone the main stress is on the first syllable – a falling tone, but there is also a strong secondary stress on the second syllable – a rising tone, e.g. **lampan** (*the lamp*), **spela** (*play*).

Single tone	Double tone
boll	flicka
bollen	trädgård
cykel	tala
reser	lampa

The difference in tone is used to distinguish between words which are spelt the same way but mean different things, for example:

🔊 **CD 1, TR 3, 00:38**

Single tone	Double tone
anden (*the duck*)	anden (*the spirit*)
biten (*the bit*)	biten (*bitten*)

Note: The line indicates the pitch, i.e. the height of the tone of your voice.

Everyday pronunciation

The written language and the spoken language do differ. Note the following forms of words commonly used in normal speech:

- The final consonant is normally dropped in some very common words: ja/g (*I*), da/g (*day*), va/d (*what*), go/d (*good*), me/d (*with*), de/t (*it*), mycke/t (*much*).

- Och (*and*) is usually pronounced as å, and nej (*no*) is pronounced as nä.

- In normal speech the pronouns mig (*me, myself*), dig (*you, yourself*), sig (*himself, herself, itself, themselves*) are pronounced as mej, dej, sej, and they are sometimes written this way as well. De (*they*) and dem (*them*) are pronounced as dåmm and sometimes written dom in colloquial contexts. Någon, något, några (*some/any/body, some/any/thing, some/any*) are pronounced nån, nåt, nåra. Sådan (*such*) is pronounced sån. Sedan (*afterwards*) is pronounced sen. Mera and mer (*more, for uncountables*) and flera and fler (*more, for countables*) are used interchangeably.

- Adjectives ending in -ig usually drop the -g in the spoken language, for example: roli/g (*funny*), tråki/g (*boring*).

- The past tense of the verbs säga (*say*) and lägga (*lay*) are written sade and lade but pronounced sa and la. Skall (*shall*) is pronounced ska and now normally also written this way.

The imperatives tag (*take*) and drag (*pull*) are pronounced ta and dra, and nowadays often written this way too.

The present tense är (*is*) is pronounced e.

1

Passet, tack!
Your passport, please!

In this unit you will learn:

- How to introduce yourself and how to address people
- How to exchange greetings in formal and informal situations
- How to form simple statements and questions

Samtal 1 *(Dialogue 1)*

🔊 **CD 1, TR 4**

Robert and Jane Taylor and their son John, from London, arrive at the ferry terminal in Gothenburg. They are going through passport and customs control.

Passkontrollören	God morgon. Passet, tack!
Herr Taylor	Varsågod.
Passkontrollören	Vad heter ni?
Herr Taylor	Robert Taylor, min fru heter Jane Taylor och vår son heter John Taylor.
Passkontrollören	Varifrån kommer ni?
Herr Taylor	Vi kommer från England.
Passkontrollören	Vad har ni för yrke?
Herr Taylor	Jag är ingenjör, min fru är sekreterare och John är praktikant på en import- och exportfirma.
Passkontrollören	Har ni varit i Sverige förut?
Herr Taylor	Nej, det här är första gången.

Passkontrollören	Hur länge ska ni stanna?
Herr Taylor	Jag och min fru ska bara stanna en vecka, men vår son ska stanna ett år.
Passkontrollören	Det var allt, tack. Trevlig resa!

passkont- rollören	immigration officer
god morgon	good morning
passet	the passport
tack	thank you (here: please)
varsågod/a	here you are
vad heter ni?	what is your name?
ni	you
min fru	my wife
och	and
vår son	our son
varifrån?	from where?
kommer	come
vad har ni för yrke?	what is your occupation?
jag är	I am
ingenjör	engineer
sekreterare	secretary
praktikant	trainee
på	on (here: with)

en	a, an
import- och exportfirma	import and export firm
har ni varit i Sverige (pronounced Svärje) förut?	have you been to Sweden before?
nej	no
det här är första gången	this is the first time
hur länge ska ni stanna?	how long will you be staying?
ska	shall
bara	only
en vecka	a week
men	but
ett år	a year
det var allt	that was all
trevlig resa	pleasant journey

Insight

The pronunciation is the same for **jag** (meaning *I*) and for **ja** (meaning *yes*) since the **g** in **jag** is mute, but it is always obvious from the context which word the speaker is using.

Rätt eller fel? (*True or false?*)

a Roberts fru heter John.
b Det är första gången John är i Sverige.
c John ska bara stanna en vecka.

Samtal 2 (Dialogue 2)

◀) CD 1, TR 5

After collecting their luggage they go through the green exit, as they have nothing to declare.

The Svensson family are waiting for the Taylors at the quayside. Åke Svensson has stayed with the Taylors on an exchange, so he knows them, but the parents have never met.

Fru Svensson	Är det John som kommer här?
Åke Svensson	(to mother) Nej, det är det inte, men där är han.
	(to John) Hej, John! Välkommen!
John Taylor	Hej, Åke! Så roligt att ses igen.
Herr Svensson	Goddag, goddag, Mrs Taylor. Goddag, Mr Taylor. Välkomna till Sverige!
They shake hands.	
Herr Svensson	Jag heter Anders och min fru heter Ulla. Vi säger väl du till varandra?
Herr Taylor	Javisst! Det tycker jag. Jag heter Robert och min frus namn är Jane.
John	Är det din bror, Åke?
Åke	Ja, det är min lillebror. Han heter Lars, men han kallas Lasse.
John	Hej! Roligt att träffas, Lasse! Talar du engelska?
Lasse	Ja, lite grann.

Swedish	English	Swedish	English
är	*is*	**välkommen/ välkomna**	*welcome*
det	*it, that*		
som	*who*	**så roligt att ses igen**	*how nice to see you again*
kommer	*is coming*		
här	*here*	**goddag**	*how do you do?*
det är det inte	*it isn't*		
		till	*to*
där	*there*	**Sverige**	*Sweden*
han	*he*	**vi säger väl du**	*let's drop the titles, shall we?*
hej	*hello, hi*		

QUICK VOCAB

till varandra	*to each other*	**kallas**	*is called*
javisst	*yes, certainly;*	**roligt att**	*nice to meet*
	yes, of course	**träffas**	*you*
det tycker jag	*I think so too*	**talar du**	*do you speak*
namn	*name*	**engelska?**	*English?*
är det din	*is he* (lit. that)	**ja**	*yes*
bror?	*your brother?*	**lite grann**	*a little*
lillebror	*little brother*		

Rätt eller fel? (*True or false?*)

a John säger till Åke: 'Så roligt att ses igen'.
b Robert Taylor vill inte säga du till Anders.
c Åkes lillebror heter Lasse, men han kallas Lars.

Greetings

Swedes have a reputation for being rather formal people. They are very fond of shaking hands and seldom meet without doing so. However, the rigid etiquette of the past is rapidly changing as the younger generation becomes more spontaneous.

Goddag. *How do you do?* The most common greeting in formal situations.
Hej. This is by far the most popular greeting in informal situations, corresponding to *hello* or *hi*. **Hej** or **Hej, då** is also used when parting.
God morgon. *Good morning.*
God natt. *Goodnight.* Used when going off to bed.
Adjö (pronounced **ajö**). *Goodbye.*

Varsågod when addressing one person, **Varsågoda** when addressing more than one person. Here it means *here you are*. It is widely used when handing something to someone, but it can also mean *please* in certain situations, for example **Varsågod och sitt!** (*Please, take a seat!*).

Välkommen when addressing one person, **Välkomna** when addressing more than one person.

Tack Swedes say **tack** very frequently, for example when receiving something and also when asking for something. It means *thank you* but if it comes at the end of a sentence it usually means *please*, e.g. **Passet, tack!** (*Your passport, please!*).

Tack så mycket *Thanks very much*
Ja, tack *Yes, please*
Nej, tack *No, thank you*

'Yes' and 'no'

ja	*yes*	inte	*not*
javisst	*yes, certainly; yes, of course*	aldrig	*never*
nej	*no* (usually pronounced **nä**)		

Titles

Herr *Mr*
Fru *Mrs*
Fröken Miss (**Frk** is an abbreviation of **fröken**)

These titles, and all other titles, are spelt with a small letter unless they stand at the beginning of a sentence. Some of the older generation of Swedes are still keen on using titles when addressing people, especially if they have a professional title. They use the title immediately followed by the surname, for example: **direktör Svensson, ingenjör Taylor, doktor Andersson** but **prins Gustav.**

Så här säger man (*What to say*)

- ask

Vad heter du/ni?	someone's name
Vad har ni för yrke?	someone's job
Talar du/ni engelska?	if someone speaks English

- Say

Jag heter Anders Svensson.	your name
Han heter John.	someone else's name (m)
Hon heter Jane.	someone else's name (f)
Jag är ingenjör.	what you do
Jag kommer från England.	where you are from
Roligt att träffas!	nice to meet you
Trevlig resa!	pleasant journey

- greet

Hej, John!	a friend
Goddag, fru Svensson	formally

Grammatik (*Language points*)

1 Nouns: common and neuter gender

A noun is the word or name for a person, place or thing, e.g. **en man** (*a man*), England, Andrew, **en gata** (*a street*), **ett namn** (*a name*). Swedish nouns are either **en-** words (common gender) or **ett-** words (neuter gender). About 75% of nouns are **en-** words, and 25% are **ett-** words. Although most words for living things are common gender and the words for many 'things' are neuter gender, there are unfortunately no simple rules to tell whether a noun is common gender or neuter gender. The indefinite article (*a/an* in English) is **en** in front of a common gender noun, but **ett** in front of a neuter gender noun.

Most of the nouns in the first dialogue are common gender nouns:

en fru	en gång
en son	en vecka
en ingenjör	en resa

but there are also some neuter nouns:

ett pass   ett yrke   ett år

2 'I, you, he/she/it, we, you, they'

These words are called personal pronouns. A pronoun replaces a noun, e.g. 'Robert is an engineer./*He* is an engineer'. Below is a complete list of the personal pronouns in the forms you use when they are the subject of a clause, i.e. they denote the person or thing taking action:

I	jag (pronounced 'ja')
you	du/Du (singular – when speaking to one person only)
he	han (pronounced 'hann')
she	hon (pronounced 'honn')
it	den (when replacing an **en-** word)
	det (when replacing an **ett-** word, pronounced 'de')
we	vi
you	ni (plural – when speaking to more than one person)
	Ni (singular – when addressing one person deferentially)
they	de (pronounced 'dåmm' in everyday language). Sometimes written 'dom'.

du/Du and *ni/Ni*: how to translate *you*

Du is singular, so you only use it if you speak to one person. If you want to show respect, you can use a capital in writing. **Ni** is plural, so you use it when speaking to more than one person. However, it is also used when speaking to one person with whom you are not familiar. **Ni** was the formal and polite form of address until recently, but **du** is gaining ground fast. If you are in doubt about which form to use, wait and see what form the Swede uses and then use the same form.

3 'Yes, it is'; 'No, it isn't'

The corresponding replies in Swedish are:

Ja, det är det.	*Yes, it is.* (lit. yes, that it is)
Nej, det är det inte.	*No, it isn't.* (lit. no, that it isn't)

4 The infinitive of Swedish verbs

A verb is a word which states the action of a noun, e.g. **gå** (*go*). The infinitive is the form of the verb which expresses the action, state or idea without being restricted by person or number. In English it is usually preceded by the preposition *to*, for example *to be* is **att vara**, *to stay* is **att stanna** and *to come* is **att komma**.

The Swedish infinitive normally ends in unstressed **-a**, which is added to the stem. The stem is the main part of the verb without any endings, e.g. **var**a (*be*), **stann**a (*stay*), **komm**a (*come*).

If a verb consists of only one syllable and ends in a stressed vowel, no **-a** is added in the infinitive, e.g. **bo** (*live*), **gå** (*go*).

5 The present tense

Swedish verbs are much simpler than English verbs as the same form is used throughout the tense. Tense indicates the time when the action takes place. Thus **han kommer** (*he comes*) is present tense, as the action takes place at the present time.

The present tense of almost all Swedish verbs ends in **-r**, usually **-ar** or **-er**. There have been several examples of verbs in the present tense in the dialogues, for example: **Vad** *heter* **ni?**, **Vad** *har* **ni för yrke?**, **Är det John som** *kommer* **här?**

Those verbs which end in a vowel other than -a in the infinitive add only an -r in the present tense, e.g. **bor, går.**

är (*am, are, is*)
While the verb *to be* has three different forms in the present tense in English (*I am, you are, he is*), there is only one form in Swedish:

jag är	vi är
du är	ni är
han är	de är
hon är	
den är	
det är	

Here is the present tense of the verb **komma** (*to come*):

jag kommer till Sverige	vi kommer till Skåne
du kommer till Stockholm	ni kommer till Heathrow
han kommer till Göteborg	de kommer till England
hon kommer till Gotland	
den kommer till Dalarna	
det kommer till Mälaren	

The present tense is used to describe:

a something that is happening now: **John kommer nu** (*John is coming now*). (Note that the English continuous tense with verbs ending in -*ing* corresponds to a simple verb form – present or past tense – in Swedish.)

b something that usually happens: **Han går ut med hunden varje dag** (*He goes out with the dog every day*).

c something that will happen, if there is an expression of time (for example: *next year, tomorrow, soon*, etc.): **Herr och fru Taylor reser tillbaka till England om en vecka** (*Mr and Mrs Taylor will go back to England in a week*).

6 Word order in statements and questions

Statements

John är här.	*John is here.*
Hon heter Jane.	*She is called Jane.*
Han är ingenjör.	*He is an engineer.*

Questions

To ask a question change the word order and start with the verb.

Är John här?	*Is John here?*
Heter hon Jane?	*Is she called Jane?*
Är han ingenjör?	*Is he an engineer?*

The answer to this type of question may be **ja** (*yes*) or **nej** (*no*). If the answer is *yes* to a negative question (e.g. **Heter hon inte Jane?**), the Swedish reply is **jo**.

In another type of question you start with a question word, e.g. **vad** (*what*). Again you start with the question word, then the verb, then the subject followed by other parts of the sentence.

Vad heter du?	*What is your name?*
Vad har ni för yrke?	*What do you do?*

7 Jag är ingenjör (*I am an engineer*)

In Swedish we do not use the indefinite article (*a/an* in English) with words for occupation, religion, nationality or political affiliation.

Min far är läkare.	*My father is a doctor.*
Han är protestant.	*He is a Protestant.*
John är engelsman.	*John is an Englishman.*
Olof Palme var socialdemokrat.	*Olof Palme was a Social Democrat.*

Note: Words for nationality, religion and political affiliation (nouns and adjectives) are spelt with a small letter in Swedish.

8 Possession: my wife's name

No apostrophe is used before the genitive **-s** in Swedish:

min frus namn	*my wife's name*
Åkes lillebror	*Åke's little brother*
Anders firma	*Anders' firm*
stadens namn	*the name of the town*

Övningar (*Exercises*)

1 Write down the appropriate greetings and farewells.

  a Mother greets sleepy boy in the morning.
  b Two businessmen meet.
  c The businessmen say goodbye to each other.
  d Two girls meet.
  e Boy says farewell to girl.
  f Father to children at bedtime.

2 Answer the following questions in Swedish.

  a Vad heter Roberts fru?
  b Vad heter Johns mor (*mother*)?
  c Vad heter Ullas man (*husband*)?
  d Vad heter Åkes far (*father*)?
  e Vad heter Åkes lillebror?
  f Vad heter du?

3 Change the following statements into questions.

◄》 CD 1, TR 6

  a Familjen Taylor kommer från England.
  b Robert Taylor är ingenjör.
  c Det är John.
  d Han kallas Lasse.
  e Det var allt.

4 Answer the questions relating to the family below. Write complete sentences.

Example: Vad heter Svens fru? – Hon heter Svea Andersson.

a Vad heter Sveas man?
b Vad heter Pers lillebror?

familjen Andersson

c Vad heter Pers storasyster?
d Vad heter Olles storebror?
e Vad heter Olles lillasyster?
f Vad heter Lisas pappas fru?
g Vad heter Ingelas mammas man?

gift med	*married to*	**lillasyster**	*little sister*
storasyster	*big sister*	**mamma**	*mother*
storebror	*big brother*	**pappa**	*father*

QV

5 Replace the bold words with pronouns.

E.g. **John** kommer från England – **Han** kommer från England.

a **Anders fru** heter Ulla.
b **Ullas man** heter Anders.
c **Robert och Jane och John** bor i London.
d **Du och din fru** är välkomna.

e Du och jag talar engelska.
f Resan var trevlig.
g Passet är engelskt.

6 Answer the following questions using the information provided below.

a Var kommer Greg Harris ifrån?
b Vad har han för yrke?
c Vad heter Mr MacGregor i förnamn?

Greg Harris   Alexander MacGregor   Frida Håkansson

d Var kommer han ifrån?
e Vad har han för yrke?
f Vad har Frida för yrke?
g Vad är Fridas efternamn?

pilot	*pilot*	**var ... ifrån**	*from where*
tandläkare	*dentist*	**förnamn**	*Christian (first) name*
lärare	*teacher*	**efternamn**	*surname*
Skottland	*Scotland*		

7 Complete the following dialogue:

◀) **CD 1, TR 7**

Eva	Hej! Vad heter du?
You	*(Tell her your name.)*

Eva	Jag heter Eva. Jag kommer från Malmö. Kommer du också från Malmö?
You	(Say: No, I come from England.)
Eva	Bor du i Oxford?
You	(Say: No, I come from London.)

8 Complete the following dialogue:

◀) **CD 1, TR 8**

You	(Say: Hello. Ask what he is called.)
Bo	Jag heter Bo Svedberg.
You	(Ask if he comes from Sweden.)
Bo	Ja, jag kommer från Sverige.
You	(Ask if he lives in Stockholm.)
Bo	Nej, jag bor i Göteborg.

Förstår du? (Do you understand?)

In this section you are not expected to understand every single word at once. You should try to catch the key expressions and work out the rest from the context.

Samtal 3 (Dialogue 3)

◀) **CD 1, TR 9**

Åke sees two neighbours and introduces John to them.

Åke	Hej, hej, Ingrid! Hejsan, Kerstin! Det här är John från England. John ska vara här i ett år. Han vill gärna tala svenska med er.
Ingrid	Hej, John! Vill du följa med oss till Liseberg?
John	Ja, gärna.
Kerstin	Kom då. Vi ska möta mamma och pappa där.
Åke	Är din pappa redan hemma?
Kerstin	Ja, han kom igår. Han är sjökapten och de hade medvind i Engelska kanalen.
John	Är din mamma också ledig nu?
Kerstin	Ja, hon är ledig hela sommaren, för hon är lärare.

hejsan!	*hi!*	**hemma**	*home*
det här	*this*	**kom**	*came*
er	*you*	**igår**	*yesterday*
vill gärna	*would like to*	**sjökapten**	*(sea) captain*
svenska	*Swedish*	**medvind**	*following wind*
med	*with*	**Engelska**	*the English*
vill du följa	*would you like*	**kanalen**	*Channel*
med oss?	*to come*	**också**	*also*
	with us?	**ledig**	*free*
kom då	*come then*	**hela**	*all the summer*
möta	*meet*	**sommaren**	
redan	*already*	**för**	*because*

Rätt eller fel? (*True or false?*)

a John vill tala engelska med Ingrid och Kerstin.

b Kerstins pappa är hemma nu.

c Kerstins mamma är inte ledig på sommaren.

Göteborg

Gothenburg is a Swedish city that many tourists come to first, especially the British. Ferries to and from England, Denmark, Norway and Germany ply the port; trains from the continent and planes from all over the world go to Gothenburg. There are also large industrial companies there such as Volvo and SKF, the Swedish Ball Bearing Company. Many Scots have settled here and left their mark on both the city and the language.

Göteborg är Sveriges andra stad, men Göteborg har den största hamnen i Skandinavien. Staden kallas 'Lilla London'. Göteborg har många museer och teatrar. Utanför Göteborgs konstmuseum vid Götaplatsen står Carl Milles berömda staty Poseidon. Stockholmarna och göteborgarna kivas alltid om vilken stad som är bäst.

andra	*second*	**lilla**	*little*
en stad	*city, town*	**många**	*many*
största	*largest*	**ett museum**	*museum*
hamnen	*the port,*	**(pl. museer)**	
	harbour	**teatrar**	*theatres*

utanför	*outside*	**göteborgarna**	*the Gothenburgers*
konst-museum	*art museum*	**kivas om**	*argue about*
vid	*at*	**alltid**	*always*
står	*stands*	**vilken**	*which*
berömda	*famous*	**som**	*that, which*
en staty	*statue*	**bäst**	*best*
stockholmarna	*the Stockholmers*		

Rätt eller fel? (*True or false?*)

a Göteborg är den största staden i Sverige.
b Det finns många museer i Göteborg.
c Poseidon är den största färjan som går till Göteborg.

Ten things to remember

1 **Jag heter** . . . *I'm called* . . . . Word order in statements is: subject before the verb.

2 **Vad heter du?** *What's your name?* Word order in questions is: the question word first (if any), then the verb before the subject.

3 **Hej, Ulla! Hej** is the most common greeting nowadays, but use **Goddag** to older people or in a more formal situation.

4 Swedish has two genders, **en-** words and **ett-** words.

5 *You* corresponds to **du** when speaking to one person or **Du** (in writing) when addressing one person deferentially. When speaking to more than one person *you* corresponds to **ni**, and **Ni** (singular) when addressing only one person deferentially (in writing).

6 In English the infinitive and present tense forms are identical, except *-s* in the third person, and for the verb *to be*, but in Swedish two separate forms are used, **vara – är, komma – kommer, stanna – stannar, bo – bor.**

7 Swedish does not use an indefinite article *(a/an)* before a noun in phrases like **Han är ingenjör. Jag är student.**

8 Swedish does not use a capital in words for nationality, religion or political affiliation, for example **Han är engelsman; Hon är katolik.**

9 Swedish uses apostrophes only for marking deleted letters: **sta'n** (for **staden**), and never before a genitive **-s**. If you see it on signs, etc. (**Pelle's salladsbar**), it is an example of the assimilation of English into present-day Swedish. **Min mans syster** *(My husband's sister)*. **Min systers man** *(My sister's husband)*.

10 Swedish uses **du är välkommen** when speaking to one person, **ni är välkomna** when speaking to more than one person.

2

Tack för maten!
It was a lovely meal!

In this unit you will learn:

- How to discuss where you live
- Phrases used at meal times
- How to ask for things or decline offers at the table
- How to propose a toast and express appreciation
- How to count from 0 to 12

Samtal 1 *(Dialogue 1)*

◄》 **CD 1, TR 10**

Like many Swedes the Svensson family live in a flat of moderate size in a building not more than three to five storeys high, with shops and all amenities nearby.

The families arrive and park the cars.

Anders	Här är det. Vi bor på översta våningen, tre trappor upp. Vi tar hissen.
Ulla	Varsågoda och stig på!
Jane	Vilken vacker utsikt!
Anders	Ja, vi ser hamnen och alla båtarna härifrån.
Ulla	Är ni törstiga? Maten är strax färdig, men ni vill väl ha något att dricka först?
Robert	Ja, tack! En kall öl skulle smaka gott.
Jane	Jag vill nog hellre ha ett glas sherry, tack.

bor	*live*	**maten**	*the food*
på översta	*on the top floor*	**strax**	*soon*
våningen		**färdig**	*ready*
tre	*three*	**ni vill väl**	*I suppose you*
tre trappor	*on the 3rd floor*	**ha**	*would like*
upp	*(lit. three stairs up)*	**väl**	*I suppose*
		något	*something*
upp	*up*	**att dricka**	*to drink*
tar	*take*	**först**	*first*
hissen	*the lift*	**kall**	*cold*
stig på	*step in*	**en öl**	*a beer*
vilken	*what a*	**skulle**	*would be*
vacker	*beautiful*	**smaka**	*nice*
(en) utsikt	*(a) view*	**gott**	
ser	*see*	**smaka**	*taste*
alla	*all*	**gott**	*nice (about food)*
båtarna	*the ships, the boats*	**nog**	*probably (here: I think)*
härifrån	*from here*	**hellre**	*rather*
törstiga	*thirsty*	**ett glas**	*a glass (of)*

Insight

Smaka gott (lit. *taste good*). After the verb **smaka** the neuter adjective form **gott** is always used, whether the noun it refers to is an en-word or an ett-word, for example **Choklad smakar gott** but **maten är god**. You can also use **bra** which never takes any endings.

Rätt eller fel? (*True or false?*)

a Familjen Svensson bor på bottenvåningen.
b De har en vacker utsikt över hamnen.
c De vill inte ha något att dricka före maten.
d Maten är inte färdig när de kommer.

familjen	*the family*	**före**	*before*
bottenvåningen	*the ground floor*	**när**	*when*
över	*over*		

18

Samtal 2 (*Dialogue 2*)

◄) **CD 1, TR 11**

Half an hour later.

Ulla	Varsågoda! Middagen är serverad.
Jane	Tack så mycket.
Anders	Vad får vi? Vi är mycket hungriga.
Ulla	Inlagd sill till förrätt, sedan kyckling, dillpotatis, grönsaker och sallad. Till efterrätt ska vi ha smultron och grädde.
Robert	Det låter gott.
Ulla	Anders, vill du vara snäll och servera snapsen!
Anders	Javisst! Skål och välkomna till Sverige!
	Alla höjer glasen.
Alla	Skål!

middagen	*the dinner*	**(en) efterrätt**	*(a) dessert*
serverad	*served*	**vi ska ha**	*we'll have*
vad får vi?	*what will we get?*	**smultron**	*wild strawberries*
mycket	*very*	**grädde**	*cream*
hungriga	*hungry*	**det låter gott**	*that sounds good*
inlagd sill	*pickled herrings*	**vill du vara snäll och . . .**	*please*
till	*for*		
(en) förrätt	*(a) starter*	**snapsen**	*the aquavit*
sedan	*afterwards*	**skål!**	*cheers!*
(en) kyckling	*(a) chicken*	**Sverige**	*Sweden*
dillpotatis	*potatoes boiled with dill*	**(pronounced Svärje)**	
		alla	*all*
grönsaker	*vegetables*	**höjer**	*raise*
(en) sallad	*(a) salad*	**glasen**	*the glasses*

QUICK VOCAB

Rätt eller fel? (*True or false?*)

a De är inte hungriga.
b Ulla serverar sill till efterrätt.
c De dricker snaps till sillen.

Samtal 3 (Dialogue 3)

After a little while . . .

Robert	Jag skulle vilja ha lite salt och peppar.
Anders	Varsågod.
Ulla	Får det vara lite mer?
Robert	Mycket gärna. Det smakade verkligen gott.
Jane	Nej, tack, jag är så mätt. Jag måste hålla diet.
Lasse	Kan jag få lite mera efterrätt?
Ulla	Så gärna. Är det här lagom?
Lasse	Tack, det är bra.

Insight

Lagom means *just right/enough/sufficient*. Note also the phrases **det var så lagom roligt** *(it was anything but fun)* and **skryt lagom** *(stop blowing your own trumpet!)*.

When they have finished eating.

Robert	Tack för maten! Det var mycket gott.
Ulla	Ingen orsak. Vi dricker väl kaffet på balkongen. Vill ni ha socker och grädde till kaffet?
Jane	Nej, tack. Bara en slät kopp kaffe.
Ulla	Vad vill ni ha till frukost i morgon?
Jane	Vi vill gärna pröva en svensk frukost. Vad brukar ni äta?
Ulla	Vi börjar med ett glas juice. Anders och pojkarna äter fil och jag äter flingor och mjölk. Vi dricker kaffe och äter smörgåsar också.
Jane	Det blir bra. Vi vill äta det samma som ni, fast jag vill nog gärna ha en kopp te med mjölk till frukosten.
Ulla	Det ska du få.

jag skulle vilja ha	*I would like to have*	(en) peppar	*pepper*
lite	*a little*	får det vara lite mera?	*may I give you a little more?*
(ett) salt	*salt*		

mycket gärna	*yes, please, I would love it*	**en slät kopp kaffe**	*a cup of black coffee*
gärna	*willingly, gladly*	**vad vill ni ha till frukost?**	*what would you like to have for breakfast?*
det smakade verkligen gott	*it really did taste nice*		
så	*so*	**i morgon**	*tomorrow*
mätt	*satisfied, full up*	**pröva**	*try*
jag måste hålla diet	*I am on a diet*	**svensk**	*Swedish*
en diet	*a diet*	**vad brukar ni äta?**	*what do you usually have?*
kan jag få?	*can I have?*	**börjar**	*begin*
så gärna	*by all means; with pleasure*	**pojkarna**	*the boys*
		fil (mjölk)	*(thin) yoghurt*
är det här lagom?	*will that do?*	**flingor**	*cornflakes*
		(en) mjölk	*milk*
det är bra	*that's enough*	**smörgåsar**	*open sandwiches*
ingen orsak	*you are welcome*	**det blir bra**	*that will be nice*
dricker	*drink*	**samma**	*same*
kaffet	*the coffee*	**fast**	*though*
balkongen	*the balcony*	**te**	*tea*
(ett) socker	*sugar*	**det ska du få**	*you shall have that*
bara	*only*		

Rätt eller fel? (*True or false?*)

a Robert vill gärna ha mera.
b Jane är inte mätt.
c Lasse håller diet.

Addresses

Addresses are written as follows:

Direktör Anders Svensson

Storgatan 7A'''

421 84 Göteborg

Storgatan corresponds to High Street, **7** is the number of the house, **A** the entrance door and **III** indicates that the person lives on the third floor. **421 84** is the postal code, which always stands in front of the name of the town.

Meal times

Varsågoda When a host(ess) is ready to serve he or she invites the guests to come to the table with the phrase **Varsågoda, maten/frukosten/middagen/kvällsmaten** (*supper*) **är serverad.**

Inlagd sill Every self-respecting Swede has his/her own – or his/her mother's – recipe for pickled herrings!

Dillpotatis Swedes are very partial to new potatoes boiled with dill. They also use this herb in white sauces, with fish and crayfish.

Smultron Wild strawberries are probably the Swedes' idea of heaven on earth!

Tack för maten When leaving the table after the meal it is good manners to go up to your host(ess) and say **tack för maten**. A word of praise won't go amiss, so don't be shy! Also, when you next meet your host or hostess you should say **tack för senast**, even if it is months after the dinner party.

Ingen orsak (lit. *No cause*) *You are welcome/Don't mention it/It's quite all right* is the standard reply when someone thanks you for something.

Skål and **snaps** are probably the best-known Swedish words to most foreigners, but for the uninitiated, **snaps** is a dram of aquavit drunk from a small, tapered glass. **Skål** (lit. *bowl*) has survived from the days when a drinking bowl was used.

Äta frukost Swedes use the word **äta** where English people use *have* if they actually partake of the meal. **Ha** would merely imply that they have it in store in the house.

'Please'

There are a number of ways of saying *please* when asking someone to do something, for example:

Vill du vara snäll och räcka mig saltet!
Var snäll och räck mig saltet!
Räck mig saltet, är du snäll!
Snälla Anders, räck mig saltet!

They are all interchangeable, so you can choose whichever you like.

Så här säger man (*What to say*)

🔊 CD 1, TR 13

- ask for things at the table

Kan jag få . . . ?	*May I have . . . ?*
Jag skulle vilja ha . . .	*I would like to have . . .*
Jag vill gärna ha . . .	*I would love to have . . .*
Jag vill hellre ha . . .	*I would prefer . . .*

- accept offers

Ja, tack.	*Yes, please.*
Tack, mycket gärna.	*With pleasure, certainly.*

- decline offers

Nej, tack.	*No, thanks.*
Tack, det är bra.	*That's enough.*
Jag är mätt.	*I've had enough (food).*

- offer things to others

Får det vara lite mera?	*May I give you a little more?*
Ni vill väl ha . . . ?	*Would you like . . . ?*

- other phrases

Jag är hungrig.	*I'm hungry.*
Jag är törstig.	*I'm thirsty.*
Det var mycket gott.	*It was very nice.*
Tack så mycket.	*Thank you very much.*
Skål!	*Cheers!*

Grammatik (*Language points*)

1 How to say *the*

The is an ending in Swedish, not a separate word as it is in English. If the noun is an **en-** word (common gender) and ends in a consonant, **-en** is added at the end of the word. If the noun is an **ett-** word (neuter gender) and ends in a consonant, **-et** is added.

en våning	*a flat*	våning**en**	*the flat*
en hiss	*a lift*	hiss**en**	*the lift*
ett vin	*a wine*	vin**et**	*the wine*
ett hus	*a house*	hus**et**	*the house*

Nouns that end in an unstressed vowel only add **-n** or **-t** respectively, for example:

en flicka	*a girl*	flicka**n**	*the girl*
en gata	*a street*	gata**n**	*the street*
ett äpple	*an apple*	äpple**t**	*the apple*
ett frimärke	*a stamp*	frimärke**t**	*the stamp*

These endings are called the definite article.

Note: The noun following a genitive never takes an end article, e.g. **stadens namn** (*the name of the town*), **husets nummer** (*the number of the house*).

2 The additional definite article

If there is a qualifying word (e.g. an adjective) immediately before the noun, Swedish uses both a separate word – **den** in front of the adjective that precedes **en-** words, **det** in front of the adjective that precedes **ett-** words, **de** in front of plural words – and the definite article at the end of the word.

den fina våningen	*the nice flat*
det fina huset	*the nice house*
de fina husen	*the nice houses*

In this position **den/det/de** is called the additional definite article.

3 Exclamations

Notice how **vilken** is used in exclamations. You can also use **en sådan** (*such a*), e.g. **en sådan vacker utsikt!** (Lit. *such a beautiful view*).

4 'From here', etc.

Note the inverted word order in words such as:

härifrån	*from here* (lit. *here from*)
därifrån	*from there* (lit. *there from*)
varifrån	*from where* (lit. *where from*)
uppifrån	*from above* (lit. *up from*)
nerifrån	*from below* (lit. *down from*)
framifrån	*from the front* (lit. *forward from*)
bakifrån	*from the back* (lit. *back from*)

5 Modal verbs

Kan, ska, vill, måste, får and **låter** are called modal verbs. They correspond to the English verbs *can – shall – will – must – may – let*. The important thing about them is that they can only be followed by a plain infinitive, i.e. an infinitive without **att** ('*to*' in English) in a two-verb clause, for example:

Kan jag få lite socker?	*Can I have some sugar?*
Han ska vara här ett år.	*He will stay here a year.*
Vill du ha mera?	*Do you want some more?*
Du måste komma till Sverige.	*You must come to Sweden.*
Skulle jag kunna få lite mera?	*May I have some more?*
Du får komma nu.	*You may come now.*
De låter oss bestämma.	*They let us decide.*

6 The present tense of *ha* (*have*) and *ta* (*take*)

Ha (*have*) and **ta** (*take*) are infinitives. The present tenses of these verbs are:

jag har	jag tar
du har	du tar
han/hon/den/det har	han/hon/den/det tar
vi har	vi tar
ni har	ni tar
de har	de tar

7 'A cup of coffee', 'a glass of sherry'

There is no word corresponding to *of* in expressions indicating measure like **en kopp kaffe** (*a cup of coffee*), **en flaska vin** (*a bottle of wine*), **ett glas vatten** (*a glass of water*).

8 Interrogative pronouns or adjectives

Vem, vad, vilken (*who, what, which*) are used in direct and indirect questions. They are called the interrogative pronouns. In this unit you have met **vad får vi?** (*what will we get?*), **vad vill ni ha?** (*what would you like?*), **vad brukar ni äta?** (*what do you normally eat?*). The common interrogative pronouns are:

vem	*who(m)*
vad	*what*
vilken	*which, who* or *what* in front of or referring to **en-** words
vilket	*which, who* or *what* in front of or referring to **ett-** words
vilka	*which, who* or *what* in front of or referring to plural words

Vad cannot take a genitive **-s**. The others form their possessive by adding an **-s**, e.g. **vems, vilkens, vilkets, vilkas. Vem** can only refer to one person. In the plural **vilka** must be used.

Vem är hon?	*Who is she?*
Vems hus är det?	*Whose house is it?*
Vilka filmer gillar du?	*Which films do you like?*
Vad vill du göra?	*What do you want to do?*

Note that **vad** cannot be used before a noun in Swedish as *what* can be in English. *What nonsense* is translated as **sådana dumheter** in Swedish. However, it is possible to say **vad för en bil** (*what kind of car*), **vad för ett hus** (*what kind of house*), **vad för namn** (*what kind of names*).

9 Numerals: 0–12

◀) CD 1, TR 14

0	noll (pronounced 'nåll')
1	ett
2	två

3	tre
4	fyra
5	fem
6	sex
7	sju
8	åtta
9	nio (pronounced 'nie' in everyday speech)
10	tio (pronounced 'tie' in everyday speech)
11	elva
12	tolv

Note that Swedes use the neuter form **ett** (not **en**) when counting.

Övningar (*Exercises*)

1 Add the definite article to the following nouns.

◀) **CD 1, TR 15**

Example: en våning – våningen

en familj . . .	ett glas . . .
en sekreterare . . .	ett hus . . .
en trappa . . .	ett pass . . .
en hiss . . .	ett vin . . .
en hamn . . .	ett salt . . .
en kopp . . .	(ett) kaffe . . .
en middag . . .	(en) grädde . . .

2 Answer the questions in Swedish, as indicated.

◀) **CD 1, TR 16**

a	Vill du ha något att dricka?	(accept)
b	Vill du ha mjölk i teet?	(decline)
c	Vill du ha mera smultron?	(I would love to)
d	Är det lagom?	(Yes, it is enough)
e	Vill du hellre ha kaffe?	(I would prefer tea)

3 Make the following requests in Swedish.

◀) CD 1, TR 17

a May I have a cold beer, please?
b Please can I have the salt?
c John, please serve the wine!
d Please give me some coffee.
e I would like to have some sugar, please.

4 Ask for the following things in Swedish.

en flaska	*a bottle*	**(en) apelsinsaft**	*orange juice*
(ett) rödvin	*red wine*	**(ett) vatten**	*water*

5 Fill in the missing words.

(*From where*) . . . . kommer hon?
Han tittar på (*looks at*) huset (*from above*) . . . . och (*from below*) . . . ., (*from the front*) . . . . och (*from the back*) . . . .
Kommer du inte (*from here*) . . . .?
Nej, jag kommer (*from there*) . . . .

6 Answer the questions about the dialogues in Swedish.

a Är de törstiga?
b Lagar Anders middagen?
c Vill alla ha mera efterrätt?
d Vill de inte äta frukost?
e Tackar Ulla för maten?

7 Fill in the missing numbers. Spell out the words.

Han har (1) . . . . . . huvud (*head*), (2) . . . . . . ben (*legs*), (6) . . . . . .
koppar, (3) . . . . . tidningar (*newspapers*), (4) . . . . . . flaskor
rödvin, (8) . . . . . . glas, (5) . . . . . . barn (*children*).

8 Complete the dialogue.

◀) **CD 1, TR 18**

You	(*Say you would like a cup of coffee.*)
Siv	Vill du ha socker och grädde till kaffet?
You	(*Say you would like milk and sugar.*)
Siv	Du vill väl ha en smörgås också?
You	(*Say: No thanks, you are not hungry, only thirsty.*)
Siv	Är det bra så?
You	(*Say: Thank you, it was very nice.*)

Förstår du? (*Do you understand?*)

Smörgåsbordet

Ni vill förmodligen pröva det berömda svenska smörgåsbordet. Det
är inte lika vanligt som det brukade vara – inte med de hundra rätter
som det brukade ha. Men många hotell och fina restauranger –
och färjorna till Sverige – serverar smörgåsbord till lunch. För ett
rimligt pris kan man äta . . . och äta . . . och äta! Man börjar vid
ena ändan av bordet med fiskrätter – sill, räkor, lax o.d. – sedan
kött och äggrätter, sedan efterrätt, sedan ost. Man dricker öl och
snaps till smörgåsbordet. Men ta god tid på dig – det kan ta många
timmar!

smörgåsbordet	*Swedish traditional buffet*	**rätter**	*dishes*	
		fina	*fine*	
		restauranger	*restaurants*	QUICK VOCAB
förmodligen	*probably*	**färjorna**	*the ferries*	
lika vanligt som	*as common as*	**ett rimligt pris**	*a reasonable price*	
brukade vara	*used to be*			
hundra	*hundred*	**man**	*one, you*	

ena* ändan av	one end of	(ett) kött	meat
bordet	the table	äggrätter	egg dishes
fiskrätter	fish dishes	(en) ost	cheese
räkor	prawns	ta god tid	allow plenty
(en) lax	salmon	på dig	of time
o.d. (och	etc.	timmar	hours
dylikt)		samma	the same

*ena is the definite form of en when this word is used as an adjective.

Rätt eller fel? (*True or false?*)

a Smörgåsbordet är mycket vanligt i Sverige.
b Smörgåsbordet har alltid hundra rätter.
c Man kan äta så mycket man vill för samma pris.
d Man behöver inte mycket tid för att äta smörgåsbord.

Ten things to remember

1 The article *the* is denoted by the ending of the Swedish word and is not a separate word as in English: **mat** – **mat***en*, **vin** – **vin***et*, **flicka** – **flick***an*, **kaffe** –**kaffe***t*.

2 The additional definite article **den/det/de** must be used if a noun is preceded by a qualifying word, usually an adjective. It precedes the qualifying word: *den* goda maten; *det* goda vinet; *de* goda smörgåsarna.

3 The noun following a genitive never takes an end article: **stadens museum, husets hiss.**

4 **Vi bor på Kungsgatan 21 B II i Stockholm.** *We live in King Street 21 B II.* 21 is the number of the house, B the entrance door, and II stands for the second floor.

5 Note how Swedish uses a compound word – **härifrån** – with inverted word order, compared to English: **Hur långt är det härifrån till London?**

6 Verbs are used in the infinitive form after a modal verb: **Han kan *tala* svenska.**

7 There is no word corresponding to *of* in expressions indicating measure: **en kopp kaffe, ett glas vatten.**

8 The interrogative pronouns and adjectives – **vem, vad, vilken** – are used in direct and indirect questions: **Vem är det? Vad vill du? Vilka filmer gillar du?**

9 Note this Swedish expression: **2 och 2 är 4** (*2 plus 2 makes 4*).

10 **Tack för maten – ingen orsak.** *Thanks for the food – Don't mention it.* These are the standard phrases a guest and the host or hostess use after a meal.

3

Hur dags stiger ni upp?
What time do you get up?

In this unit you will learn:

- How to say what time it is
- How to say what you do during the day
- How to say the days of the week and parts of the day
- How to count from 13 to 100

Samtal 1 (*Dialogue 1*)

◀ CD 1, TR 19

Jane and Ulla discuss the daily routine in the Svensson family.

Jane	Hur dags stiger ni upp på morgonen?
Ulla	Jag stiger upp klockan halv sju, för vi äter frukost tio över sju. Lasse börjar skolan klockan åtta, så vi måste gå härifrån kvart i åtta.
Anders	Jag stiger upp tjugo i sju. Jag måste vara på kontoret klockan nio, så jag kör härifrån fem över halv nio.
Åke	Min väckarklocka ringer klockan sju. Jag börjar ibland klockan åtta och ibland klockan nio på universitetet. Jag tar spårvagnen fem i halv nio i morgon.
Ulla	Vi dricker förmiddagskaffe klockan halv elva och äter lunch klockan ett, men det gör vi på jobbet. Jag arbetar ju deltid, så jag går hem efter lunchen. Jag handlar middagsmaten på vägen hem. Lasse slutar skolan klockan halv fyra, så vi dricker te när han kommer hem på eftermiddagen, ungefär kvart i fyra.

Jane	När äter ni middag?
Ulla	Inte förrän halv sju på kvällen när alla har kommit hem. Vi dricker te när Lasse har gått till sängs vid halv nio-tiden.
Anders	Ulla och jag går och lägger oss lite över elva, men Åke stannar uppe till efter midnatt. Han är en riktig nattuggla.

hur dags?	*at what time?*	**jobbet**	*the place of work*
stiger upp	*get up*	**arbetar**	*work*
halv sju	*at half past six*	**ju**	*of course, as you know*
tio över sju	*ten past seven*	**deltid**	*part-time*
börjar skolan	*starts school*	**hem**	*home*
en skola	*a school*	**handlar**	*shop*
kvart i åtta	*a quarter to eight*	**på vägen hem**	*on the way home*
tjugo i sju	*twenty to seven*	**slutar**	*finishes*
ett kontor	*an office*	**på eftermiddagen**	*in the afternoon*
fem över halv nio	*twenty-five to nine*	**ungefär**	*about*
en väckarklocka	*an alarm clock*	**inte förrän**	*not until*
ringer	*rings*	**på kvällen**	*in the evening*
ibland	*sometimes*	**har gått till sängs**	*has gone to bed*
en spårvagn	*a tram*	**vid halv nio-tiden**	*around half past eight*
fem i halv nio	*twenty-five past eight*	**går och lägger oss**	*go to bed*
(ett) förmiddagskaffe	*morning coffee*	**lite över**	*a little past*
gör	*do*	**(en) midnatt**	*midnight*
		riktig	*true*
		en nattuggla	*a night-owl*

Rätt eller fel? (*True or false?*)

a Lasse börjar skolan klockan nio.
b Åke börjar ibland klockan åtta på universitetet.
c De dricker te klockan halv elva på förmiddagen.
d Lasse går och lägger sig ungefär tjugo över nio.

Samtal 2 (*Dialogue 2*)

Åke and John discuss what they do in their spare time.

John	Vad ska vi göra i kväll?
Åke	I kväll måste vi stanna hemma och se efter Lasse. Dina föräldrar ska ju gå på konsert och det är måndag idag och då går mamma och pappa ut. Mamma går på en kurs i fransk konversation och pappa diskuterar politik med sina partivänner. Men vi kan lyssna på musik eller titta på TV.
John	Går du också på någon kurs?
Åke	Ja, på tisdagarna lär jag mig spela gitarr, och på torsdagarna går jag på en fotokurs.
John	Vad gör du på onsdagarna då?
Åke	Då brukar jag träffa mina vänner. Vi går och fikar eller kanske på bio. På fredag ska vi gå på en popkonsert. Vill du följa med?
John	Ja, gärna. Vad händer på lördagar och söndagar då?
Åke	På lördagarna går jag till min idrottsklubb, och sedan går vi ut på stan. På söndagarna går vi ut och går på morgonen, och på eftermiddagen går jag och pappa på fotbollsmatch.

QUICK VOCAB

i kväll	*tonight*
se efter	*look after*
dina	*your*
föräldrar	*parents*
en konsert	*a concert*
(pronounced	
kånsär)	
(en) måndag	*(a) Monday*
idag	*today*
ut	*out*
en kurs	*a course*
fransk	*French*
en konversation	*a conversation*
diskuterar	*discusses*
(en) politik	*politics*
sina	*his*

partivänner	*friends in his political party*
lyssna på musik	*listen to music*
titta på	*watch, look at*
någon	*some*
på tisdagarna	*on Tuesdays*
lär jag mig	*I learn*
en gitarr	*a guitar*
på torsdagarna	*on Thursdays*
en fotokurs	*a course in photography*
på onsdagarna	*on Wednesdays*
träffa	*meet*
en vän	*a friend*
fikar	*have a coffee*

kanske	perhaps	en	an athletics
(en) bio	cinema	idrottsklubb	club, a
på fredag	on Friday		sports club
en popkonsert	a pop concert	på stan (from	into town
följa med	come with us	staden)	
händer	happens	går ut och går	go for a walk
på lördagar	on Saturdays	en	a football match
på söndagar	on Sundays	fotbollsmatch	
min	my		

Insight

When two verbs are coordinated in English with the last verb ending in *–ing*, Swedish uses two coordinated verbs in the present or past tense, for example: **Vi går ut och går** (lit. *We go out walking*). *They sit listening to music* is **De sitter och lyssnar på musik.** *They went dancing* is **De gick och dansade.**

Rätt eller fel? (*True or false?*)

a Lasse måste se efter John och Åke i kväll.
b Åke går inte på någon kurs.
c Åke träffar sina vänner på onsdagarna.
d På lördagarna går Åke och Anders på fotbollsmatch.

Clocks

Ett armbandsur – ett fickur – en väckarklocka – en ringklocka – en kyrkklocka (*a watch – a pocket watch – an alarm clock – a bell – a church bell*)

Although Swedish has the words **armbandsur** and **fickur**, the word **klocka** is the normal word used both for *clock*, *watch* and *bell*. When telling the time, it is the only word used.

Coffee

Swedes usually drink coffee in the morning, and coffee or tea in the afternoon. Late at night they usually drink tea, with or without milk. A lot more coffee than tea is drunk, in fact more coffee per person is drunk in Scandinavia than anywhere else in the world.

Så här säger man (*What to say*)

◀) **CD 1, TR 20**

- Say what time it is

Klockan är ett.	*It's one o'clock.*
Klockan är fem över ett.	*It's five past one.*
Klockan är kvart över ett.	*It's a quarter past one.*
Klockan är tjugo över ett.	*It's twenty past one.*
Klockan är halv två.	*It's half past one.*
Klockan är tjugo i två.	*It's twenty to two.*
Klockan är kvart i två.	*It's a quarter to two.*
Klockan är fem i halv tre.	*It's twenty-five past two.*
Klockan är fem över halv tre.	*It's twenty-five to three.*

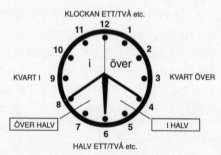

KLOCKAN ETT/TVÅ etc.
HALV ETT/TVÅ etc.

Half past an hour in English corresponds to half to the next hour in Swedish, e.g. **halv sju** (*half past six*).

No preposition is used where English has *at*; for example, **skolan börjar klockan åtta** (*school starts at eight o'clock*).

It is also possible to abbreviate **klockan** to just **kl.**, e.g. **kl. 1** (*one o'clock*). If you use the 12-hour clock, **fm** or **f.m.** (**förmiddagen**) corresponds to *a.m.* and **em** or **e.m.** (**eftermiddagen**) corresponds to *p.m.*

- Use other common expressions in connection with clocks

Hur mycket är klockan?	*What time is it?*
Vad är klockan?	*What time is it?*
Min klocka går fel.	*My watch is wrong.*
Klockan går fem minuter före.	*The clock is five minutes fast.*
Klockan går tre minuter efter.	*The clock is three minutes slow.*
Klockan står.	*The clock isn't working.*
Klockan har stannat.	*The clock has stopped.*
Klockan går rätt.	*The clock is right.*
Klockan slår tolv.	*The clock strikes twelve.*

- Ask about daily routine

Hur dags stiger du upp?	*What time do you get up?*
När äter du frukost?	*When do you have breakfast?*
När går du och lägger dig?	*When do you go to bed?*
Hur dags går du och lägger dig?	*What time do you go to bed?*

Grammatik *(Language points)*

1 Plural forms of Swedish nouns: first declension

The plural ending of most English nouns is *-s*, e.g. *girls*. It is not quite so simple in Swedish as there are five main ways of forming the plural. These are called the five declensions. Fortunately it is usually possible to tell which declension a noun belongs to from the form of the noun. The nouns belonging to the first declension are **en-** words, and the majority end in **-a** in their singular form. They drop this **-a** before the plural ending **-or** is added.

en flick**a**	två flick**or**
en gat**a**	två gat**or**
en skol**a**	två skol**or**

A small number of first declension nouns do not end in **-a** in the singular, so the plural ending is added to the singular form:

en ros	*a rose*
två rosor	*two roses*

You have already encountered some of these first declension nouns, e.g. **en mamma, en pappa, en firma, en trappa, en resa.**

From now onwards, nouns will be listed as they appear in dictionaries. You can then see immediately from the endings if a noun is an **en-** word or an **ett-** word, and the plural ending is also given. Thus the dictionary would give you e.g. **flick/a** (**-an -or**) where the **-an** ending tells you that **flickan** is the definite form singular (so the word must be an **en-** word), and **-or** tells you that the indefinite form plural is **flickor**. **-0** denotes that the word is unchanged in its plural form.

2 Veckodagarna (*The days of the week*)

◄) CD 1, TR 21

söndag	(pronounced: sönnda)	*Sunday*
måndag	(pronounced: månnda)	*Monday*
tisdag	(pronounced: tisda)	*Tuesday*
onsdag	(pronounced: onsda)	*Wednesday*
torsdag	(pronounced: torsda)	*Thursday*
fredag	(pronounced: freda)	*Friday*
lördag	(pronounced: lörda)	*Saturday*

Notice that Swedish does not use a capital letter for the names of the days of the week.

3 The preposition *på*

The versatile preposition **på** is used both with the days of the week and parts of the day.

Vad ska du göra på söndag?	*What are you going to do on Sunday?*
På lördagarna spelar Åke fotboll.	*On Saturdays Åke plays football.*
I England dricker man te på morgonen.	*In England one drinks tea in the morning.*
Lasse går till sängs tidigt på kvällen.	*Lasse goes to bed early in the evening.*

4 Adjectives

An adjective is a word that denotes quality, e.g. **stor** (*big, large*), **fin** (*fine*), **dyr** (*expensive*), **billig** (*cheap*), **vacker** (*beautiful*), **lång** (*long*), **hög** (*high*), **svår** (*difficult*).

In Swedish, adjectives take endings which have to agree with the noun that the adjective refers to, i.e. an adjective referring to an **en-** word in the (indefinite form) singular is in the basic form (the form you find in the dictionary), whereas an adjective referring to an **ett-** word in the (indefinite form) singular has -t added to the end.

All adjectives referring to plural nouns (i.e. both **en-** and **ett-** words) must end in -a:

en stor stad	ett stort museum	stora museer
en fin båt	ett fint yrke	fina yrken
en dyr klocka	ett dyrt land	dyra klockor

This rule also applies to adjectives when the adjective follows the noun that it refers to and a form of the verb *to be*:

staden är stor	museet är stort	båtarna är stora

From now onwards, adjectives will be listed in the vocabularies in their basic form only, i.e. as they appear in dictionaries, unless they are irregular.

5 *Gå*: translating the English verb *to go*

Gå is the normal word for translating the English verb *to go, leave* or *depart* (referring to vehicles). If a person is using some means of transport **åka** is the most common word for translating *go*, as **gå** cannot be used. **Gå** used about a person or persons can only mean *to walk* or *to leave*, for example:

När går tåget?	*When does the train go?*
Färjan går till England.	*The ferry goes to England.*
Går du till kontoret?	*Do you walk to the office?*
Jag måste gå nu.	*I must leave now.*

Note also the following expressions:

Han går i skolan.	*He goes to school.*
Hon går i kyrkan.	*She goes to church.*
De går ut och går.	*They are going for a walk.*

6 Numerals: 13–100

◄)) CD 1, TR 22

13	tretton
14	fjorton
15	femton
16	sexton
17	sjutton
18	arton
19	nitton
20	tjugo
21	tjugo/ett (-en) (often pronounced 'tjuett', 'tjuen')
22	tjugotvå
23	tjugotre
24	tjugofyra
25	tjugofem
26	tjugosex
27	tjugosju
28	tjugoåtta
29	tjugonio
30	tretti(o) (pronounced 'tretti')
31	tretti(o)/ett (-en)
40	fyrti(o) (always pronounced 'förti')
50	femti(o) (pronounced 'femti')
60	sexti(o) (pronounced 'sexti')
70	sjutti(o) (pronounced 'sjutti')
80	åtti(o) (pronounced 'åtti')
90	nitti(o) (pronounced 'nitti')
100	(ett) hundra

En is used before **en-** words, e.g. **tjugoen veckor.**
Ett is used before **ett-** words, e.g. **tjugoett år.**
Thus: **etthundratjugoen dagar** *(121 days).*
Note: Swedish uses a decimal comma instead of a decimal point.

Matematik *Arithmetic*

◀ **CD 1, TR 22, 00:40**

This is the normal way to do simple sums:

$2 + 2 = 4$ (två plus två är fyra)
$4 - 2 = 2$ (fyra minus två är två)
$3 \times 3 = 9$ (tre gånger tre är nio)
$9 \div 3 = 3$ (nio delat med tre är tre)

Övningar (*Exercises*)

1 Fill in the correct plural form of the nouns in the following sentences.

   a John talar svenska med två svenska (*girls*) . . . .
   b Ett år har femtitvå (*weeks*) . . . .
   c Läraren vill ha svar på alla (*questions*) . . . .
   d I Göteborg finns det många export-(*firms*) . . . .
   e Anders öppnar två (*bottles*) . . . . rödvin.
   f Många (*ferries*) . . . . går till Göteborg.
   g De har flera (*clocks*) . . . .
   h Det bor inte så många (*people*) . . . . i Sverige.

svar (-et, -0) *answer* **människ/a (-an, -or)** *person, people*
fråg/a (-an, -or) *question*

2 Answer the following questions in Swedish.

   a Vad gör Ulla på måndagarna?
   b Vad gör Åke på tisdagarna?
   c Vad gör Åke på onsdagarna?
   d Vad gör Åke på torsdagarna?
   e Vad ska pojkarna göra på fredag?
   f Vad gör Åke på lördagarna?
   g Vad gör familjen Svensson på söndagarna?

3 **a** Look at the clocks which follow and say in Swedish what time it is.

b Answer the questions in Swedish. We give suggested answers in the Key at the back of the book.

◀) CD 1, TR 23

   i Hur dags ringer din väckarklocka?
   ii Hur dags stiger du upp?
   iii Hur dags äter du frukost?
   iv Hur dags går du hemifrån?
   v Hur dags börjar du arbeta?
   vi Hur dags äter du lunch?
   vii Hur dags slutar du arbeta?
   viii Hur dags äter du middag?
   ix Hur dags går du och lägger dig?

4 Fill in the missing adjectives in the story below. Choose from the following adjectives and use each adjective only once: **billig, dyr, fattig, fin, lång, hög, stor, svår, trevlig, vacker.**

Make sure that the adjectives are in their correct form, and that the story makes sense.

Eva bor i ett . . . . hus i en . . . . stad. Hon har en . . . . utsikt över en . . . . park. Hennes lägenhet är mycket . . . ., men också mycket . . . . Hon har bott där en . . . . tid, så det blir . . . . för henne om hon inte kan stanna där. Det finns inte så många . . . . lägenheter som en . . . . student har råd med.

park (-en, -er)	*park*	tid (-en, -er)	*time*	QV
hennes	*her*	fattig	*poor*	
lägenhet (-en, -er)	*flat*	student (-en, -er)	*student*	
bott	*lived*	har råd med	*can afford*	

5 Insert the correct verb, **gå** or **åka**, in the sentences below.

a Tåget . . . . kl. 21.08.
b Hur ofta . . . . du till Sverige?
c Flyget . . . . till London fyra gånger om dagen.
d Lasse . . . . till skolan kl. kvart i åtta.
e Hon . . . . spårvagn till kontoret.
f Färjan . . . . till England varannan dag.
g . . . . du till arbetet?
h Jag skulle vilja . . . . till månen.

QUICK VOCAB

tåg (-et, -0)	*train*	spårvagn	*tram*
hur ofta?	*how often?*	(-en, -ar)	
flyget	*the planes*	varannan dag	*every*
(colloquial)			*second day*
fyra gånger	*four times*	skulle vilja	*would like to*
om dagen	*a day*	mån/e (-en, -ar)	*moon*

6 Fill in the words for the numbers in the following statements.

a När man är (18) . . . . år får man rösta. (*When you are 18 years old you can vote.*)
b Man får köpa sprit i Sverige när man är (20) . . . . år. (*You can buy alcohol in Sweden when you are 20 years old.*)
c Två veckor är detsamma som (14) . . . . dagar. (*Two weeks is the same as 14 days.*)
d Februari har bara (28) . . . . dagar. (*February has only 28 days.*)
e Fyra månader har (30) . . . . dagar. (*Four months have 30 days.*)
f Sju månader har (31) . . . . dagar. (*Seven months have 31 days.*)
g Ett halvår har (26) . . . . veckor. (*Half a year has 26 weeks.*)

h Medellivslängden i Sverige är (79) . . . . år för män och (84) . . . . år för kvinnor. (*The average life expectancy in Sweden is 79 years for men and 84 years for women.*)

7 Do the following calculations in Swedish. Write the numbers in words, and whether or not you have the recording, say the sums out loud.

◀)) **CD 1, TR 24**

  a $14 + 23 =$ . . . .
  b $52 + 36 =$ . . . .
  c $87 - 13 =$ . . . .
  d $34 - 21 =$ . . . .
  e $7 \times 7 =$ . . . .
  f $11 \times 5 =$ . . . .
  g $93 \div 31 =$ . . . .
  h $28 \div 7 =$ . . . .

Förstår du? (*Do you understand?*)

En ovanlig dag (*An unusual day*)

På söndag stiger Lasse inte upp kl. 7. Han stannar i sängen för han vet att hans mamma kommer med choklad med vispgrädde på sängen till honom. Hans pappa och hans storebror kommer också och sjunger för honom, för det är hans födelsedag. Han får många presenter. Av Åke får han en ny fotboll. Mormor har stickat en tröja åt honom, och farmor och farfar har skickat pengar till Lasse. I garaget står den finaste presenten – pappa och mamma har köpt en dyr mountainbike till honom. Lasse har inte tid att äta frukost. Han vill ut och cykla genast!

<table>
<tr><td rowspan="7" style="writing-mode: vertical-rl">QUICK VOCAB</td><td>ovanlig</td><td>unusual</td><td>födelsedag</td><td>birthday</td></tr>
<tr><td>säng (-en, -ar)</td><td>bed</td><td>(-en, -ar)</td><td></td></tr>
<tr><td>vet</td><td>knows</td><td>sjunger</td><td>sing</td></tr>
<tr><td>hans</td><td>his</td><td>present (-en, -er)</td><td>present</td></tr>
<tr><td>choklad (-en)</td><td>chocolate</td><td>mormor</td><td>grandma</td></tr>
<tr><td>vispgrädde (-n)</td><td>whipped cream</td><td></td><td>(lit. mother's</td></tr>
<tr><td>honom</td><td>him</td><td></td><td>mother)</td></tr>
</table>

stickat	knitted	pengar	money
tröj/a (-an, -or)	sweater	garage (-t, -0)	garage
farmor	grandma	står	stands
	(lit. *father's*	finaste	finest
	mother)	köpt	bought
farfar	grandpa (lit.	har inte tid	hasn't got
	father's		time
	father)	cykla	cycle
skickat	sent	genast	at once

Rätt eller fel? (*True or false?*)
a Lasse stiger upp klockan sju på födelsedagen.
b Mormor har stickat en tröja till Lasse.
c Farmor och farfar har skickat en mountainbike.

Sveriges befolkning (*The Swedish people*)

Ända in i vår tid var Sveriges befolkning mycket enhetlig både vad beträffar etniskt ursprung, språk, religion och kultur. De enda minoriteterna av betydelse var ungefär 15 000 samer i norr och finnar. Men under och efter andra världskriget kom många flyktingar till Sverige. Under 60- och 70-talet kom en halv miljon utlänningar till Sverige för att arbeta, i synnerhet från Finland, men också från Jugoslavien, Grekland och Turkiet. De kom av ekonomiska skäl. Sedan dess har Sverige huvudsakligen tagit emot politiska flyktingar från Asien, Afrika och Sydamerika. Av Sveriges 9, 4 miljoner invånare är nu omkring en miljon invandrare. De har bidragit till att göra Sverige till en mångkulturell nation.

befolkning	population,	språk (-et, -0)	language
(-en, -ar)	people	religion	religion
ända in i vår tid	right up to	(-en, -er)	
	today	(pron: relijon)	
enhetlig	homogeneous	kultur (-en, -er)	culture
både ... och	both ... and	enda	only
vad beträffar	with regard to	minoritet	minority
etnisk	ethnic	(-en, -er)	
ursprung (-et, -0)	origin		

av betydelse	*of any importance*	**ekonomisk**	*economic*
ungefär	*approximately*	**skäl (-et, -0)**	*reason*
same (-n, -r)	*Sami, Lapp*	**sedan dess**	*since then*
i norr	*in the north*	**huvudsakligen**	*mainly*
finn/e (-en, -ar)	*Finn*	**tagit emot**	*received*
andra	*the Second*	**politisk**	*political*
världskriget	*World War*	**Asien**	*Asia*
flykting	*refugee*	**Afrika**	*Africa*
(-en, -ar)		**Sydamerika**	*South America*
under 60- och	*during the '60s*	**invånare**	*inhabitant*
70-talet	*and '70s*	**(-n, -0)**	
en halv miljon	*half a million*	**omkring**	*around*
utlänning	*foreigner*	**invandrare**	*immigrant*
(-en, -ar)		**(-n, -0)**	
i synnerhet	*especially*	**har bidragit**	*have*
Jugoslavien	*Yugoslavia*	**till**	*contributed to*
Grekland	*Greece*	**mångkulturell**	*multi-cultural*
Turkiet	*Turkey*	**nation**	*nation*
		(-en, -er)	

Rätt eller fel? (*True or false?*)

a Sveriges befolkning var mycket homogen.

b Det finns många minoriteter i Sverige nu.

c Ekonomiska flyktingar har kommit från Asien, Afrika och Sydamerika.

d Politiska flyktingar kom till Sverige huvudsakligen på 60- och 70-talet.

Ten things to remember

1 Remember these Swedish words for means of transport: **Vi tar bussen** (*the bus*)/**spårvagnen** (*the tram/streetcar*)/**tåget** (*the train*)/**färjan** (*the ferry*)/**flyget** (*the plane*).

2 Note the Swedish words for *full-* and *part-time*: **Han arbetar heltid** (*full-time*), **hon arbetar deltid** (*part-time*).

3 Note this Swedish expression without a preposition: **Vi lägger oss.** *We go to bed.*

4 Useful Swedish expressions: **Vi går och fikar.** *We go for a coffee.* **Vi går ut och går.** *We go for a walk.*

5 First declension plural forms of nouns: **flick/a (-an, -or); ros (-en, -or).**

6 Swedish adjectives take endings which have to agree with the noun that the adjectives refer to: **En** *fin* **skola; Ett** *fint* **hus;** *Fina* **skolor;** *Fina* **hus.**

7 One uses **gå** to translate *leave* when talking about means of transport: **Tåget** *går (leaves) in five minutes.*

8 When talking about people, **gå** translates *walk*: **Flickan** *går (walks)* **till skolan.**

9 Note the preposition **på** in these expressions: **Han går** *på* **konsert/bio/en fotbollsmatch.**

10 **Vad ska vi göra** *i morgon (tomorrow)* / *i sommar (in the summer)?* Swedish uses the preposition **i** when talking about a time in the future.

4

Vill du följa med?
Would you like to come along?

In this unit you will learn:

- How to talk about leisure activities
- How to ask what the weather is like
- How to say what the weather is like
- How to describe the seasons

Samtal 1 (Dialogue 1)

◀) CD 1, TR 25

John asks Åke about the summer cottage.

John	Finns det någonting man kan göra där ute på landet?
Åke	O, ja. Vi kan bada och segla, och spela tennis eller golf. Och ibland är det dans på bryggan på lördagarna.
John	Har ni plats för oss allesammans i sommarstugan?
Åke	Jadå. Vi har två sovrum och ett stort vardagsrum med öppen spis. Och badrum med bastu. Vi äter alltid på verandan om det är vackert väder. Vi killar sover i gäststugan, där vi har två vånings-sängar. Där kan vi spela vår egen musik utan att störa någon. I morgon bitti ska jag jogga i skogen, och sedan springer jag ner och tar mig ett dopp i havet före frukosten. Vill du följa med?
John	Om du kan väcka mig, för jag vaknar nog inte själv.

någonting	*anything*	**göra**	*do*
man	*one*	**ute**	*out*

48

på landet	*in the countryside*	**verand/a** (-an, -or)	*veranda*
o	*oh*	**om**	*if*
bada	*go swimming*	**väder** (vädret, -0)	*weather*
segla	*sail*	**kill/e** (-en, -ar)	*boy*
spela	*play*	**sover**	*sleep*
tennis (-en)	*tennis*	**gäststug/a** (-an, -or)	*guest-house*
eller	*or*		
golf (-en)	*golf*	**våningssäng** (-en, -ar)	*bunk bed*
dans (-en, -er)	*dance*		
brygg/a (-an, -or)	*jetty*	**vår**	*our*
		egen	*own*
plats (-en, -er)	*room*	**musik** (-en)	*music*
oss	*us*	**utan**	*without*
allesammans	*all of us*	**störa**	*disturb*
sommarstug/a (-an, -or)	*summer cottage*	**någon**	*anyone*
		i morgon bitti	*early tomorrow morning*
jadå	*oh yes*		
sovrum (-met, -0)	*bedroom*	**jogga**	*go jogging*
		skog (-en, -ar)	*forest*
vardagsrum (-met, -0)	*sittingroom*	**springer**	*run*
		tar mig ett dopp	*go for a dip, plunge*
öppen	*open*		
spis (-en, -ar)	here: *fire(place)*	**före**	*before*
badrum (-met, -0)	*bathroom*	**väcka**	*wake, rouse*
		vaknar	*wake up*
bastu (-n, -r)	*sauna*	**själv**	*by myself*

Insight

Det finns corresponds to *there is/are*, for example *det finns många människor i England*. Det fanns means *there was/were*, for example *Det fanns ingen TV i Sverige förrän på femtiotalet (There was no TV in Sweden until the fifties)*.

Rätt eller fel? *(True or false?)*

a På lördagskvällen är det alltid dans på bryggan.
b De äter på verandan när det är vackert väder.
c Åke och John ska jogga på morgonen.

Samtal 2 (*Dialogue 2*)

The families arrive at the Svenssons' summer cottage.

Jane	Så vackert det är här ute vid kusten!
Anders	Ja, havet är vackert både när det stormar och när det är lugnt.
Ulla	Det är så skönt här. På våren finns det så mycket blommor, och på hösten kan vi plocka bär och svamp. På vintern åker vi skidor eller skridskor här, så vi använder stugan hela året, inte bara på sommaren.
Anders	Vill ni komma med och bada medan solen skiner?
Ulla	Det måste ni. Det är ganska varmt i vattnet, åtminstone 18 grader.
Robert	Ja, det ska bli skönt med ett dopp.
Ulla	Vi äter middag klockan sex, så stanna inte för länge på stranden.

QUICK VOCAB

här ute vid	*out here by*	bara	*only*
kust (-en, -er)	*coast*	sommar (-en, somrar)	*summer*
hav (-et, -0)	*sea*		
både . . . och	*both . . . and*	komma med och bada	*come swimming*
det stormar	*a gale is blowing*	medan	*while*
lugn	*calm*	sol (-en, -ar)	*sun*
skön	*nice, pleasant*	skiner	*is shining*
vår (-en, -ar)	*spring*	ganska	*rather*
höst (-en, -ar)	*autumn*	varm	*warm*
plocka	*pick*	vatten (vattnet, -0)	*water*
bär (-et, -0)	*berry*		
svamp (-en, -ar)	*mushroom*	åtminstone	*at least*
		grad (-en, -er)	*degree*
vinter (-n, vintrar)	*winter*	det ska bli skönt	*it will be nice*
åka skidor	*go skiing*	dopp (-et, -0)	*dip, plunge*
åka skridskor	*skate*		
använder	*use*	för länge	*too long*
hela året	*all the year*	strand (-en, stränder)	*beach*

Insight

Distinguish between the adjective **båda** (it is plural so it always ends in **-a**) and **både** . . . **och** *(both . . . and)* which is part of a double conjunction, so it also stays the same, for example *Båda* pojkarna spelar fotboll. – *Både* Åke och John spelar golf.

Samtal 3 *(Dialogue 3)*

🔊 CD 1, TR 26

After breakfast the next morning.

Anders	Vädret är inte så fint idag. Det är molnigt och det blåser lite för mycket. Jag hade planerat att vi skulle segla ut till en liten ö och ta matsäck med oss. Men i morgon ska det bli solsken igen, så det är bäst att vi väntar med seglingen till i morgon.
Ulla	Spelar du tennis, Jane?
Jane	Ja, men jag spelar inte så ofta, så jag är nog inte i så fin form.
Ulla	Vi kan väl spela en match så får vi se hur det går.
Åke	Får vi låna golfklubborna?
Anders	Ja, men Robert och jag ska gå en runda i eftermiddag om det inte regnar, så ni måste vara tillbaka senast klockan ett.
Åke	Det är vi säkert, för vi ska bara gå nio hål. John och jag tänker meta i eftermiddag. Fisken brukar nappa när det är mulet som idag.

molnig	*cloudy*	**segling**	*sailing*	
det blåser	*there is a breeze*	(**-en, -ar**)		
lite för mycket	*a little too much*	**ofta**	*often*	
hade planerat	*had planned*	**form (-en)**	*form*	
liten	*small*	**match**	*match*	
ö (-n, -ar)	*island*	(**-en, -er**)		
matsäck (-en, -ar)	*packed lunch*	**låna**	*borrow*	
solsken (-et, -0)	*sunshine*	**golfklubb/a (-an, -or)**	*golf-club*	
igen	*again*	**gå en runda**	*play a round*	
det är bäst att	*we had better*	**det regnar**	*it is raining*	
vi väntar	*wait*	**tillbaka**	*back*	
		senast	*at the latest*	

QUICK VOCAB

det är vi säkert	*we are sure to be*	**brukar nappa**	*usually bite*
hål (-et, -0)	*hole*	**mulen (mulet,**	*overcast*
tänker	*intend to*	**mulna)**	
meta	*fish, angle*		

Rätt eller fel? (*True or false?*)

a Det är varmt i vattnet.

b Man får inte plocka bär och svamp i Sverige.

c Robert och Jane och John vill gå och bada före middagen.

d Fisken brukar nappa när det är vackert väder.

Holiday homes

A surprisingly large number of Swedes have a second home, either their own or rented, known in Swedish as **sommarstuga** (*summer cottage*) or **sommarnöje** (*summer pleasure!*). It is used during the long summer holiday – schoolchildren are on holiday for around ten weeks in the summer – when one of the parents usually moves out to the summer house with the children, and the other parent joins the family in the evenings or, if the distance is too great, at the weekends. Nowadays it is popular for the parents to stagger their summer holidays, so they can be with the children 4–5 weeks each during the vacation. It is also used during weekends and holidays during the rest of the year. Sometimes there is an annex in the grounds, a **gäststuga** or **lillstuga**, for guests or grandparents.

The Celsius scale

18° Celsius is named after the Swede Anders Celsius (1701–44) who invented the Celsius thermometer, which uses the freezing and boiling point of water as the reference points.

Så här säger man (*What to say*)

- ask what the weather is like

| Vad är det för väder idag? | *What sort of weather is it today?* |
| Hur är vädret? | *What's the weather like?* |

- say what the weather is like

Det är vackert väder.	*The weather is nice.*
Det är dåligt väder.	*The weather is bad.*
Det är solsken.	*The sun is shining.*
Det är månsken ikväll.	*There's a moon tonight.*
Det regnar.	*It's raining.*
Det blåser.	*It's windy.*
Det stormar.	*It's blowing a gale.*
Det snöar.	*It's snowing.*
Det haglar.	*It's hailing.*
Det är molnigt.	*It's cloudy.*
Det är mulet.	*It's overcast, dull.*
Det åskar.	*It is thundering.*
Det blixtrar.	*There is lightning.*
Det är varmt.	*It's warm.*
Det är kallt.	*It's cold.*

Note how Swedish uses impersonal expressions (expressions with **det** as the subject) in most phrases concerned with the weather.

Grammatik (*Language points*)

1 Plural forms of Swedish nouns, second declension

The most common plural ending of Swedish nouns is **-ar**. This is the plural ending of the following words:

- **en-** words that end in an unstressed **-e** in the singular. They drop this **-e** when the plural ending is added:

en pojke	*a boy*	två pojk**ar**	*two boys*
en timme	*an hour*	två timm**ar**	*two hours*
en finne	*a Finn*	två finn**ar**	*two Finns*

- most **en-** words of one syllable. (A syllable is a vowel with surrounding consonants.) For example:

en dag	*a day*	två dag**ar**	*two days*
en bil	*a car*	två bil**ar**	*two cars*
en sjö	*a lake*	två sjö**ar**	*two lakes*

| en vår | *a spring* | två vår**ar** | *two springs* |
| en båt | *a boat* | två båt**ar** | *two boats* |

- most animals, for example:

| en häst | *a horse* | två häst**ar** | *two horses* |
| en sill | *a herring* | två sill**ar** | *two herrings* |

- trees which are native to Sweden:

| en björk | *a birch* | två björk**ar** | *two birches* |
| en tall | *a pine* | två tall**ar** | *two pines* |

- words ending in -**ing**, for example:

| en vån**ing** | *a flat* | två våning**ar** | *two flats* |
| en tidn**ing** | *a newspaper* | två tidning**ar** | *two newspapers* |

- most en- words ending in unstressed -**el**, -**er**, -**en**. These drop the -e of the last syllable before adding the -**ar**:

en cyk**el**	*a cycle*	två cykl**ar**	*two cycles*
en vint**er**	*a winter*	två vintr**ar**	*two winters*
en ök**en**	*a desert*	två ökn**ar**	*two deserts*

- words ending in -**dom**, for example:

| en sjuk**dom** | *an illness* | två sjukdom**ar** | *two illnesses* |

Note the following irregular plurals:

en mo(de)r	*a mother*	två **mödr**ar	*two mothers*
en dotter	*a daughter*	två **döttr**ar	*two daughters*
en morgon	*a morning*	två **morgn**ar	*two mornings*
en afton	*an evening*	två **aftn**ar	*two evenings*
en sommar	*a summer*	två **somr**ar	*two summers*
ett finger	*a finger*	två **fingr**ar	*two fingers*

(**Ett finger** is the only **ett**- word belonging to the second declension!)

2 In the country/In the countryside

I landet means *in the country* (i.e. in England, in Sweden), whereas **på landet** means *in the countryside*.

3 Synonyms for *girl* and *boy*

There are of course many synonyms for very common words. Whereas **pojke** is the normal word for *boy*, the words **kille** and

grabb are slang synonyms. For **flicka** (*girl*) there are the synonyms **tjej, jänta, tös,** though only the first one is really popular these days.

4 'Me, you, him/her/it, us, you, them'

These words are called object pronouns. They are used when the pronoun is the object of the verb action, for example: *Robert loves her* (Jane): *she* (Jane) is the object of Robert's loving. Below is a complete list of the object forms of the personal pronouns:

me	mig (pronounced 'mej')
you	dig/Dig (pronounced 'dej')
him	honom (pronounced 'hånnåm')
her	henne
it	den/det ('det' is pronounced 'de')
us	oss (pronounced 'åss')
you	er/Er
them	dem (pronounced 'dåmm'), sometimes written 'dom'

Note that these forms must be used if a preposition precedes the pronoun, for example:

Har ni plats för **oss?**
Vi ska ta matsäck med **oss.**

5 De fyra årstiderna (*The four seasons*)

The four seasons are called:

vår	*spring*
sommar	*summer*
höst	*autumn*
vinter	*winter*

Note how Swedes use the preposition **på** where English people would use *in*: **på hösten, på vintern.**

6 Some time expressions

i förrgår	*the day before yesterday*
tidigt i förrgår	*early the day before yesterday*
igår	*yesterday*
igår morse	*early yesterday morning*
i morse	*early this morning*
idag	*today*

i kväll	*this evening*
i morgon	*tomorrow*
i morgon bitti	*early tomorrow morning*
i övermorgon	*the day after tomorrow*

Note that **bitti** can only be used about future time, normally only about tomorrow morning, whereas **tidigt** can be used both about past and future time.

7 Lång/länge: how to translate *long*

Both **lång** and **länge** are translated as *long* in English, but they are not interchangeable. **Lång** can also mean *tall*. **Lång** is an adjective, and therefore takes endings which agree with the noun to which it refers. It can be used both about time and distances. **Länge** is an adverb, and does not take any endings. It refers only to time and can never be used before a noun.

Anders är lång.	*Anders is tall.*
Det var en lång natt.	*It was a long night.*
Åke väntade länge på John.	*Åke waited a long time for John.*

8 Vakna/väcka: how to translate *wake*

The verb **vakna** is used to translate *wake* if you wake by yourself. If you are woken by another person or means, use **väcka**:

| Jag vaknar tidigt. | *I wake up early.* |
| Ulla väcker Lasse kl.7. | *Ulla wakes Lasse at 7 o'clock.* |

9 Spela/leka: how to translate *play*

The English verb *play* corresponds to two verbs in Swedish: **spela** and **leka**. The difference between them is that **spela** is used about organized play, when there are written rules to be followed, but **leka** is used about spontaneous playing, for example playing with dolls or trains. **Spela** is used about music and the theatre.

| Roger Federer spelar tennis. | *Roger Federer plays tennis.* |
| Barnen leker i sandlådan. | *The children play in the sandpit.* |

10 Sjö/hav: how to translate *sea*

Although the Swedish word **sjö** was originally the same word as *sea*, it now means *lake*. The English word *sea* is normally translated by

hav, although the names **Nordsjön** (the North Sea) and **Östersjön** (the Baltic) are exceptions to this rule – probably because the Swedes have regarded them as their own lakes since the time when most countries around the Baltic were Swedish. Note also: **sjöman** *sailor*; **sjögång** *rough sea*; **sjösjuk** *seasick*; **sjöjungfru** *mermaid*.

11 *Låna*: how to translate *borrow/lend*

The distinction in Swedish is made by the preposition:

låna (av)	*borrow (from)*
låna (ut [till])	*lend (to)*

Övningar *(Exercises)*

1 Fill in the correct plural forms in the sentences below.

    a Ulla och Anders har två (*boys*) . . . .
    b De har åtta (*beds*) . . . . i sommarstugan.
    c Alla (*young people*) . . . . vill ha mountainbikes.
    d En vecka har sju (*days*) . . . .
    e Det finns många (*boats*) . . . . i Stockholm.
    f Ulla har tolv (*cups*) . . . .
    g Volvo gör många (*cars*) . . . .
    h Läkarna kan inte bota alla (*illnesses*) . . . .
    i Många (*refugees*) . . . . har kommit till Sverige.

ungdom (-en, -ar)	*young people*	**bota**	*cure*
läkare (-n, -0)	*doctor*		

2 Insert the correct preposition, **i** or **på**, into the following sentences.

    a . . . det landet är det farligt att åka ut . . . landet, för det finns många vilda djur där. (*In that country it is dangerous to travel out into the country as there are many wild animals there.*)
    b Det finns många sommarstugor ute . . . landet.
    c Det har ofta varit krig (*war*) . . . det landet.
    d Alla får plocka bär och svamp . . . landet i Sverige.

3 Replace the words in bold with the appropriate pronouns.

Example: **Ulla** *ger* **Lasse** mera smultron – **Hon** *ger* **honom** mera smultron

a James älskar (*loves*) **Catherine.**

b James och Catherine ser på utsikten.

c Ulla serverar **dig och mig.**

d Du och jag ska äta middag hos **Anders.**

e Jag och Eva ska hjälpa (*help*) **dig och honom.**

f Robert och Jane bor hos Anders och Ulla.

4 Answer the questions as fully as possible in Swedish.

◀) CD 1, TR 27

    a Vad är det för väder på våren?

    b Vad är det för väder på sommaren?

    c Vad är det för väder på hösten?

    d Vad är det för väder på vintern?

5 Assume that it is Sunday today. Answer the questions in Swedish.

◀) CD 1, TR 27, 00:51

    a Vad var det för dag igår?

    b Vad var det för dag i förrgår?

    c Vad är det för dag idag?

    d Vad är det för dag i morgon?

    e Vad är det för dag i övermorgon?

6 Fill in the correct word, **lång** or **länge**, in the following sentences. Make sure that the correct endings are added when necessary.

    a De bor på en . . . . gata.

    b Robert väntar (*is waiting*) . . . . på Jane.

c Det tar . . . . tid innan våren kommer.

d Varför var ni så . . . . på stranden?

e Det var ett . . . . år.

f Åke stannar uppe . . . . på natten.

g Flyktingarna kom i . . . . båtar.

h Den som väntar på något gott väntar inte för . . . .

väntar *waits* **för** here: *too*

7 Insert the appropriate verb, **väcka** or **vakna**. Make sure that you use the correct endings (infinitive or present tense endings).

Det finns många sätt (*ways*) att . . . . människor på om de inte . . . . själva. När solen skiner på dem . . . . de flesta (*most people*). En väckarklocka som ringer . . . . nästan alla. Rockmusik brukar . . . . mammor och pappor. Om ingenting annat . . . . en pojke eller en flicka så brukar kallt vatten . . . . dem. Då . . . . de genast.

8 Fill in the missing present tense forms of the verbs **spela** or **leka**.

a David Beckham . . . . fotboll.

b Lasse . . . . kurragömma (*hide-and-seek*).

c I St. Andrews . . . . man golf.

d . . . . du fiol (*violin*)?

e Barnen (*the children*) . . . . på stranden.

f Nationalteatern . . . . Strindberg (*the best-known Swedish playwright, 1849–1912*).

9 Insert the correct word, **en sjö** or **ett hav**, in the sentences below. Make sure that the words are in the correct form.

a Den stora . . . . vid Stockholm heter Mälaren.

b . . . . mellan Irland och Amerika heter Atlanten.

c . . . . som ligger mellan Sverige och Finland kallas Östersjön.

d Det finns hundra tusen . . . . i Sverige.

e Vikingarna seglade över det stormiga . . . . som kallas Nordsjön.

f Vad kallas . . . . utanför Japan?

g Om du vill se Nessie måste du åka till Loch Ness . . . .

10 Complete the following dialogue.

◄♪ CD 1, TR 28

You	(*Say: Good morning, and ask what the weather is like.*)
Partner	Det är vackert väder idag. Solen skiner och det är ganska varmt.
You	(*Say: Good, would you like to go out to the summerhouse?*)
Partner	Ja, gärna.
You	(*Say: We can go swimming.*)
Partner	Det är nog inte så varmt i vattnet nu på hösten, men vi kan spela tennis.
You	(*Say you would rather go sailing if it isn't too windy.*)
Partner	Ja, vi kan ta matsäck med oss och segla ut till en liten ö.
You	(*Say: Tomorrow it is Sunday and we can play golf in the morning.*)
Partner	Bra. Vi kan också plocka bär och svamp på eftermiddagen innan vi åker hem.
You	(*Say: It will be nice.*)

Förstår du? (*Do you understand?*)

Ni har nog hört att Sverige har en hög levnadsstandard. Den är faktiskt bland de högsta i världen. Svenskarna bor bra och ingen behöver vara hungrig. Många har sommarstuga. De flesta har dvd-spelare, färgteve, frys osv och de tycker att det är självklart att man ska ha bil. Men det har inte alltid varit så. För hundra år sedan var Sverige ett mycket fattigt land. En fjärdedel av svenskarna emigrerade mellan 1850 och 1920 eftersom de inte kunde försörja sig i Sverige. De flesta åkte till USA. Nu är det tvärtom. Många invandrare har kommit till Sverige för att få ett bättre liv.

QUICK VOCAB

hört	*heard*	**behöver**	*need*
levnadsstandard	*standard of*	**de flesta**	*most people,*
(-en, -er)	*living*		*most of*
faktiskt	*really*		*them*
bland	*among*	**DVD-Spelare**	*DVD-*
de högsta	*the highest*	(-n, -0)	*player*
värld (-en, -ar)	*world*	**färg/teve (-n,**	*colour TV*
(pronounced **'värd'**)		**--teveapparater)***	
svensk (-en, -ar)	*Swede*	**frys (-en)**	*freezer*

osv (och så vidare)	*etc.*	**emigrerade**	*emigrated*
de tycker att det	*they take it*	**mellan**	*between*
är självklart	*for granted*	**eftersom**	*as*
man ska ha bil	*one should have a car*	**försörja sig**	*provide for themselves*
varit	*been*	**åkte**	*went*
för ... sedan	*ago*	**tvärtom**	*the opposite*
fattig	*poor*	**har kommit**	*have come*
land (-et, länder)	*country*	**bättre**	*better*
fjärdedel (-en, -ar)	*quarter*	**liv (-et, -0)**	*life*

*The double hyphen is used to show that the first part of the word is not repeated.

Rätt eller fel? (*True or false?*)

a Många invandrare kom till Sverige för hundra år sedan.
b Sverige har en hög levnadsstandard.
c Alla svenskar har bil.

Ten things to remember

1 **Har de TV i det landet?** (*country*) – **På landet** (*countryside*) **ser vi inte på klockan.** I det landet means *in that country*, whereas på landet means *in the countryside*.

2 **Tidigt** is used with both past and future time: **Tidigt igår regnade det.** *It rained early yesterday.* **Vi flyger tidigt i morgon bitti.** *We'll fly early tomorrow morning.*

3 **Vad tycker du mest om, solsken eller månsken?** *What do you prefer, sunshine or moonlight?*

4 Swedish uses expressions with **det** as the subject in most phrases when talking about the weather: **Det åskar och blixtrar på sommaren.** *There is thunder and lightning in the summer.*

5 Plural forms of second declension nouns: **pojke – pojkar; dag – dagar; hund – hundar; björk – björkar; tidning – tidningar; cykel – cyklar; ungdom – ungdomar.**

6 **Finger** is the only ett- word in the second declension: **På ett finger har hon två ringar.** *She has two rings on one finger.*

7 The object pronouns are used when the pronouns are the object of the verb action: **Hon hatar** *honom (She hates him)*; **De skriver brev** *till oss (They write letters to us)*.

8 **Vakna** is an intransitive verb, so it is used when someone wakes up by him/herself. **Väcka** is a transitive verb, so it is used when somebody or something else wakes you/someone else: **Han** *vaknar* **inte när väckarklockan ringer – Kyrkklockan** *väcker* **oss**.

9 **Spela** is used when talking about games or play with fixed rules, whereas **leka** is used when talking about spontaneous play, for example children's play: **Tiger Woods** *spelar* **golf – Lillebror** *leker* **med tåg och bilar**.

10 Note that in Swedish the same word is used for *to lend* and *to borrow*: **låna**, but it is used with different prepositions: **Banken** *lånar* **ut pengar till företagen**. *The bank lends money to businesses.–* **Studenten** *lånar* **pengar** *av* **sin mor**. *The student borrows money from his mother.*

5

När öppnar banken?
When does the bank open?

In this unit you will learn:

- Phrases used at a bank
- Phrases used about Swedish money
- Numbers from 101 to 1 000 000 000 000

Samtal 1 (Dialogue 1)

◄) CD 1, TR 29

Robert	Var är banken?
Anders	Den ligger vid torget.
Robert	När öppnar den? Jag måste växla pengar.
Anders	Banken öppnar inte förrän klockan halv tio och den stänger klockan tre. Jag ska ta ut lite pengar från mitt konto så du kan följa med mig.
Lasse	Pappa, kan du sätta in pengarna som jag fick på födelsedagen på mitt sparkonto?
Anders	Ja, det ska jag gärna göra.

QUICK VOCAB

bank (-en, -er)	*bank*	från	*from*
ligger	*is situated*	konto (-t, -n)	*account*
torg (-et, -0)	*market place*	så	*so*
öppnar	*opens*	sätta *in*	*deposit*
växla	*change*	fick	*got*
stänger	*shuts*	sparkonto (-t, -n)	*savings account*
ta *ut*	*withdraw*	göra	*do*

Rätt eller fel? (*True or false?*)

a Banken öppnar klockan tre och stänger klockan halv tio.

b Anders ska sätta in pengar på sitt konto.

c Lasse vill att Anders ska sätta in Lasses födelsedagspengar på hans sparkonto.

Samtal 2 (*Dialogue 2*)

◄) CD 1, TR 30

At the bank.

Robert	Jag skulle vilja lösa in de här resecheckarna.
Kassörskan	Har ni legitimation?
Robert	Jag har passet. Räcker det?
Kassörskan	Det går bra. Hur vill ni ha pengarna?
Robert	Det mesta i sedlar, men lite växel. Kan jag få en femhundrakronorssedel, fyra hundralappar och resten i växel, tack! Vilken är växelkursen idag?
Kassörskan	Det står på den här listan.
Robert	Kostar det något?
Kassörskan	Ja, vi har en fast expeditionsavgift. Varsågod, här är pengarna.
Robert	Tack så mycket.

QUICK VOCAB

jag skulle vilja	I *would* like to	**femhundra-**	500-kronor
lösa *in*	cash	**kronors/sedel**	(bank)note
de här	these	**(-n, --sedlar)**	
resecheck	traveller's	**hundralapp**	100-kronor
(-en, -ar)	cheque	**(-en, -ar)**	note
kassörsk/a	cashier	**rest (-en, -er)**	rest
(-an, -or)	(female)	**växel (-n)**	cash, (small)
(en) legitimation	proof of		change
	identity	**växelkurs**	exchange rate
räcker det?	is that enough?	**(-en, -er)**	
det går bra	that's all right	**står**	is shown (lit.
hur?	how?		stands)
det mesta	most of it	**den här**	this

64

list/a (-an, -or)	*list*	**fast**	*fixed*
kostar det något?	*does it cost anything?*	**avgift (-en, -er)**	*charge, fee*
expeditionsavgift (-en, -er)	*commission, service charge*		

Rätt eller fel? (*True or false?*)

a Robert måste ha passet med sig på banken.
b Robert vill inte ha sedlar, bara växel.
c Det kostar pengar att lösa in resecheckar.

Banks and money

As mentioned in the dialogue, banks usually open at 9.30 a.m. and shut at 3 p.m. They are closed on Saturdays and Sundays. However, in the major tourist cities you can also change money at **Forex** or **X-change**. They are open seven days a week and stay open till late at night (times vary). You can find **Forex** at the main stations and, sometimes, in the main street. Credit cards are generally accepted in the same sort of places as in other countries, though cash transactions are still the norm.

The Swedish monetary units (SEK) are called **kronor** and **ören**. 100 öre = 1 krona.

Coins		
	en femtioöring	*a 50-öre coin*
	en enkrona	*a 1-krona coin*
	en femkrona	*a 5-kronor coin*
	en tiokrona	*a 10-kronor coin*

Notes		
	en tjugokronorssedel	*a 20-kronor note*
	en 'tjuga' (slang)	*a 20-kronor note*

en femtilapp *a 50-kronor note*
en hundralapp *a 100-kronor note*
en femhundrakronorssedel *a 500-kronor note*
en tusenlapp *a 1000-kronor note*

Prices are expressed as follows:
In writing   *In speech*
1.50 or 1,50   enåfemti
6.75 or 6,75   sexåsjuttifem

Since the withdrawal of the smaller coins, shops automatically round the final bill to the nearest 50 öre.

Note that Swedes use the plural form **kronor** but the singular form öre when they talk about prices. You can say either **tio kronor och femti öre** or, more commonly, **tioåfemti**. Also note that Swedes use the plural form **pengar** when referring to the amount of money, for example:

Hon har väldigt mycket pengar.   *She has a lot of money.*

The singular form **en peng** is only used to mean a coin.

Identification

When cashing cheques or withdrawing money – or buying alcohol from **Systembolaget**, usually called **Systemet** (the State Liquor Shop) – you may be asked for proof of identity, **legitimation** (often abbreviated to just **leg**) for security reasons. Adults usually use their driving licence and Swedes under 18 normally carry an identity card, with photo and social security number, but a passport is enough for foreigners.

Så här säger man (What to say)

- ask for information

Var är banken?	*Where is the bank?*
När öppnar banken?	*When does the bank open?*
När stänger banken?	*When does the bank close?*
Vilken är växelkursen?	*What is the exchange rate?*
Kan ni lösa in en resecheck?	*Can you cash a traveller's cheque?*
Kan ni växla en hundralapp?	*Can you change a 100-kr note?*
Kan ni växla en tjugokronorssedel i enkronor?	*Can you change a 20-kr note into 1-kr coins?*
Kostar det något?	*Does it cost anything?*

- say what you need

Jag måste växla pengar.	*I must change money.*
Jag ska ta ut pengar.	*I shall withdraw money.*
Det går bra.	*It is O.K.*

- state your financial position

Jag har inga pengar.	*I have no money.*
Jag har mycket lite pengar.	*I have very little money.*
Jag har tillräckligt med pengar.	*I have enough money.*
Jag har lite pengar kvar.	*I have some money left.*
Jag har mycket pengar.	*I have a lot of money.*

Grammatik (Language points)

1 Word order in questions

You already know the word **vad**. Here are some more question words from the dialogues: **hur** (*how*), **när** (*when*), **var** (*where*), **varför** (*why*), **vem** (*who(m)*), **vilken** (*which*). See also Unit 2, Language point 8. Study the sentences below and pay particular attention to the word order:

Hur vill ni ha pengarna?	*How would you like your money?*
Vilken är växelkursen?	*What is the exchange rate?*

Var ligger banken?	*Where is the bank?*
Vem ska ni träffa?	*Whom are you going to meet?*
Vad ska du göra?	*What are you going to do?*

When a question starts with a question word, the verb comes in the second place, immediately after the question word, then comes the subject, then the second verb (if any), followed by other parts of the sentence. Thus the word order pattern is:

(1)	(2)	(3)	(4)	(5)
question word	verb 1	subject	verb 2	other things (objects etc.)
Hur	**vill**	**ni**	**ha**	**pengarna?**

2 'Do' in questions

Notice that there is no Swedish verb corresponding to the English verb *do* when used in questions. Swedish uses a simple verb form, for example:

| Talar du engelska? | *Do you speak English?* |
| Har ni legitimation? | *Do you have proof of identity?* |

Similarly, with a question word or phrase:

| När öppnar banken? | *When does the bank open?* |
| Hur lång tid tar det? | *How long does it take?* |

Insight

The difficulty with Swedish word order arises when an English question contains a form of the verb *to do*, as there is no Swedish verb corresponding with *to do* when used to construct a question. Swedish uses a simple verb form: **När kom han?** (lit. *When came he?*). (Of course it can be argued that it is English that has the difficult word order!)

3 Word order in negative statements and questions

If a *statement* contains a negative word, e.g. **inte, icke, aldrig** (*not, never*), the negation is placed directly after the first verb, for example:

| Jag talar inte svenska. | *I don't speak Swedish.* |
| Jag kan inte tala svenska. | *I cannot speak Swedish.* |

Det är inte svårt.	*It isn't difficult.*
Banken öppnar inte förrän klockan halv tio.	*The bank doesn't open until half past nine.*

If a *question* contains a negation, the negation is placed after the verb and subject, for example:

Talar du inte svenska?	*Don't you speak Swedish?*
Kan du inte tala svenska?	*Can't you speak Swedish?*
Är det inte svårt?	*Isn't it difficult?*
Öppnar banken inte förrän klockan halv tio?	*Doesn't the bank open until half past nine?*

Negative questions starting with a question word follow the same rule, i.e. first the question word, then the verb, then the subject, then the negation, then the second verb (if any), then other things.

(1)	(2)	(3)	(4)	(5)	(6)
question word	verb 1	subject	negation	verb 2	objects etc.
När	kan	jag	inte	ta ut	pengar?
Varför	vill	ni	inte	följa med	oss?
Vem	vill	hon	inte	träffa?	

Insight

The other difficulty arises when an English question contains a negation (*no/not/never*). In a statement the negation is placed immediately after the first verb: **Han kommer *inte*. Han har *inte* kommit.** However, in a question, the negation is placed after the first verb and subject: **Kommer han *inte*? Har han *inte* kommit?**

4 Verbs with suffixes

If a verb is followed by a preposition or an adverb that belongs to the verb (called a suffix), the suffix carries the main stress, for example:

Anders tar **ut** pengar.
Robert följer **med** Anders.
Lasse vill sätta **in** pengar på sitt sparkonto.
Robert löser **in** en resecheck.
Ulla stiger **upp** kl. halv sju.

5 Plural forms of Swedish nouns: third declension

Most of the third declension nouns are en- words, although a small number are ett- words. The plural ending is -er.

The words belonging to this declension are mainly 'borrowed' from French or Latin. These have usually kept the stress on the syllable that was stressed in the original language, so if the last syllable of an en- word is stressed, its plural ending is most likely to be -er.

You will probably recognize most of these words, as they have become 'international'.

en bank	två banker
en familj	två familjer
en balkong	två balkonger

Other words belonging to this declension that you already know are: sek*u*nd, min*u*t, m*å*nad, grad, stud*e*nt, v*ä*xelk*u*rs, kust, industr*i*, telef*o*n, kamr*a*t (*friend*), mask*i*n, cigar*e*tt, di*e*t, lunch, pres*e*nt, restaur*a*ng, relig*i*on (pronounced 'relijon').

Note:

- A number of the third declension nouns are irregular in that they change their stem vowel in the plural, for example: en stad – två städer, en natt – två nätter, en hand – två händer (*hand*), en tand – två tänder (*tooth*), en strand – två stränder, *ett* land – två länder, en bror – två bröder, en son – två söner.

- A few double the end consonant in the plural (and thus the vowel is short in the plural): en bok – två böcker (*book*), en fot – två fötter (*foot*), en rot – två rötter (*root*).

- Some that end in a vowel in the singular add just -r in the plural: en sko – två skor (*shoe*), en ko – två kor (*cow*), en bonde – två bönder (*farmer*), en hustru – två hustrur (*wife*), *ett fängelse* – två fängelser (*prison*).

- The loan-words ending in -or in the singular change the stress from the syllable immediately before the -or in the singular to the -or when the plural ending is added: en doktor – två doktorer, en professor – två professorer, en motor – två motorer, en traktor – två traktorer.

- Latin loan-words ending in -**um** drop the -**um** before any Swedish endings are added: **ett museum** – **två museer, ett laboratorium** – **två laboratorier.**

6 Relative pronouns

Som, vars, vilken, vad are called relative pronouns. They replace the immediately preceding word (a noun or pronoun) in the main clause, and they introduce a subordinate clause, for example:

Kan du sätta in pengarna **som**	*Can you deposit the money*
jag fick på födelsedagen?	*which I got on my birthday?*

Som (*who(m), which, that*) is the most common relative pronoun. It never changes its form and is used in both singular and plural, but it cannot be preceded by a preposition. If there is a preposition it has to be placed at the very end of the clause.

Vars (*whose, of which*), is the genitive of **som**, singular and plural, but is only used in written language.

Vilken (*who(m), which, that*) is mainly used in written language. It can be preceded by a preposition.

vilken replaces an **en-** word.
vilket replaces an **ett-** word.
vilka replaces a plural word.
vilkas (*whose, of which*) is only used in the plural.

If a relative pronoun refers to a whole clause rather than a specific word, only **vilket** can be used.

Vad (*that, what*) can be used as a relative pronoun, especially in the phrase **allt vad** (*all that*). Note that **vad** must be followed by **som** if it is the subject of a relative clause.

The relative pronoun can often be omitted, just as *who, that, which* is often omitted in English. The rule is that this may be done whenever it is possible to leave out the relative pronoun in English.

Känner du flickan,	*Do you know the girl who*
som bor där?	*lives there?*
Boken, (**som**) jag tycker så	*The book (which) I like so*
mycket **om**, är utsåld.	*much is out of print.*

Pojken, **vars** föräldrar är rika, fick en bil.	*The boy, **whose** parents are rich, was given a car.*
Han frågade, **från** vilken stad jag kom.	*He asked **which** town I came from.*
De äter mycket grönsaker, **vilket** är nyttigt för dem.	*They eat a lot of vegetables, **which** is good for them.*
Det är allt **(vad)** jag vet.	*That is all **(that)** I know.*

7 Numbers: 101–1 000 000 000 000

101	(ett) hundra/ett (-en)
200	två hundra
350	trehundrafemti
1000	(ett) tusen
10 000	tio tusen
100 000	(ett) hundra tusen
1 000 000	en miljon
1 000 000 000	en miljard
1 000 000 000 000	en biljon (en miljon miljoner)

Note that **miljon**, **miljard** and **biljon** have the plural forms **miljoner**, **miljarder**, **biljoner**.

Numbers like 4711 are written **fyratusensjuhundraelva** if you use words.

Years are usually written in figures. However, if you write them out in full you should write them as one word. You must not leave out the word **hundra** (as is done in English). There is no **och** between the hundreds and the tens, for example:

1789	sjuttonhundraåttionio
1918	nittonhundraarton
2020	tjugohundratjugo *or* tvåtusentjugo

Note that there is no preposition corresponding to *in* before years. Swedish uses the word **år** or nothing at all:

Vilhelm Erövraren erövrade England (år) 1066.	*William the Conqueror conquered England in 1066.*

By adding **-tal** you can make a noun out of a number, for example:

ett hundratal människor   *around a hundred people*
but
hundratals människor   *hundreds of people*

Note also **på tjugotalet** (*in the twenties*) and **på nittonhundratalet** (*in the twentieth century*).

Övningar (*Exercises*)

1 Write an appropriate question word in the sentences below. Choose from the following words: **hur, när, vad, var, varför, vem, vilken**.

  a . . . . är banken?
  b . . . . ska ta ut pengar från sitt konto?
  c . . . . lång tid tar det?
  d . . . . var Åke i England?
  e . . . . måste man ha legitimation med sig på banken?
  f . . . . kostar det?
  g . . . . buss ska jag ta för att komma till torget?
  h . . . . är det?

2 Make the following statements and questions negative by inserting **inte** in the correct place.

◀) **CD 1, TR 31**

  a Banken öppnar klockan ett.
  b Det var dyrt.
  c Ligger banken vid torget?
  d Var det dyrt?
  e Kan du växla en hundralapp?
  f När är banken öppen?
  g Varför vill du växla en hundralapp?

3 Insert the appropriate suffix in the following sentences.

  a Robert följer . . . . Anders till banken.
  b Anders tar . . . . pengar från sitt konto.
  c Lasse sätter . . . . sina födelsedagspengar på banken.
  d Robert löser . . . . en resecheck.
  e Jane måste ta . . . . sig passet när hon ska växla pengar.

4 Fill in the correct plural form of the nouns in the following sentences.

a Det finns många (*countries*) .... med (*coasts*) .... vid Östersjön.

b En timme (*hour*) har sextio .... och en minut har sextio ....

c Vi har två (*hands*) .... och två (*feet*) ....

d Några (*farmers*) .... har flera (*tractors*) ....

e Alla (*students*) .... måste läsa (*read*) många (*books*) ....

f Sverige har många (*industries*) .... som exporterar (*machines*) ....

g Mina (*brothers*) .... är (*doctors*) ....

h Jag har tre (*sons*) .... som bor i andra (*towns*) ....

5 Fill in the missing relative pronouns:

a Middagen .... du serverade var mycket god.

b Flickan var utlänning, ... jag inte visste.

c Barnen .... föräldrar är invandrare talar bra svenska.

d Gatan på .... banken ligger heter Kungsgatan.

e Jag vet inte, ... är bäst.

f Allt .... hon sade, var rätt.

6 Practise saying and writing the following numbers in Swedish.

◄)) **CD 1, TR 32**

a One English mile is 1.6093 km.
En engelsk mil är .... kilometer.

b Light travels at a speed of 186 000 miles per second.
Ljuset färdas .... engelska mil per sekund.

c The distance to the moon is 384 400 km.
Avståndet till månen är .... kilometer.

d Sweden's area is 449 964 square km.
Sveriges areal är .... kvadratkilometer.

e Stockholm has 1.5 million inhabitants.
Stockholm har .... invånare.

(Did you remember that Swedish uses a decimal comma instead of a decimal point?)

7 These are famous events in Swedish history. Write the dates in words and read them aloud. The first five dates are on the recording.

a The vikings' visit to Holy Island in 793.
b The first Swedish king who converted to Christianity was baptized around the year 1000.
c Stockholm was founded in 1252.
d King Magnus Eriksson's law code, covering the whole country, was issued in 1350.
e The Kalmar Union between Denmark, Norway and Sweden, under Queen Margareta of Denmark, in 1397.
f Gustav Vasa, the father of the country, was crowned King of Sweden in 1523.
g Peace of Westphalia, Sweden recognized as a European Great Power, in 1648.
h Sweden loses Finland to Russia in 1809.
i Sweden's last entry into war in 1814.
j Universal suffrage in 1921.

8 A British, an American and an Australian tourist have lost their passports overboard in a boating accident. They must find their embassies to get new passports. Read out the addresses to them.

Brittiska Ambassaden
Skarpögatan 6–8
115 93 STOCKHOLM
Telefon 08/6713000

Amerikanska Ambassaden
Dag Hammarskjölds väg 31
115 89 STOCKHOLM
Telefon 08/7835300

Australiska Ambassaden
Sergels torg 12
103 86 STOCKHOLM
Telefon 08/6132900

9 You have won 5 million kronor on the lottery and are discussing how to spend it with your wife. Fill in your parts of the conversation.

You	(Say you want to buy a nice house instead of your small flat.)
Siv	Med ett modernt kök och badrum . . .
You	(Say: That will probably cost 3.5–4 million kronor.)
Siv	Nu kan vi ge vår dotter ett fint bröllop.
You	(Say: That costs around 200 000 kronor. Then you must give your son a sports car – 400 000 more.)
Siv	Ja, det måste vi. Du och jag behöver också nya bilar. Du kan få en Volvo, och jag vill ha en Saab. Men vi måste åka på semester först med hela familjen. Vad säger du om en jorden-runt resa?
You	(Say: That would be fun, but the money is probably not enough for that.)
Siv	Du får köpa en lott till!

hus (-et, -0)	*house*	bröllop (-et, -0)	*wedding*
kök (-et, -0)	*kitchen*	jorden-runt	*around-the-world*
nog	*probably*	räcker inte	*is not enough*
lott (-en, -er)	*lottery ticket*	till	here: *more*

Förstår du? (*Do you understand?*)

Sverige är ett långt och smalt land, som alla geografiböcker talar om för oss. Det är nästan 1000 engelska mil långt fågelvägen, men om du kör bil får du köra 1250 engelska mil, eller 200 svenska mil! Bara 9.4 miljoner människor bor i Sverige, men landet är två och en halv gånger så stort som Storbritannien. Halva landet är täckt av skog. Det finns också 100 000 sjöar, höga berg, stora älvar och bördiga slätter där. 87% av befolkningen bor i södra och mellersta Sverige, så om du åker upp till Norrland får du inte se så många människor – du får kanske se flera renar än människor!

smal	*narrow*	geografiböcker	*geography books*
land (-et, länder)	*country*	talar om	*tell*
som	*as*	nästan	*almost*

fågelvägen	as the crow (lit. bird) flies	**berg (-et, -0)**	mountain
om du kör bil	if you drive	**älv (-en, -ar)**	river (Scandinavian large river)
en svensk mil	a Swedish mile (= c. 6 English miles)	**bördig**	fertile
en miljon	a million	**slätt (-en, -er)**	plain
gånger	times	**södra**	southern
så ... som	as ... as	**mellersta**	central
Storbritannien	Great Britain	**Norrland**	the name given to the northern half of Sweden
täckt av	covered with		
skog (-en, -ar)	forest		
det finns	there is, there are		
sjö (-n, -ar)	lake	**ren (-en, -ar)**	reindeer

Rätt eller fel? (*True or false?*)

a Storbritannien är två och en halv gånger så stort som Sverige.
b Hela landet är täckt av skog.
c Bara 13% befolkningen bor i Norrland.

Ten things to remember

1 Note the Swedish phrases for depositing and withdrawing money at a bank: **Det är bättre att sätta in än att ta ut pengar på banken.**

2 **En fast** (lit. *firm*) **avgift** *(a fixed fee)*.

3 The ending -ska denotes a female: kassör – kassörska; frisör – damfrisörska; skådespelare – skådespelerska *(actress)*.

5 Pay particular attention to the way Swedish uses the plural form **kronor** but the singular form **öre** when talking about prices: for 3.75 they say either **tre kronor och sjuttifem öre,** or usually just **treåsjuttifem.**

6 If asked, you must show a form of identity, **legitimation** (usually abbreviated to just **leg**), at Systemet when buying spirits: **Mannen hade inget leg (ingen legitimation), så han fick inte köpa vodka på Systemet (Systembolaget)!**

7 Remember the difference in meaning between **Jag har mycket lite pengar** (where **lite** is stressed) *(I have very little money)* and **jag har lite pengar** (where **lite** is not stressed) which means *I have a little money.*

8 Note the different plural endings: **Timme** is a second declension word, while **minut** and **sekund** belong to the third declension as they are loan words: **Min son sprang maratonloppet på tre timm*ar*, trettio minut*er* och femtiofem sekund*er*.**

9 **Hon började röka *vilket* jag inte gillade** *(She started smoking, which I didn't approve of).* Here you can only use the neuter form **vilket** as it refers to a whole clause and not just the immediately preceding word.

10 Note that in Sweden **en biljon** means *a million million,* though in the USA, and now usually in the UK too, *a billion* is sometimes understood to mean just *a thousand million* (which is *en miljard* in Swedish).

6

Hur mycket kostar det?
How much is it?

In this unit you will learn:

- How to ask for things in shops
- How to accept offers in shops
- How to decline offers in shops

Samtal 1 *(Dialogue 1)*

◆) **CD 1, TR 35**

Ulla and Jane are going shopping.

Ulla	Jag måste kila in på matavdelningen på varuhuset och handla lite mat.
Jane	Vad ska du köpa?
Ulla	Bara färskvaror. Kött och fisk har vi i frysen. Jag har gjort upp en lista. Vi behöver 3 liter mjölk, bröd, 1/2 kg smör, en bit ost och ett dussin ägg. Grönsaker och frukt köper jag på torget för där är allting färskare och billigare.
Jane	Hinner vi titta på kläder och annat också? Jag vill gärna köpa något svenskt att ta med mig hem.
Ulla	Javisst, det går bra.

kila *in*	*pop in*
matavdelning (-en, -ar)	*food hall*
varuhus (-et, -0)	*department store*
bröd (-et, -0)	*bread*
kilo (-t, -(n))	*kilo*
ett halvt kilo	*half a kilo*
bit (-en, -ar)	*piece*
dussin (-et, -0)	*dozen*

handla	go shopping, buy	frukt (-en, -er)	fruit
		allting	everything
köpa	buy	färskare	fresher
bara	only	billigare	cheaper
färskvaror	fresh food	hinner vi?	will we have time?
frys (-en, -ar)	freezer		
gjort upp	made	titta	look
behöver	need	kläder (plural)	clothes
liter (-n, -0)	litre	annat	other things

Samtal 2 (Dialogue 2)

◄》 CD 1, TR 36

At the market.

Ulla	Vad kostar tomaterna?
Försäljaren	36 kronor kilot.
Ulla	Det var dyrt. Då tar jag bara ett halvt kilo. Kan jag få en bunt morötter också och den där gurkan?
Försäljaren	Varsågod.
Ulla	Potatis behöver vi med. 2 kg, tack, och lite dill och persilja, och ett stort salladshuvud.
Försäljaren	Ska det inte vara lite blåbär? De är så fina idag, och de kostar bara 12 kronor litern.
Ulla	Jo, tack, det var billigt. Jag tar ett par liter. Hur mycket kostar blomkålen?
Försäljaren	20 kronor styck.
Ulla	Nej, tack. Det var för dyrt. Men lite frukt måste jag ha. 8 stycken äpplen och 4 stora päron, tack.
Försäljaren	Var det allt?
Ulla	Ja, tack, nu räcker det.
Försäljaren	Det blir 90 kronor jämnt.
Ulla	Varsågod, det är jämna pengar.
Försäljaren	Tack så mycket.

vad kostar . . .?	how much are . . .?	försäljare (-n, -0)	market-trader
tomat (-en, -er)	tomatoes	kan jag få?	may I have?

bunt (-en, -ar)	*bunch*	ett par	*a couple of*
morot (-en, morötter)	*carrot*	blomkål (-en, blomkåls- huvuden)	*cauliflower*
gurk/a (-an, -or)	*cucumber*	styck (plural stycken)	*each* (lit. *per piece*)
potatis (-en, /-ar/)	*potato*	för dyrt	*too expensive*
persilja (-n)	*parsley*	äpple (-t, -n)	*apple*
salladshuvud (-et, -en)	*lettuce* (lit. *head of lettuce*)	päron (-et, -0)	*pear*
ska det inte vara?	*wouldn't you like?*	var det allt?	*is* (lit. *was*) *that all?*
blåbär (-et, -0)	*bilberry*	det räcker	*that is enough*
jag tar	*I'll have* (lit. *I take*)	jämnt	*exactly*
		jämna pengar	*the right amount*

Insight

Pay attention to how Swedish uses the past tense in certain common phrases, where English prefers the present tense, for example **Det var dyrt** – *That is expensive;* **Var det allt?** – *Is that all?;* **Det var bra** – *That is fine.*

Rätt eller fel? (*True or false?*)

a Jane vill köpa något svenskt.
b Ulla köper kött på torget.
c En liter tomater kostar 36 kronor.
d Ulla får ingen växel av försäljaren.

Samtal 3 (*Dialogue 3*)

Ulla and Jane go to the clothes department. Ulla wants to change a T-shirt which Lasse got for his birthday.

Ulla	Kan jag få byta den här tröjan? Den var för liten. Jag vill ha en större storlek. Här är kvittot.
Expediten	Nästa storlek är tyvärr slutsåld. Vill ni ha pengarna tillbaka eller vill ni ha något annat?

Ulla	Har ni inga andra tröjor i en större storlek?
Expediten	Jovisst. Vi har många olika sorter.
Ulla	Vilken tror du blir bäst?
Jane	Den där blir säkert bra. Jag ska också ha några strumpbyxor och ett par svenska träskor.
Expediten	De finns på Damavdelningen.
Jane	Jag skulle också vilja ha en sådan där fin kofta som du har. Var den dyr?
Ulla	Ja, men det är bra kvalitet. Det är helylle. Den kan du köpa på Hemslöjden.
Jane	Hur mycket kostar den där koftan med det vackra mönstret?
Expediten	Den kostar 750 kronor. Vill ni prova den?
Jane	Ja, tack. Den är för stor. Har ni någon mindre?
Expediten	Ja, men det blir ett annat mönster.
Ulla	Den koftan klär dig verkligen. Och den passar perfekt.
Jane	Jag tar den. Kan jag få ett moms-kvitto, tack!
Expediten	Varsågod.

byta	*exchange*	**bäst**	*best*
(T-)tröj/a	*T-shirt*	**någon (något,**	*some,*
(-an, -or)		**några)**	*any*
för liten	*too small*	**säkert**	*surely*
större	*larger*	**strumpbyxor**	*tights*
storlek	*size*	**ett par**	*a pair*
(-en, -ar)		**träskor**	*clogs*
kvitto (-t, -n)	*receipt*	**damavdelningen**	*ladies' wear*
expedit (-en, -er)	*shop assistant*	**koft/a (-an, -or)**	*cardigan*
nästa	*next*	**kvalitet (-en, -er)**	*quality*
tyvärr	*unfortunately*	**helylle**	*pure wool*
slutsåld	*sold out*	**mönster**	*pattern*
tillbaka	*back*	**(mönstret,**	
något annat	*something else*	**mönster)**	
annan (annat,	*other*	**prova**	*try on*
andra)		**mindre**	*smaller*
olika	*different*	**klär**	*suits*
sort (-en, -er)	*sort*	**passar**	*fits*
vilken (vilket,	*which*	**perfekt**	*perfectly*
vilka)		**moms-kvitto**	*VAT receipt*
tror	*believe*	**(-t, -n)**	

Rätt eller fel? (*True or false?*)

a Lasses tröja var för stor.
b Ulla får inte byta tröjan.
c Jane köper en helyllekofta.

Shopping

Shops are usually open from 9 a.m. to 6 p.m. except on Saturdays, when they close at some time between 1 p.m. and 3 p.m. Large stores often have a late evening opening, and a number are open on Sundays.

Meat, vegetables and fruit are bought by the **kilo** (**kg**) in Sweden. Sandwich meat and less weighty things are sold by the **hekto**, abbreviated to **hg** (hectogram). Milk and liquids (and sometimes berries and soft fruit) are sold by the **litre**, and so is petrol.

1 lb	=	453 g
1 hg	=	3½ oz
1 kg	=	2.2 lb
1 liter	=	1¾ pints
1 km	=	0.62 mile
1 Sw. mil	=	10 km (c. 6 English miles)

Moms

Swedes pay a tax called **moms** (VAT) on most goods that tourists may want to buy, but foreigners from outside the EU can get that refunded at the departure port if they ask for a **moms-kvitto** at the time of purchase in shops displaying the usual Tax-free sign. The goods must be bought not more than a week before departure. It is well worth the trouble, as **moms** is quite high.

Så här säger man (*What to say*)

• ask for things in shops

Har ni någon/något/några . . . ?	*Have you got any . . . ?*
Kan jag få lite . . . ?	*Can I have some . . . ?*
Jag skulle vilja ha . . .	*I would like to have . . .*
Jag ska be att få . . .	*May I have . . . ?*
Skulle jag kunna få . . . ?	*Could I have . . . ?*

- say what you want

| Jag tar den/det/dem. | *I'll take it/them.* |
| Ja, tack, det är bra. | *Yes, please, it's good.* |

- say that you don't want something

Nej, tack, det är för dyrt.	*No, that's too expensive.*
Nej, den passar inte.	*No, it doesn't fit me.*
Det är inte vad jag vill ha.	*It isn't what I want.*
Den är för stor.	*It's too big.*
Den är för liten.	*It's too small.*
Jag tycker inte om den.	*I don't like it.*
Jag har inte råd med det.	*I can't afford it.*
Det är bäst att jag väntar.	*I had better wait.*

- ask for information

Hur mycket kostar den/det/de?	*How much is it/are they?*
Vad kostar den/det/de?	*How much is it/are they?*
Hur mycket vill ni ha?	*How much would you like?*
Räcker det?	*Is that enough?*
Något annat?	*Anything else?*
Var det allt?	*Is (lit. was) that all?*
Det blir 20 kronor jämnt.	*That is 20 (SEK) exactly.*
Det är jämna pengar.	*That is the right amount.*
Kan jag få ett kvitto?	*Can I have a receipt?*
Kan jag betala med pund/dollar?	*Can I pay in sterling/dollars?*
Kan jag betala med kreditkort?	*Can I pay by credit card?*
Varsågod.	*Here you are.*

Grammatik (*Language points*)

1 'Of' in quantity or measurement expressions

The English preposition *of* has no equivalent in Swedish after words denoting quantity or measurement. Note also that Swedish uses the singular form of the measurement terms.

en halv liter fil	*half a litre of yoghurt*
tre liter mjölk	*three litres of milk*
fyra hekto ost	*four hectograms of cheese*

fem kilo potatis	*five kilos of potatoes*
tio kilometer	*ten kilometres*
hundraåttio mil	*a hundred and eighty Swedish miles*

2 'Half'

Halv is an adjective and as such it takes adjective endings which have to agree with the noun that **halv** refers to. Pay particular attention to the word order.

en halv månad	*half a month*
ett halvt år	*half a year*
halva månaden	*half the month*
två och en halv månad	*two and a half months*

In the last example you should notice that, unlike in English, a noun following **en halv** is in the singular even if it is preceded by a word in the plural.

Note that in compound nouns the basic form **halv-** is used:

en halvtimme	*half an hour*
ett halvår	*half a year*

3 Comparison of adjectives

As in English, most adjectives are compared with endings, for example:

billig, billigare, billigast	*cheap, cheaper, cheapest*
färsk, färskare, färskast	*fresh, fresher, freshest*

The form that denotes the higher degree is called the comparative (here: **billigare**), and the form that denotes the highest degree is called the superlative (here: **billigast**).

However, adjectives that end in -er, -el and -en drop the e when the endings -are and -ast are added:

vacker, vackrare, vackrast	*beautiful*
enkel, enklare, enklast	*simple*
mogen, mognare, mognast	*ripe, mature*

Some adjectives are compared with **mer** and **mest** instead of endings, just as *more* and *most* are used in English. In Swedish, adjectives that end in -isk, present and past participles and very long adjectives form the comparative and superlative with **mer** and **mest**, for example:

Hon är mer praktisk än Åke.	*She is more practical than Åke.*
De mest intresserade eleverna.	*The most interested pupils.*
Det är mer meningsfullt.	*That is more meaningful.*

More about the present and past participles in Units 13 and 16.

Certain adjectives have irregular forms in the comparative and the superlative. They are very common adjectives, so you will see them more often than the regular adjectives. You have already met these adjectives – here are their comparatives and superlatives:

bra/god	bättre	bäst	*good*	*better*	*best*
stor	större	störst	*large*	*larger*	*largest*
hög	högre	högst	*high*	*higher*	*highest*
liten	mindre	minst	*small*	*smaller*	*smallest*
lång	längre	längst	*long*	*longer*	*longest*
låg	lägre	lägst	*low*	*lower*	*lowest*
mycket	mer/a	mest	*much*	*more*	*most*
många	fler/a	flest	*many*	*more*	*most*
ung	yngre	yngst	*young*	*younger*	*youngest*
gammal	äldre	äldst	*old*	*older*	*oldest*
nära	närmare	närmast	*near*	*nearer*	*nearest*

Note that *more* and *most* must be translated into Swedish with **fler/a** and **flest** if you can count the noun that it refers to, for example:

Det finns flera pojkar än flickor i klassen.	*There are more boys than girls in the class.*

but

Jag vill ha mera te, tack.	*I would like more tea, please.*

The adjective **dålig** has two comparative and superlative forms:

dålig	sämre	sämst	*bad*	*worse*	*worst*
dålig	värre	värst	*bad*	*worse*	*worst*

Note that **sämre** means *less of a good property* (e.g. health) but **värre** means *more of a bad property* (e.g. bad behaviour).

The comparative never takes any endings, either in the indefinite or the definite form, singular or plural.

en bättre bil	ett bättre hus	många bättre bilar/hus
den bättre bilen	det bättre huset	de bättre bilarna/husen

However, the superlative does take endings in the definite form. Superlatives ending in -**ast** add an -**e**. Superlatives ending only in -**st** add an -**a** (or -**e** if referring to a male in the singular), for example:

den finaste bilen	det finaste huset	de finaste bilarna/husen
den bästa bilen	det bästa huset	de bästa bilarna/husen

Note: The adjective **liten** has an extra form, **lilla**, which is used between the additional definite article and the noun in the definite form singular, and also when addressing people, as a term of endearment. Sometimes **lille** is used when addressing boys. It has a special form in the plural, **små**.

en liten bil	ett litet hus	många små pojkar
den lilla bilen	det lilla huset	de små pojkarna
Lilla Ingela!	Lille Lasse!	

4 Indefinite adjectives and pronouns

Någon, ingen, annan, sådan, hel and **all** can be used either together with a noun (in which case they are adjectives) or independently of any noun (in which case they are pronouns). They take endings which are similar to the adjective endings. The forms of the words are identical whether they are adjectives or pronouns, for example:

some/any	någon bil	något hus	några pojkar
no	ingen bil	inget hus	inga pojkar
another/other	en annan bil	ett annat hus	andra pojkar
such	en sådan bil	ett sådant hus	sådana pojkar
whole	en hel vecka	ett helt år	hela dagar
all	all mjölk	allt salt	alla flickor

In the following examples they are used as pronouns:

Någon spelar piano.	*Somebody is playing the piano.*
Ingen vill ha den.	*Nobody wants it.*
Andra säger något annat.	*Others say something else.*
En sådan vill jag ha.	*I want one like that.*

Note also the pronouns **någonting** (*something/anything*), **ingenting** (*nothing*), **allting** (*everything*), as well as **någonstans** (*somewhere/anywhere*) and **ingenstans** (*nowhere*).

Ingen/inget/inga can only be used instead of **inte någon/inte något/inte några** when the words **inte** and **någon** etc. stand together, for example:

Han har **inte några** pengar = Han har **inga** pengar.
but
Han sa att han **inte** hade **några** pengar.

This means that **ingen/inget/inga** *cannot* be used in subordinate clauses or in main clauses with more than one verb, because of the strict rules governing the position of **inte** in Swedish. (See Units 5 and 18.)

5 Ett par (*A pair of/a couple of*)

The Swedish **ett par** corresponds both to *a pair of* and *a couple of*, for example:

ett par skor	*a pair of shoes*
ett par byxor	*a pair of trousers*
ett par liter blåbär	*a couple of litres of blueberries*
ett par vänner	*a couple of friends*

Note: A pair of scissors is **en sax**.

6 'This, these, that, those'

These words are called demonstrative adjectives when they precede a noun, but they can also be used as pronouns if they replace a noun. In Swedish they have different forms depending on the gender and number of the noun that they refer to or replace.

En- words	Ett- words	Plural forms
den här (*this*)	det här (*this*)	de här (*these*)
den där (*that*)	det där (*that*)	de där (*those*)
den (*stressed **the***)	det (*stressed **the***)	de (*stressed **the***)

When these words are used as adjectives (i.e. when they precede a noun) the following noun must take the definite form:

den här gatan	det här huset	de här gatorna
den där pennan	det där passet	de där blommorna
den gatan	det huset	de blommorna

There are also the demonstratives **denna/detta/dessa** but they are mainly used in written language. A noun following these words should be in the indefinite form, for example: **denna bok** (*this book*), **detta år** (*this year*), **dessa människor** (*these people*). *Note:* See also Unit 14, **Language point 8**, 'Determinative pronouns'.

7 How to use *styck, stycken* for counting items

This is a term widely used when shopping and in the import and export trade. There is no English equivalent. Here it means *of them*, but it corresponds more commonly to *apiece, each* or *per unit*, for example:

Citronerna kostar 2 kronor styck.	*The lemons cost 2 kr each.*
Kan jag få tre (stycken) kotletter, tack?	*Can I have three chops, please?*

In the last example **stycken** is best left untranslated. You don't have to use it, but you may hear it from time to time.

8 Plural forms of Swedish nouns: fourth declension

Fourth declension nouns take -**n** in the plural. This is by far the smallest declension, as only around 4% of Swedish nouns belong to this category. They are easily recognizable, as they are all **ett**- words and all end in an unstressed vowel, usually -**e**, for example:

ett äpple	två äpple**n**
ett yrke	två yrke**n**
ett kvitto	två kvitto**n**

Other nouns belonging to this declension are: **ansikte** (*face*), **frimärke** (*stamp*), **öre**, **kilo**, **konto**, **örhänge** (*earring*), **ställe** (*place*), **minne** (*memory, souvenir*), **hjärta** (*heart*).

One important group of nouns belonging to this declension are the nouns ending in -**ande** or -**ende** which do not denote people, for example:

ett leende	två leenden	*smile*
ett försvinnande	två försvinnanden	*disappearance*

There are also three irregular nouns:

ett öga	två ögon	*eye*
ett öra	två öron	*ear*
ett huvud	två huvuden	*head*

Övningar (*Exercises*)

1 Ask politely for the following things in a shop.

◄》 CD 1, TR 37

a 1 litre of milk.
b ½ litre of yoghurt.
c ½ kilo of butter.
d 1½ dozen eggs.
e 2 loaves of bread.

f 3 kilos of potatoes.
g ¼ kilo of coffee.
h 2 hg (200 g) of ham.
i 1 tin of anchovies.
j a couple of apples.

limp/a (-an, -or)	*loaf* (of bread)	**burk (-en, -ar)**	*tin*
ett kvarts kilo	*a quarter of a kilo*	**ansjovis**	*anchovies*
skink/a (-an, -or)	*ham*	**(-en, -ar)**	

2 Fill in the missing words as indicated.

a (*He ate half a sandwich and drank half a bottle of red wine in half an hour.*) Han åt . . . . smörgås och drack . . . . flaska rödvin på . . . .
b (*She ate half an apple and drank half a cup of coffee in half the time.*) Hon åt . . . . äpple och drack . . . . kopp kaffe på . . . . tiden.
c (*They saved half the salary so that they could go to Spain for half a year.*) De sparade . . . . lönen så att de skulle kunna åka till Spanien under . . . .
d (*Half of Sweden is covered by forest.*) . . . . Sverige är täckt av skog.

3 Answer the questions in Swedish as fully as possible. Use the comparative forms of the adjectives.

◄》 CD 1, TR 38

Example: Vilken bil är bäst, en Mini eller en Rolls Royce?
En Rolls Royce är bättre än en Mini.

a Vem är störst, Lasse eller Åke?
b Vilken är billigast, Lasses tröja eller Janes kofta?
c Vilken bil är dyrast, en Mini eller en Rolls Royce?
d Vilket berg är högst, Ben Nevis eller Mount Everest?
e Vilken stad är minst, London eller Stockholm?
f Vilket land har flest invånare, England eller Sverige?

4 Fill in the correct form of the adjective **liten** in the following sentences.

a Flickan är . . .	**f** Staden är . . .
b Affären är . . .	**g** Landet är . . .
c Hjärtat är . . .	**h** Huvudet är . . .
d Gatorna är . . .	**i** Ögonen är . . .
e Äpplet är . . .	**j** Sjön är . . .

Den . . . . flickan från den . . . . staden i det . . . . landet.

5 Answer the questions as in the example:

Example: Har du någon penna? – Nej, jag har ingen penna.

a Har du någon bil?	**e** Har du haft något hus?
b Har du något socker?	**f** Har du någon fru?
c Har du haft någon TV?	**g** Har du några barn?
d Har du några böcker?	

6 Insert the correct demonstrative adjectives in the sentences below.

a Anders och Ulla bor i (*this*) . . . . huset på (*this*) . . . . gatan i (*this*) . . . . staden i (*this*) . . . . landet.
b John vill bjuda (*that*) . . . . flickan på (*that*) . . . . kaféet efter (*that*) . . . . bion.
c (*Those*) . . . . biobiljetterna är inte så dyra som (*these*) . . . . operabiljetterna.

7 Insert the correct plural forms of the missing nouns. Choose from the following nouns: **ansikte, frimärke, hjärta, konto, yrke, äpple, öga, öra.**

a Janus hade två . . . .
b Robert måste köpa . . . .
c Några människor har två . . . . på banken.

d Många kvinnor har två . . . .

e Ulla köper . . . . på torget.

f Du har ett par . . . . och ett par . . . .

g St. Valentine's Day kallas Alla . . . . .s Dag i Sverige.

8 Study the pictures of the clothes and the prices opposite, and the table below. Use them when answering the questions.

a When you arrive at Arlanda airport in Stockholm you find that your suitcase has travelled on to Helsinki. The airline gives you 1000 kronor to buy some essential clothes until the suitcase has been returned to you. It is expected tomorrow morning. You were very hot during the day but now you feel cold. What would you spend the money on and how much will it cost?

• **damkläder** *(ladies' wear)*

1 klänning (-en, -ar) *dress*
2 blus (-en, -ar) *blouse*
3 kjol (-en, -ar) *skirt*
4 kapp/a (-an, -or) *coat*
5 nattlinne(-t, -n) *nightdress*
6 baddräkt (-en, -er) *swimsuit*
7 jumper(-n, jumprar) *jumper*

• **underkläder** *(underwear)*

8 behå (-n, -ar) *bra*
9 underklänning (-en, -ar) *slip*
10 ett par trosor *briefs*
11 ett par strumpbyxor *tights*

• **smycken** *(jewellery)*

12 halsband (-et, -0) *necklace*
13 armband (-et, -0) *bracelet*
14 örhänge (-t, -n) *earrings*

• **både damer och herrar** *(unisex)*

15 ett par jeans *jeans*
16 ett par skor *shoes*

17 ett par sockor *socks*
18 ett par handskar *gloves*
19 ett par kängor *boots*
20 ett par stövlar *wellingtons*
21 (en) T-shirt *T-shirt*
22 pyjamas (-en, -0) *pyjamas*
23 jack/a (-an, -or) *jacket*
24 hatt (-en, -ar) *hat*
25 möss/a (-an, -or) *cap*
26 näsduk (-en, -ar) *handkerchief*

• **herrkläder** *(men's wear)*

27 kostym (-en, -er) *suit*
28 skjort/a (-an, -or) *shirt*
29 ett par byxor *trousers*
30 rock (-en, -ar) *overcoat*
31 kavaj (-en, -er) *jacket*
32 slips (-en, -ar) *tie*
33 tröj/a (-an, -or) *sweater*

• **underkläder** *(underwear)*

34 undertröj/a (-an, -or) *vest*
35 ett par kalsonger *pants*

More prices

ett par strumpbyxor
 tights 25.00
jack/a (-an, -or) *jacket*
 (unisex) 750.00
kostym (-en, -er) *suit* 1000.00

skjort/a (-an, -or) *shirt* 250.00
tröj/a (-an, -or) *sweater*
 300.00
koft/a (-an, -or) *cardigan*
 300.00

b Help a teenager from England who doesn't know any Swedish to buy a new outfit. He has 500 kronor to spend.

c Buy something nice for your sister's birthday. You can afford to spend 250 kronor. She likes jewellery.

d Describe the clothes you are wearing today, and count how much you have spent on them!

9 You are out shopping with a friend. Complete your parts of the dialogue.

◄) **CD 1, TR 39**

You	(*Say you must buy something to bring back home.*)
Ingrid	Svenskt glas är världsberömt. Vill du titta på det?
You	(*Say yes, but you can probably not afford it.*)
Ingrid	Allt är inte dyrt. Titta på den där lilla kristallskålen!
You	(*Say it is wonderfully beautiful, but unfortunately you haven't got that much money left.*)
Ingrid	De där små djuren i glas är fantastiskt fina.
You	(*Say yes, you'll buy such an elk. It will be a fine souvenir of Sweden.*)
Ingrid	En dalahäst måste du också ha. De finns i alla storlekar. Dalahästen är Sveriges turistsouvenir nummer ett.
You	(*Say: Yes, of course, I must have one like that.*)

QUICK VOCAB

glas (-et, -0)	*glassware*	**djur (-et, -0)**	*animal*
världs/berömd	*world*	**fantastiskt**	*fantastically*
(--berömt,	*famous*	**älg (-en, -ar)**	*elk*
--berömda)		**minne (-t, -n)**	*souvenir*
kristallskål (-en,	*crystal*	**dalahäst**	*Dala*
-ar)	*bowl*	**(-en, -ar)**	*horse*
underbart	*wonderfully*	**nummer (numret,**	*number*
kvar	*left*	**nummer)**	

Förstår du? (*Do you understand?*)

Om pengar inte är något problem så är det ett sant nöje att handla i Sverige. Det mesta är vanligtvis av hög kvalitet och utsökt smak. Enkelhet är vad som karakteriserar svensk stil. Alla köper svenskt glas. Orrefors, Kosta, Boda och Målerås är några glasbruk som är kända i hela världen. Många av de konstnärer som har arbetat och arbetar där har blivit världsberömda, t.ex. Simon Gate, Edward Hald, Bertil Vallien, Mats Jonasson och många flera. Men allt är inte dyrt. Om du ser ordet **REA** i ett skyltfönster betyder det att det är **realisation** och då säljer affären många saker billigare, ofta till halva priset eller mindre. Detsamma gäller ordet **Extrapris** eller **Nedsatt pris**. Då kan du göra många fynd.

problem (-et, -0)	*problem*	**har arbetat**	*have worked*
sann (sant, sanna)	*true, real*	**REA** (short for	*sale*
nöje (-t, -n)	*pleasure*	**realisation**)	
vanligtvis	*usually*	**skylt/fönster**	*shop*
utsökt	*exquisite*	(**--fönstret, -0**)	*window*
smak (-en, -er)	*taste*	**det betyder**	*it means*
enkelhet (-en)	*simplicity*	**säljer**	*sell*
karakteriserar	*characterizes*	**sak (-en, -er)**	*thing*
stil (-en, -ar)	*style*	**detsamma**	*the same*
glasbruk (-et, -0)	*glassworks*	**gäller**	*applies to*
kända i hela	*known*	**extrapris**	*special*
världen	*throughout*	**(-et, -er)**	*offer*
	the world	**nedsatt pris**	*reduced price*
konstnär	*artist,*	**fynd (-et, -0)**	*bargain*
(-en, -er)	*designer*		

Rätt eller fel? (*True or false?*)

a Det är ett nöje att handla i Sverige.
b Många svenska glaskonstnärer är kända i hela världen.
c Extrapris betyder att priset är extra högt.

Ten things to remember

1 Swedes say **färsk mjölk, färskt bröd, färska grönsaker** but **frisk luft** – *fresh air*.
2 Nowadays eggs are usually bought by the dozen or sometimes by weight, but until fairly recently they were bought by the **tjog** – *twenties*.

3 Grönsaker (lit. *green things*) cover all vegetables, even the red ones like **tomater, rädisor, rödkål** – *tomatoes, radishes, red cabbage.*

4 Note the phrases **Vad kostar cykeln?** and **Hur mycket kostar bilen?**

5 **Lite** (*a little, some*) is used frequently when talking about quantities. Lite doesn't take any endings when it refers to quantities: **lite potatis/vin/pengar.**

6 Note the phrases **Mjölken kostar 12 kr litern; Smöret kostar 20 kr kilot.**

7 Remember that in Swedish **ett par** means both *a pair* and *a couple,* **ett par skor/byxor** and **ett par barn.** Note also **ett äkta par** – *a married couple.*

8 Don't forget that Swedish cannot use **liten** in plural. There it is replaced by **små** which cannot take any endings. Thus we say **en liten pojke, ett litet barn** but **små pojkar, små barn.**

9 There is another form, **lilla,** also without any other endings, which must be used in the definite form singular and when you address people: **den lilla sjöjungfrun** – *the little mermaid;* **lilla Kerstin** (lit. *little*) meaning *dear Kerstin.*

10 **Helylle** – *pure wool.* **Ylle** is of course derived from **ull,** which is the same word as *wool.* The odd phrase *en riktig helyllesvensk* means a genuine Swede.

7

Var ligger kaféet?
Where is the café?

In this unit you will learn:

- How to ask for directions
- How to give directions
- How to apologize
- How to respond when somebody apologizes

Samtal 1 (*Dialogue 1*)

🔊 **CD 1, TR 40**

Robert is asking Anders for directions (see the map for exercise 4 further on).

Robert	Jag ska träffa Ulla och Jane på Kafé Continental om en kvart. Var ligger det och hur ska jag gå för att komma dit?
Anders	Det är inte svårt. Du ska gå över gatan när du kommer ut ur banken. Vid posten går du till höger över gatan igen på övergångsstället vid trafikljusen. Gå snett över torget. Fortsätt över gatan och ta till vänster förbi busshållplatsen. Gå rakt fram över bron. Kafé Continental ligger där vid kanalen mitt emot en stor park.
Robert	Hur lång tid tar det?
Anders	Det tar bara fem minuter.
Robert	Bra. Då hinner jag kanske gå in på posten också och köpa frimärken och posta mina vykort.
Anders	Då får du skynda dig för det är ofta kö där. Jag måste gå till kontoret nu. Vi ses i kväll. Ha det så trevligt!
Robert	Tack för hjälpen.

träffa	meet	kanal (-en, -er)	canal
kafé (-et, -er)	café	mitt emot	opposite
om	in (time)	park (-en, -er)	park
ligger	is (lit. lies)	tid (-en, -er)	time
för att	(in order) to	tar	takes
dit	there	bra	good
över	across	hinner	have time to
ut ur	out of	kanske	perhaps
posten	the post office	posta	post
		vykort (-et, -0)	postcard
till höger	to the right	får	have to
igen	again	skynda dig	hurry up
övergångsställe (-t, -n)	pedestrian crossing	ofta	often
trafikljus (-et, -en)	traffic lights	för	because
		kö (-n, -er) (pronounced with hard k)	queue
snett	diagonally		
fortsätt	continue	kontor (-et, -0)	office
ta till vänster	go left	nu	now
förbi	past	vi ses	see you
busshållplats (-en, -er)	bus stop	ha det så trevligt	have a nice time
rakt fram	straight on	tack för hjälpen	thanks for your help
bro (-n, -ar)	bridge		

Insight

Note the difference between how you use the adjective **lång** and the adverb **länge**. Both mean *long* but **länge** cannot be used together with a noun, takes no endings and can only refer to time, for example **Han väntade länge på henne; Barnet kan inte sitta stilla länge.** **Lång** is used to talk about both length and time and takes the usual adjective endings which must agree with the noun to which it refers, for example **Han är lång, ett långt tag, en lång stund, långa kvällar.**

Rätt eller fel? (*True or false?*)

a Ulla och Jane ska träffa Robert på Kafé Continental.

b Anders säger att det är svårt att komma dit.

c Det tar en kvart att gå till kaféet från banken.

d Robert vill gå till posten och posta vykort.

Samtal 2 (Dialogue 2)

◀) CD 1, TR 41

Jane and Robert have gone sightseeing on their own in a small town. They are looking for a **Turistbyrå** (tourist information centre). Robert stops a man in the street.

Robert	Ursäkta, kan ni tala om för oss om det finns en turistbyrå i den här staden?
Mannen	Ja, det finns det. Den ligger vid järnvägsstationen. Gå runt hörnet och ta tredje tvärgatan till vänster. Då ser ni stationen. Turistbyrån ligger strax intill.
Robert	Tack för hjälpen.
Mannen	Ingen orsak. Jag hör att ni är utlänningar. Vad tycker ni om Sverige?
Robert	Vi tycker om Sverige.

ursäkta	*excuse me*	**tvärgat/a**	*crossroad, side*
kan ni tala om	*can you tell*	**(-an, -or)**	*street*
för oss?	*us?*	**strax intill**	*right next to*
gå runt	*go round the*	**ingen orsak**	*don't mention it!*
hörnet	*corner*	**hör**	*hear*
tredje	*third*	**tycker om**	*think of*
		tycker om	*like*

QUICK VOCAB

Rätt eller fel? (*True or false?*)

a Det finns ingen turistbyrå i staden.

b Turistbyrån ligger på andra tvärgatan.

c Stationen ligger strax intill turistbyrån.

Tourist information

Turistbyrå There is usually a **turistbyrå** in every town where there is something of interest to tourists. Outside there is a green sign with white lettering as in England. There are also yellow and blue signs. These centres have information on all of Sweden, not just their own region.

In town

Streets As you already know, the word for a street is **gata**, but there are other words, too. The word that corresponds directly to *road* is **en väg**. **En aveny** is, not surprisingly, *avenue*, but **en allé** is not what you may have expected – it is a *tree-lined avenue*. The word that corresponds to the English *alley* or *lane* is **en gränd**. The Swedish word **tvärgata** is *crossroad* or *side street*.

'Sorry!'

Förlåt (mig), Ursäkta (mig) When apologizing you say either **förlåt (mig)** (*forgive me*) or **ursäkta (mig)** (*excuse me, I'm sorry, pardon*). They are normally interchangeable, though **förlåt** is stronger.

Ingen orsak When someone apologizes to you, you should say **ingen orsak** (lit. *no cause*) or **det gör ingenting** (*it doesn't matter*) . . . provided, of course, that it doesn't!

Så här säger man (*What to say*)

◀ CD 1, TR 42

- ask for directions

Hur ska jag gå för att komma till . . .?	*How do I get to . . .?*
Hur kommer man till . . .?	*How do I get to . . .?*
Var ligger . . .?	*Where is . . .?*
Finns det någon (restaurang) här?	*Is there a (restaurant) here?*
Hur lång tid tar det?	*How long does it take?*
Var är toaletten?	*Where is the toilet?*
Kan ni hjälpa mig?	*Can you help me?*

- give directions

Gå rakt fram.	*Go straight on.*
Gå över gatan.	*Go across the street.*
Gå snett över . . .	*Go diagonally across . . .*
Gå till höger.	*Go to the right.*
Ta till vänster.	*Go to the left.*

Gå förbi (sjukhuset).	*Go past the (hospital).*
Gå längs (kanalen).	*Go along the (canal).*
Gå tillbaka.	*Go back.*
Gå genom (tunneln).	*Go through the (tunnel).*
Fortsätt till (busshållplatsen).	*Continue to the (bus stop).*
(Posten) ligger mitt emot . . .	*(The post office) is opposite . . .*
(Turistbyrån) ligger bredvid . . .	*(The tourist information centre) is right next to . . .*

Grammatik (*Language points*)

1 Plural forms of Swedish nouns: fifth declension

Most of the nouns belonging to the fifth – and last – declension are **ett**- words that end in a consonant. They are unchanged in the plural, for example:

ett barn	*a child*	två barn	*two children*
ett hus	*a house*	två hus	*two houses*
ett kök	*a kitchen*	två kök	*two kitchens*

This is the second largest declension as around 26% of Swedish nouns have no plural ending.

You will find that many words for *categories* belong to this group, although the individual animals/trees etc. are **en**- words which do have plural endings:

ett djur	två djur	*animal*
ett träd	två träd	*tree*
but		
en hund	två hund**ar**	*dog*
en ek	två ek**ar**	*oak*

Apart from the **ett**- words ending in a consonant there are also some **en**- words that stay unchanged in the plural, i.e. the **en**- words ending in -**are**, -**ande** or -**er** denoting people, for example:

en arbetare	två arbetare	*worker*
en lärare	två lärare	*teacher*

en skådespelare	två skådespelare	*actor*
en italienare	två italienare	*Italian*
en studerande	två studerande	*student*
en resande	två resande	*traveller*
en ordförande	två ordförande	*chairperson*
en musiker	två musiker	*musician*
en tekniker	två tekniker	*technician*
en australier	två australier	*Australian*

To recapitulate: To find out the plural ending of a noun you first investigate from the surrounding words or the ending (**en/ett, den/det**, the definite singular or an adjective ending) if the noun is an **en-** word, in which case the plural form ends in an -r (either -**or**, -**ar**, -**er** or -**r**), or for the -**are**, -**ande**, -**er** words above: no plural ending.

If the noun is an **ett-** word, the plural ending is an -**n** for the **ett-** words ending in a vowel, but there is no plural ending for the **ett-** words ending in a consonant, apart from the few **ett-** words ending in -**er** in the plural already mentioned in Unit 5. Below is a table showing the five different groups of nouns and their plural endings:

(1)	(2)	(3)	(3)	(4)	(5)
-**or**	-**ar**	-**er**	-**r**	-**n**	no ending
flick**or**	pojk**ar**	familj**er**	sk**or**	äpple**n**	barn

2 The definite plural form

The in the plural is an ending in Swedish, as was *the* in the singular. For all **en-** words it is -**na**. The **ett-** words that end in a vowel in the singular and add an -**n** in the plural have just an -**a** added in the definite form plural so in effect they look like all the **en-** words. However, for the **ett-** words that end in a consonant in the basic form singular, and are identical in the plural, the definite form plural is -**en**.

Note that **en-** words ending in -**are** in the singular drop the final -**e** before -**na** is added.

Below is a table showing the various noun-endings.

	indef. sing.	def. sing.	indef. plural	def. plural
(1) -or	en flicka	-n	två flickor	flickorna
(2) -ar	en pojke	-n	två pojkar	pojkarna
(3) -er	en familj	-en	två familjer	familjerna
-r	en sko	-n	två skor	skorna
(4) -n	ett äpple	-t	två äpplen	äpplena
(5) -0	ett barn	-et	två barn	barnen
	en arbetare	-n	två arbetare	arbetarna
	en ordförande	-n	två ordförande	ordförandena
	en politiker	-n	två politiker	politikerna

Note that -0 means that singular and plural are identical.

Please note the following irregular nouns:

indef. sing.	def. sing.	indef. plural	def. plural	
en man	mannen	två män	männen	*man*
ett öga	ögat	två ögon	ögonen	*eye*
ett öra	örat	två öron	öronen	*ear*

3 The ambiguous phrase *tycka om*

Note that the meaning changes if you change the stress between the words **tycka** and **om**. If **tycka** is stressed, the phrase means *What is your opinion of . . .?*, but if you stress **om** the phrase means *to like*, for example:

Vad *tycker* du om EU? *What is your opinion of the EU?*
Alla barn tycker *om* choklad. *All children like chocolate.*

4 How to use *ligga (lie, to be situated)*

The verb **ligga** (lit. *lie*) is used about houses, streets, towns, lakes, islands, countries etc. where English would use *is, is situated, lies, stands,* for example:

Huset ligger på/vid Storgatan.
Gatan ligger vid stationen.
Staden ligger vid havet.
Landet ligger i Europa.

5 On/in/at/to translated by *på*

Examples of prepositions that you have already met are **i, till, på, från, av, över.**

As a rule **på** is used to translate *on* as a preposition of place, e.g. **på bordet** (*on the table*), **på golvet** (*on the floor*), but in some expressions **på** corresponds to *in*:

på Storgatan	*in the High Street*
på landet	*in the countryside*
på himlen	*in the sky*

Note: The Swedish word **himmel** means both *sky* and *heaven*. To distinguish between these two meanings different prepositions are used. Thus **på himlen** means *in the sky* but **i himlen** means *in heaven.*

In other expressions **på** corresponds to *at* or *to*, especially with public buildings, places of work or places of entertainment:

på banken	på operan
på kontoret	på teatern
på posten	på bio
på kaféet	på restaurang
på varuhuset	på sjukhuset

6 Imperative forms

Stanna! Gå! Fortsätt! Köp! are called imperative forms. They are used when you want to tell, ask or order someone to do something. Like the present tense, the imperative is formed from the infinitive. The imperative of the verbs which end in **-ar** in the present tense is identical to the infinitive form, for example:

Infinitive	Present tense	Imperative	
stanna	stannar	stanna!	*stop, stay*
tala	talar	tala!	*speak*
arbeta	arbetar	arbeta!	*work*

However, those verbs which end in **-er** or just **-r** in the present tense form their imperative by taking away the present tense ending, so the imperative is identical to the stem of the verb:

Infinitive	Present tense	Imperative	
fortsätta	fortsätter	fortsätt!	*continue*
köpa	köper	köp!	*buy*
gå	går	gå!	*go*

Both the imperative and the present tense are identical with the stem in those verbs which have a stem that ends in -r, e.g. **göra, höra, lära, köra**.

Infinitive	Present tense	Imperative	
göra	gör	gör!	*do, make*
höra	hör	hör!	*hear*
lära	lär	lär!	*learn*
köra	kör	kör!	*drive*

Note: Swedish uses an exclamation mark at the end of a sentence with an imperative.

Note also the imperative forms in expressions such as:

Hjälp mig!	*Help me!*
Skynda dig!	*Hurry up!*
Ha det så trevligt!	*Have a nice time!*

Övningar (*Exercises*)

1 Fill in the missing words in their correct form with the help of the vocabulary below.

  a Ulla har (*a kitchen*) . . . . med många (*cupboards*)
  . . . .

  b I (*a cupboard*) . . . . har hon (*bread*) . . . .
  . . . . . och i ett annat har hon (*flour*) . . . . och
  (*rice*) . . . .

  c I (*the fridge*) . . . . har hon (*a dozen eggs*) . . . .
  . . . ., lite (*meat*) . . . . och (*half a kg of
  butter*) . . . .

  d Anders vill ha (*a little sugar*) . . . . i (*the coffee*)
  . . . . men (*no sugar*) . . . . i (*the
  tea*) . . . .

e Ulla plockar många sorters vilda (*berries*) . . . .
till exempel (*raspberries*) . . . . och (*blueberries*)
. . . .

f Jane köper några (*postcards*) . . . . som visar svenska
(*houses*) . . . .

skåp (-et, -0)	*cupboard*	**till exempel**	*for example*
mjöl (-et, -0)	*flour*	(abbrev: **t. ex.**)	(e.g.)
ris (-et, -0)	*rice*	**hallon (-et, -0)**	*raspberry*
kylskåp (-et, -0)	*fridge*	**visar**	*show*
vild (vilt, vilda)	*wild*		

2 Form questions in response to the following statements.

◀)) **CD 1, TR 43**

Example: Jag kan inte se några flickor – Var är flickorna?

a Jag kan inte se några
blommor.
b Vi har två hundar.
c Du måste läsa några böcker.
d Hon vill köpa nya skor.

e Du skulle be om kvitton.
f Han har flera lärare.
g De har många barn.
h Här finns inte några män.

3 Fill in the missing words. Remember that the adverbs (**inte**,
mycket, mest) are placed between **tycka** and **om**.

Åke frågar John vad han (*thinks of*) . . . . sommarstugan.
John svarar att han (*likes*) . . . . den, men han (*doesn't like*)
. . . . vädret. Han (*likes very much*) . . . . maten,
men han (*likes most*) . . . . musiken. Vad han (*thinks*

of) . . . . priset på öl i Sverige vill han inte tala om, men han talar gärna om att han (*likes*) . . . . Sverige.

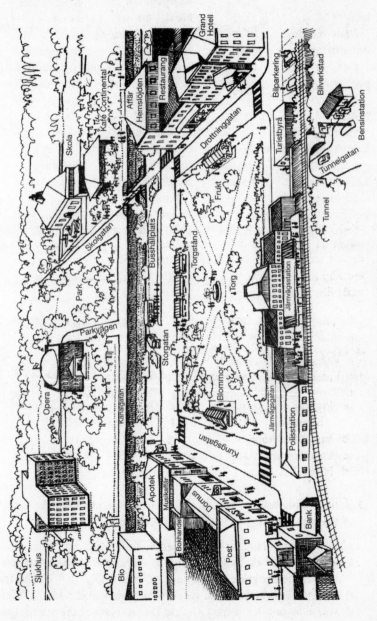

kart/a (-an, -or)	*map, town plan*	Drottninggatan	*Queen Street*
bilverk/stad (-en, --städer)	*garage*	Kungsgatan	*King Street*
		kiosk (-en, -er)	*kiosk*
bensinstation (-en, -er)	*petrol station*	torgstånd (-et, -0)	*market stall*
		restaurang (-en, -er)	*restaurant*
parkeringsplats (-en, -er)	*car park*	bokhandel (-n)	*book shop*
tunnel (-n, tunnlar)	*tunnel*	musikaffär (-en, -er)	*music shop*
järnvägsstation (-en, -er)	*railway station*	apotek (-et, -0)	*pharmacy*
		biograf (-en, -er)	*cinema*
SJ (Statens Järnvägar)	*the State Railways*	bio (-n)	*cinema*
		busshållplats (-en, -er)	*bus stop*
polisstation (-en, -er)	*police station*	kanal (-en, -er)	*canal*
		sjukhus (-et, -0)	*hospital*
hotell (-et, -0)	*hotel*	oper/a (-an, -or)	*opera*

4 Study the vocabulary and the map on the previous pages and answer the following questions in Swedish. Be as precise as possible.

Example: Var är turistbyrån? – Den ligger på Järnvägsgatan mellan stationen och parkeringsplatsen mitt emot torget.

a Var är busshållplatsen?
b Var är varuhuset Domus?
c Var är Grand Hotell?
d Var är bensinstationen?

e Var är operan?
f Var är järnvägsstationen?
g Var är sjukhuset?
h Var är polisstationen?

till vänster/höger om	*to the left/right of*
på andra sidan om	*on the other side of*
i hörnet av	*at the corner of*

5 You have been asked for directions by a stranger. With the help of the map and the vocabulary above tell him:

a how to find the post office when he is at the Grand Hotell.
b where to find the police station when his car has been broken into at the car park.
c how to find the bus stop when he is at the bank.
d where he can buy some CDs and DVDs. He is at the restaurant.

e where to find the department store when he is at the bus stop.

f how to find the school when he is at the railway station.

g where to go to buy medicine as he comes out of the hospital.

h where he can buy petrol when he is in Parkvägen.

i where he can buy flowers and then find the way to the hospital. He is at the railway station.

j where to go for a cup of coffee after a visit to the cinema. He wants to sit outdoors.

6 Complete the following dialogue.

◄) CD 1, TR 44

Vännen	Vad ska du göra i kväll?
You	(Say you are going out with a friend.)
Vännen	Vem då? Och vad ska ni göra?
You	(Say: It's Kerstin. First, you'll go to the cinema and then you'll go to a café.)
Vännen	När ska du träffa Kerstin, och var?
You	(Say: In half an hour at the cinema.)
Vännen	Hur ska du komma dit?
You	(Say you are taking the bus.)
Vännen	Du kan följa med oss i bilen. Vi ska gå på operan och vi ska parkera bilen vid stationen. Då behöver du bara gå över torget för att komma till bion.
You	(Say: Thank you very much.)

Insight

You must distinguish between **utom** (except for) and **utan** (without), for example **Alla utom jag** (All except for me), but **Hon gjorde det utan hjälp** (She did it without help); **De var utan vatten/elektricitet/telefon** (They were without water/electricity/telephone).

Förstår du? (Do you understand?)

Sverige har förmodligen den renaste luften i Europa utom i storstäderna, men svenskarna är nog mer bekymrade än några andra över miljöförstöringen. De tar verkligen problemet på allvar, och de gör mycket för att stoppa ytterligare förorening. De försöker övertala folk att använda kollektivtrafiken, så att antalet bilar i städernas centrum ska minska. De industrier eller personer som förorenar marken eller vattnet får betala höga böter, och de stänger daghem, som ligger vid gatukorsningar, eftersom bilarnas avgaser är särskilt farliga för små barn.

Det som upprör svenskarna mest är att mycket – kanske det mesta? – av föroreningen i Sverige har 'importerats' från andra länder i Europa, och Sverige är maktlöst att förhindra det. Skogar och sjöar försuras, och Östersjön är nu ett av världens mest förorenade hav. Eftersom det bor 70 miljoner människor i länderna runt omkring Östersjön, och flera andra länder vid Östersjön har så stora ekonomiska svårigheter att de inte har råd med reningsverk o.d., är det ett mycket stort problem. Alla vill, men inte alla kan!

renaste	*cleanest*	**centrum (-et,**	*centre*
luft (-en)	*air*	**centra)**	
Europa (pronounced	*Europe*	**minska**	*decrease*
'Eropa')		**industri (-n, -er)**	*industry*
utom	*except*	**person (-en, -er)**	*person*
stor/stad (-en,	*big*	**förorenar**	*pollute*
--städer)	*city*	**mark (-en, -er)**	*ground*
svensk (-en, -ar)	*Swede*	**betala**	*pay*
bekymrade	*worried*	**böter** (plural)	*fines*
än	*than*	**daghem**	*day*
miljöförstöring	*environmental*	**(-met, -0)**	*nursery*
(-en)	*pollution*	**gatukorsning**	*road*
problem (-et, -0)	*problem*	**(-en, -ar)**	*junction*
på allvar	*seriously*	**eftersom**	*as*
stoppa	*stop*	**avgas (-en, -er)**	*exhaust fume*
ytterligare	*further*	**särskilt**	*particularly*
förorening (-en, -ar)	*pollution*	**farlig**	*dangerous*
försöker	*try*	**upprör**	*upsets*
övertala	*persuade*	**importerats**	*been*
använda	*use*		*imported*
kollektivtrafik	*public*	**maktlös**	*powerless*
(-en)	*transport*	**förhindra**	*prevent*
antal (-et, -0)	*number*	**försuras**	*are becoming acidified*

värld (-en, -ar)	*world*	**har råd med**	*can afford*
(**l** is mute)		**reningsverk**	*sewage*
runt omkring	*around*	(**-et, -0**)	*treatment*
ekonomisk	*economic*		*works*
svårighet	*difficulty*	**o.d. (och dylikt)**	*etc.*
(**-en, -er**)		**sur**	*acid*

Rätt eller fel? (*True or false?*)

a Luften i Sverige är inte så ren som luften i England.

b Svenskarna tar problemet med miljöförstöringen på allvar.

c Svenskarna kan stoppa det sura regnet.

Ten things to remember

1 Note this useful reciprocal action phrase: **Vi ses i morgon** – *See you tomorrow.*

2 These are very useful phrases to end a conversation: **Ha det så trevligt!** – *Have a nice time!*; **Ha det så bra!** – *Have a good time!*

3 **Tack för hjälpen!** – *Thanks for your help!* This is a very common phrase which you are likely to use frequently!

4 **På egen hand** – *On their own/By themselves.* Compare this phrase with: **De bor i eget hus** – *They live in a house of their own.*

5 Compare **Du måste tala med henne** – You must *talk/speak to* her, with **Du måste tala om för oss** – You must *tell* us.

6 Compare **Stjärnorna på himlen** – *The stars in the sky* with **Änglarna i himlen** – *The angels in heaven.*

7 Note that verbs where the stem ends in **-r** use the stem without any endings as both the present tense and the imperative, for example **Hon gör det ofta. Gör det!** – *Do that!*; **Hör på mig!** – *Listen to me!* **Kör sakta!** – *Drive slowly!*

8 Compare **Hon tar det på allvar** – *She takes it seriously* with **Han sa det på skämt** – *He said it for a joke.*

9 Note the use of **övertala** (to *persuade* or *talk somebody into doing something*): **De övertalade mig att ta tåget.** – *They persuaded me to take the train.*

10 Ett (flyg-)plan is a typical fifth declension noun: **Askan från vulkanen stoppade alla flygplanen.** – *The ash from the volcano stopped all the planes.*

8

Får jag be om notan?
May I have the bill, please?

In this unit you will learn:

- How to order a meal at a restaurant
- How to state likes and dislikes concerning food and drink
- How to complain about the food or the service

Samtal 1 (Dialogue 1)

◀) CD 1, TR 45

Anders and Ulla Svensson and Jane and Robert Taylor arrive at a restaurant.

Anders	Hovmästarn! Vi har beställt ett bord för fyra.
Hovmästaren	Välkomna! Hur var namnet?
Anders	Anders Svensson.
Hovmästaren	Vi har reserverat fönsterbordet där borta. Passar det?
Anders	Det är utmärkt. Kan vi få se på matsedeln, tack! Vad rekommenderar ni?
Hovmästaren	Idag rekommenderar jag vår kalvstek eller också rödspätta. Den är alldeles färsk.
Ulla	Jag tycker vi ska ha något riktigt svenskt. Vad säger ni om västkustsallad till att börja med? Och hjortron med glass till dessert?
Robert	Vad är västkustsallad?
Ulla	Det är räkor eller krabba med svamp, tomater, gurka, sallad och dill.
Robert	Jag är inte så förtjust i fisk och skaldjur. Jag vill hellre ha sparrissoppa och kalvstek.

Jane	Jag älskar skaldjur, så jag tar gärna västkustsallad.*
Anders	Jag tar gravad lax och fläskkotlett.
Ulla	Jag tycker så mycket om deras västkustsallad, och jag vill ha något lätt efteråt. Deras svampomelett är alltid så lätt och luftig. Den blir bra för mig.
Anders	Fröken, kan vi beställa? Västkustsallad för två, en sparrissoppa och en gravad lax. Sedan kalvstek för två, en svampomelett och en fläskkotlett. Till dessert vill vi alla ha hjortron med glass och kaffe efteråt, tack.
Servitrisen	Tack. Något att dricka? Här är vår vinlista.
Anders	Ja, tack. Ett par flaskor rödvin, och mineralvatten till min fru. Hon kör, så hon dricker inte något starkt.

*Jane forgot to say what she wanted for the main course: 'Och kalvstek för mig också. Jag tål inte fet mat.'

QUICK VOCAB

hovmästare (-n, -0) *head waiter*
  (pron. 'hovmästarn')
har beställt *have booked*
bord (-et, -0) *table*
har reserverat *have reserved*
fönsterbord *table by the*
  (-et, -0) *window*
där borta *over there*
passar det? *will that suit you?*
utmärkt *excellent*
mat/sedel (-n, --sedlar) *menu*
rekommenderar *recommend*
kalvstek (-en, -ar) *roast veal*
eller också *or else*
rödspätt/a (-an, -or) *plaice*
tycker *think*
något riktigt svenskt *something really Swedish*
västkustsallad *west coast salad*
börja *begin*
underbar *wonderful*

hjortron *cloudberry*
  (-et, -0)
glass (-en) *ice-cream*
dessert (-en, -er) (pron. 'dessär') *dessert*
krabb/a (-an, -or) *crab*
räk/a (-an, -or) *prawn*
jag är inte så förtjust i *I don't care for*
skaldjur (-et, -0) *shellfish*
sparrissopp/a (-an, -or) *asparagus soup*
älskar *love*
jag tål inte fet mat *fatty food disagrees with me*
gravad lax *marinated salmon*
fläskkotlett (-en, -er) *pork chop*
deras *their*

lätt	*light*	**vinlist/a**	*wine list*
efteråt	*afterwards*	**(-an, -or)**	
omelett (-en, -er)	*omelette*	**mineral/vatten**	*mineral*
luftig	*airy*	**(--vattnet, -0)**	*water*
beställa	*order*	**kör (bil)**	*drives*
servitris (-en, -er)	*waitress*	**något starkt**	*any alcohol*

Rätt eller fel? (*True or false?*)

a Västkustsallad är en grönsakssallad.
b Robert tycker inte om skaldjur.
c Alla dricker rödvin till maten.

Samtal 2 (*Dialogue 2*)

◀) CD 1, TR 46

A few minutes later.

Anders	(*To the waitress:*) Ursäkta, varför tar det så lång tid med varmrätten? Och det här vinet är för surt. Jag bad om Medoc. Det fattas ett glas också.
Servitrisen	Å, förlåt! Det var mitt fel. Jag ska genast hämta Medoc och ett glas till. Maten är strax klar.
Jane	Det här var verkligen underbart gott.
Ulla	Ja, min omelett var lika fin som vanligt. Och västkustsalladen var bättre än den brukar vara.
Anders	Min kotlett var inte så varm som den borde vara.
Ulla	Du pratar för mycket. Du skulle låta maten tysta mun.
Anders	Fröken, får jag be om notan?
Servitrisen	Varsågod.
Anders	Är det med eller utan dricks?
Servitrisen	Det är med 10%.
Anders	Varsågod. Det är jämnt.
Servitrisen	Tack så mycket. Välkomna tillbaka!

varmrätt (-en, -er)	*main course*	**fel (-et, -0)**	*fault*
för surt	*too sour*	**genast**	*at once*
det fattas ett glas	*a glass is missing*	**hämta**	*fetch*
		klar	*ready*

lika fin som	*as good as*	**får jag be om**	*may I have*
vanligt	*usual*	**notan?**	*the bill,*
bättre än den	*better than*		*please?*
brukar vara	*usual*	**med eller utan**	*with or without*
pratar	*talk*	**dricks**	*service*
låta maten tysta	*keep silent while*		*charge*
mun (proverb)	*eating*	**det är jämnt**	*please keep*
			the change!

Rätt eller fel? (*True or false?*)

a   Maten tar lång tid.

b   Vinet är mycket gott.

c   Dricksen är med på notan.

——— MATSEDEL ———

Förrätter

Sparrissoppa

Leverpastej med rostat bröd

Gravad lax

Västkustsallad

Varmrätter

Svampomelett

Lövbiff med persiljesmör

Rödspätta med pommes frites

Fläskkotlett med inlagd gurka

Kalvstek med ärter och morötter

Desserter

Fruktsallad med grädde

Äppelkaka med vaniljsås

Glass med varm chokladsås

Jordgubbstårta

Hjortron med glass

DAGENS RÄTT

Köttbullar med lingon

Bröd, smör och sallad ingår i priset liksom en dryck
(lättöl, mineralvatten eller kaffe)

leverpastej med rostat bröd	*liver pâté with toast*	**jordgubbs-tårta**	*strawberry gâteau*
lövbiff (-en, -ar)	*minute steak*	**dagens rätt**	*today's special*
persiljesmör (-et)	*parsley butter*		
inlagd gurka	*fresh cucumber in a vinegar dressing with parsley and dill*	**köttbullar med lingon**	*meatballs with cranberries*
		ingår	*is included*
ärter	*peas*	**pris (-et, -0)**	*price*
fruktsallad (-en, -er)	*fruit salad*	**liksom**	*like, as well as*
äppelkaka med vaniljsås	*apple cake with vanilla custard*	**dryck (-en, -er)**	*drink*
varm chokladsås	*hot chocolate sauce*		

Eating out

Hovmästaren A waiter is **en kypare** and a waitress is **en servitris**, but these words are not used when addressing them. You address them as **hovmästaren** (pronounced **hovmästarn**) to the waiter and **fröken** to the waitress.

Dagens rätt As in other countries, many Swedish restaurants offer a 'dish of the day', **Dagens rätt**, at a special price. Sometimes bread, butter and a drink (milk, light beer, a soft drink or coffee) are included in the price.

Alkohol Be warned! The Swedish laws are very strict, forbidding almost all alcohol consumption by drivers. The stiff fines and the automatic loss of the driving licence are intended as a deterrent, so abstain from drinking any alcohol if you intend to drive.

The Swedish national strong drink is **snaps** or **brännvin** *(aquavit)* – and strong is the word! There are many varieties, of which **Skåne** and **Renat** are perhaps the favourites. **Snaps** cannot be ordered at the bar, only at the table, as it is not a drink to take without eating. Also, the first **snaps** should be swallowed in one gulp, with the next one you only swallow half a glass, afterwards a third or a quarter . . . if you continue you'll most likely end up under the table! Swedes have many drinking songs which they sing before toasting each other and taking the **snaps** on special occasions.

Öl There are several classes of beer: **starköl**, also called **exportöl**, which is strongest, **pilsner**, of medium strength, and **lättöl** with such a low level of alcohol that it is hardly beer at all, and, unlike the others, can be bought in ordinary grocer's shops or supermarkets.

High taxes make most alcohol expensive – prohibitively expensive to order at a restaurant – but you can get just about any drink you like at **Systemet** (the State Liquor Shop). You can also buy imported beers, though they are more costly.

There is also a variety of soft drinks. **Ramlösa**, **Porla** and **Vårby** are natural sparkling mineral waters. Fresh fruit juices are sold everywhere.

Dricks Most restaurants add a 10% or 12.5% service charge to the bill, and it is usual to round it up.

Hjortron (*cloudberries*) is a very special Swedish delicacy. They only grow in the north in bogs or mires, so they are difficult to get hold of. When they ripen in August it is rumoured that some Norwegians come in by helicopter just to pick them. The big brown bears are also very partial to them. **Hjortron** look like big, yellow raspberries and have a unique and delicious flavour.

Så här säger man (*What to say*)

- order food and drink

Kan jag få lite . . ., tack?	*Can I have some . . ., please?*
Jag tar . . ., tack.	*I'll take . . ., please.*
Var snäll och ge mig . . .	*Please give me . . .*

- state likes and dislikes concerning food and drink

Jag älskar . . .	*I love . . .*
Jag tycker mycket om . . .	*I like . . . very much.*
Jag tycker inte om . . .	*I don't like . . .*
Jag är inte så förtjust i . . .	*I don't care for . . .*
Jag tål inte . . .	*. . . disagrees with me.*

Jag får inte äta/dricka . . .	*I'm not allowed to eat/drink . . .*
Jag vill hellre ha . . .	*I would rather have . . .*
Jag föredrar . . .	*I prefer . . .*
Det smakar gott.	*It tastes good.*
Det smakar mycket gott.	*It tastes very good.*
Det smakar underbart.	*It tastes wonderful.*
Det smakar illa.	*It tastes bad.*
Det smakar hemskt/ förfärligt.	*It tastes terrible/awful.*

- complain

Varför tar det så lång tid?	*Why does it take so long?*
Det fattas . . .	*. . . is missing.*
Maten är kall.	*The food is cold.*
Vinet är surt/torrt.	*The wine is sour/dry.*
Notan stämmer inte.	*The bill is not correct.*

- **kött** *meat*
  kalv *veal*
  biff *beef*
  oxkött *beef*
  lamm *lamb*
  får *mutton*
  fläsk *pork*

- **charkvaror** *cooked meat*
  skinka *ham*
  pastej *pâté*
  korv *sausage*

- **fisk** *fish*
  lax *salmon*
  torsk *cod*
  rödspätta *plaice*

- **skaldjur** *shellfish*
  räkor *prawns*
  kräftor *crayfish*
  krabba *crab*
  hummer *lobster*

- **frukt** *fruit*
  apelsin *orange*
  citron *lemon*
  banan *banana*
  persika *peach*
  aprikos *apricot*
  äpple *apple*
  päron *pear*
  plommon *plum*
  melon *melon*

- **fågel** *poultry*
  anka *duck*
  gås *goose*
  kalkon *turkey*
  kyckling *chicken*

- **grönsaker** *vegetables*
  potatis *potatoes*
  ärter *peas*
  morötter *carrots*
  bönor *beans*

lök *onions*	lingon *cranberries*
purjolök *leeks*	nypon *rosehips*
vitkål *cabbage*	hjortron *cloudberries*
brysselkål *sprouts*	
blomkål *cauliflower*	• beredning *method*
sallad *lettuce*	kokt *boiled*
sparris *asparagus*	stekt *fried*
rädisor *radishes*	grillad *grilled*
	ugnsbakad *roasted*
• bär *berries*	rostat (bröd) *toasted*
jordgubbar *strawberries*	skär *cut*
körsbär *cherries*	skala *peel*
krusbär *gooseberries*	skiva *slice*
björnbär *blackberries*	tillsätt *add*
blåbär *blueberries*	smörj *grease*
hallon *raspberries*	

Grammatik (*Language points*)

1 Verbs: past tense of the first conjugation

There are four main groups of verbs, called the four conjugations. The first three conjugations contain the regular or weak verbs, and the strong or irregular verbs belong to the fourth conjugation. The difference between the regular and the irregular verbs is that the regular verbs form their past tense with endings, whereas the irregular verbs form their past tense by a change of stem vowel. The past tense (also called imperfect or preterite) is the verb form used to indicate that the action took place in the past, e.g. **spelade** (*played*), **var** (*was*).

The first conjugation is by far the largest. We have already had many examples of first conjugation verbs: **tala, bada, stanna, arbeta, börja, sluta, fråga, svara, titta, träffa**.

The first conjugation verbs form their past tense by adding **-ade** to the stem of the verb. Thus the past tense forms of the above verbs are:

talade	stannade	började	frågade	tittade
badade	arbetade	slutade	svarade	träffade

Notice that all verbs ending in -era and -na in the infinitive take -ade as their past tense ending, as do all recently introduced verbs, e.g. serverade, reserverade, parkerade (all verbs ending in -era have the main stress on the e in -era), vaknade, öppnade, regnade, joggade, fikade.

2 How to translate English abbreviated clauses

When English has an abbreviated clause consisting of an infinitive + a verb ending in -ing, as in *come jogging*, Swedish has two verbs in the same tense joined by och; for example:

Vill du komma och jogga?	*Do you want to come jogging?*
De står och äter varm korv.	*They stand eating hot dogs.*

3 Translating *good*

When talking about what food tastes like in a general sense, Swedes use the neuter form gott regardless of the gender of the noun that it refers to:

Glass är gott.	*Ice-cream is nice.*

but

Glassen är god.	*The ice-cream is nice.*

Note also that god is compared with endings instead of the usual comparative and superlative forms bättre and bäst when referring to how things taste; for example:

Fisk är gott.	*Fish is nice.*
Choklad är godare.	*Chocolate is nicer.*
Glass är godast.	*Ice-cream is nicest.*

The Swedish word god is less common than English *good* and is used mainly about the taste of food or if someone or something is morally sound/righteous. In other cases, including the quality of food, Swedish uses the word bra, which cannot take any endings at all. Thus en god bok would most likely be a book of sermons or similar. A book which is a *good read* is en bra bok in Swedish.

4 Possessive adjectives or pronouns

You have already met most of the possessive adjectives or pronouns. They are the forms of the personal pronouns that correspond to the genitive of the noun which the pronoun replaces. Thus they express that someone possesses something, hence the name. Example:

min bok	*my book*
mitt hus	*my house*
mina barn	*my children*

In Swedish, possessive adjectives (used before a noun) and possessive pronouns (used independently of any noun) are identical:

Det är **min** bil.	*It is my car.*
Bilen är **min**.	*The car is mine.*

The following table shows the basic forms of the possessive adjectives or pronouns:

min	*my, mine*	
din	*your, yours*	singular
hans	*his*	
hennes	*her, hers*	non-reflexive forms
dess	*its*	
sin	*his, her, its*	reflexive form*
vår	*our, ours*	
er	*your, yours*	plural
deras	*their, theirs*	non-reflexive form
sin	*their, theirs*	reflexive form*

*more about the reflexive forms in Unit 15.

The possessives ending in -s (**hans, hennes, dess, deras**) cannot take any endings, but the others take endings similar to the adjective endings in the indefinite form according to the table below:

Singular		Plural
en- words	**ett-** words	both **en-** and **ett-** words
min	mitt	mina
din	ditt	dina
sin	sitt	sina
vår	vårt	våra
er	ert	era

5 How possessive words affect following nouns and adjectives

Nouns that are preceded by possessive words, i.e. possessive adjectives or the genitive of another noun, must be in the indefinite form, i.e. no definite endings are added to the nouns. However, adjectives following a possessive word (nouns or adjectives) *must* take the definite ending -a; for example:

min lilla bil	*my little car*
ditt stora hus	*your large house*
hans unga fru	*his young wife*
pojkens fattiga mor	*the boy's poor mother*
våra fina blommor	*our fine flowers*
era billiga klockor	*your cheap watches*
deras nya våning	*their new flat*
pojkarnas dyra cyklar	*the boys' expensive cycles*

6 How to compare things

If you want to compare two things, and they are of the same quality, you should use **lika . . . som**. If they are identical, you use **samma . . . som**:

Omeletten är **lika** fin **som** vanligt.	*The omelette is as nice as usual.*
Det är **samma** pris **som** förra året.	*It is the same price as last year.*

If the compared things are **not** of the same quality, you use either **inte så . . . som** or **bättre/sämre/värre . . . än**, for example:

Han är **inte så** stor **som** sin bror.	*He isn't as tall as his brother.*
Hon är **bättre än** sin bror.	*She is better than her brother.*
Han är **värre än** sin syster.	*He is worse than his sister.*
Patienten är **sämre än** igår.	*The patient is worse than yesterday.*

7 Nouns and adjectives after *samma, nästa, följande, föregående*

Note that the words **samma, nästa, följande, föregående** *(the same, next, the following, the previous)* never change their form, and the following noun does not have an additional definite article, nor does the noun have any definite singular or definite plural endings. It can only take an indefinite plural ending. However, adjectives following these words **must** take the definite ending.

Hon hade **samma fina hatt** som igår.	*She wore the same fine hat as yesterday.*
De hade **samma gamla böcker** som vi hade.	*They had the same old books as we had.*
Nästa år	*Next year*
Följande morgon	*The following morning*
Föregående dag	*The previous day*

Övningar (*Exercises*)

1 Complete the dialogue below using the menu in Dialogue 2.

◀) CD 1, TR 47

Kyparen	Goddag. Har ni beställt bord?
You	(*Say you haven't. Ask if there is a table free.*)
Kyparen	Jadå. Vill ni sitta vid fönstret eller i hörnet?
You	(*Say you prefer the corner table. Ask for the menu.*)
Kyparen	Vad får det lov att vara?
You	(*Order liver pâté with toast, minute steak with parsley butter, strawberry gâteau and coffee.*)
Kyparen	Vill ni ha något att dricka?
You	(*Say you only want a glass of water.*)
Kyparen	Är det bra så?
You	(*Say you don't want fried potatoes. You want rice.*)
You	(*Call the waiter and ask for the bill.*)
Kyparen	Varsågod, här är växeln.
You	(*Tell him to keep the change.*)

Insight

The English verb *ask* is translated by two verbs in Swedish and they are not interchangeable. *Ask*, meaning *to ask a question*, is translated by **fråga,** for example **Han frågade om hon ville dansa** – *He asked if she wanted to dance.* However, when ask means *ask someone to do something*, it should be translated with **be,** for example **Hon bad honom gå** – *She asked him to leave.*

2 Change the verbs from present tense to past tense.

a John **talar** svenska med de svenska flickorna.
b Robert och Jane **stannar** bara en vecka i Sverige.
c Vinet **smakar** beskt (**besk** = *bitter*).
d Anders **diskuterar** politik med sina partivänner.
e Åke **spelar** gitarr på tisdagarna.
f Ulla **parkerar** bilen på parkeringsplatsen.
g Åke **joggar** tidigt på morgonen.
h Det **regnar** hela året i England.

3 Complete the following sentences with the correct Swedish word for *good* – and in the last sentence *good, better* and *best*.

a Svenskar tycker att hjortron smakar . . . .
b Det är en . . . . film.
c Maten är alltid . . . . . . på englandsfärjorna.
d Svensk TV har . . . . barnprogram.
e Det är . . . . väder för segling.
f Mother Theresa var en . . . . människa.
g . . . . , vi börjar i morgon.
h Öl är . . . . , vin är . . . . , konjak är . . . .

4 You have ordered a **Kundens specialpizza** (a pizza with cheese, tomatoes and four other toppings of the customer's choice). You get a pizza with clams and egg.

◀) **CD 1, TR 48**

Call the waitress and complain. Say you don't like clams or egg – you ordered ham, mushrooms, onions and peppers. Ask for a bottle of apple juice at the same time. Be as polite as you can be under the circumstances!

---

33. KUNDENS SPECIAL
(skinka, champ, räkor, bacon, lök, salami,
oliver, paprika, tonfisk, musslor, pepperoni,
köttfärssås, ananas, banan, ägg,
bearnaisesås)
Tomat, ost och 4 valfria pålägg!

---

champ (short for	mushrooms	mussl/a (-an, -or)	clam
champinjoner)		paprik/a (-an, -or)	(sweet)
valfria pålägg	toppings of		peppers
	the customer's	äpplemust	apple juice
	choice		

5 Complete these sentences using the correct forms of the possessive adjectives and the missing nouns.

   a Jag tycker om (*my daughter, my sons and my work*) . . .
   b Han tycker också om (*your car, your home and your children*) . . .
   c Vad tycker ni om (*his wife, his book and his boys*) . . .?
   d Du tycker väl om (*her child, her husband and her clothes*) . . .?
   e De tycker mycket om (*our town, our land and our houses*) . . .
   f Vi tycker mest om (*your food, your wine and your dinners*) . . .
   g Hon tycker inte om (*their dog, their house and their bicycles*) . . .

6 Combine the two sentences to form one sentence.

◀) **CD 1, TR 49**

Example: Det är min dotter. Hon är söt.
         Det är min söta dotter.

   a Det är din bok. Den är dyr.
   b Det är hans byxor. De är billiga.
   c Det är hennes klänning. Den är ny.
   d Det är vårt hus. Det är litet.
   e Det är era böcker. De är bra.
   f Det är deras kök. Det är stort.

7 The pyramid picture overleaf shows what the Swedish Public Health Authority recommends people to eat to be in good health. The top shows what people are advised to eat least of, the middle shows what they ought to eat more of and the broad base shows what people should eat most of.

   a With the help of the words in the table of food in What to say, earlier in this unit, tell us in Swedish what people are recommended to eat least of.
   b What ought people to eat more of?

c What should people eat most of?

d Some things mentioned in the previous units are conspicuous by their absence in the pyramid (for example most drinks), which means that they are not needed to maintain good health. What missing things can you spot?

e Which things are most expensive – the things at the bottom or the things at the top?

8 Here is a Swedish recipe. Unfortunately the instructions have got mixed up. Arrange them in the correct order again!

Janssons frestelse (Jansson's Temptation)

Ingredienser	Tillagning
5–6 potatisar	**a** Lägg på smöret i klickar.
2 gula lökar	**b** Sätt in i ugnen i 225° i 45 minuter.
10 ansjovisar	**c** Smörj en eldfast form.
2–3 dl grädde	**d** Tillsätt hälften av grädden.
50 g smör	**e** Tillsätt resten av grädden och sätt in i ugnen igen i ungefär 10 minuter.
	f Skala och skiva potatis och lök.
	g Lägg i ett lager potatis, sedan lök och ansjovis, sedan potatis igen.

gul	*yellow*	**tillsätt**	*add*
klick (-en, -ar)	*knob (of butter)*	**rest (-en, -er)**	*rest*
ugn (-en, -ar)	*oven*	**lager (lagret,**	*layer*
eldfast form	*ovenproof dish*	**lager)**	

9 Insert the words which best fit the sentences. Choose from **inte så – som, lika – som, mindre än, samma – som, större än**. No jokes, please!

a Flickor är . . . . duktiga . . . . pojkar.

b Han är . . . . sin fru.

c Det är . . . . resultat . . . . igår.

d Den här soppan är . . . . god . . . . vanligt.

e Amerika är . . . . Storbritannien.

Förstår du? (*Do you understand?*)

Om du blir hungrig i Sverige finns det många restauranger att välja mellan, från lyxrestauranger – med motsvarande priser – till de verkligt billiga, där man får stå ute och äta. Det finns inga 'fish and chips shops' i Sverige. **Korvkioskerna** är den närmaste motsvarigheten. Där kan man få kokt eller grillad korv med senap och ketchup i bröd eller med potatismos.

Gatuköken har mer att välja på, t.ex. grillspett, hamburgare, läskedrycker och glass.

Om du bara vill ha kaffe eller te är ett **konditori** eller **kafé** det bästa stället. De har läckra kakor och tårtor och oftast smörgåsar också.

Andra billiga ställen är **grillbarer** och **lunchrestaurangerna** i en del varuhus. Låt inte lura dig av ordet 'bar' – dessa har inte vin- och spriträttigheter, så du kan bara få lättöl och läskedrycker där. Ordet 'bar' står här för självservering.

En **kvarterskrog** är en liten restaurang med bra mat till rimliga priser, där du kan få öl och vin, men inte sprit.

Numera finns det också många etniska restauranger med t.ex. italiensk, kinesisk eller indisk mat. De har blivit mycket populära.

Men **värdshusen** och **gästgivargårdarna** ute på landet, i synnerhet i södra Sverige, är de mest genuina svenska restaurangerna med oftast mycket hög standard på maten.

välja	*choose*	**har inte vin-**	*are not fully*
lyxrestaurang	*luxury*	**och spriträt-**	*licensed*
(-en, -er)	*restaurant*	**tigheter**	
motsvarande	*corresponding*	**självservering**	*self service*
verkligt	*really*	**kvarterskrog**	*local*
korvkiosk (-en, -er)	*hot-dog stand*	**(-en, -ar)**	*restaurant*
den närmaste	*the nearest*	**sprit (-en)**	*spirits,*
motsvarigheten	*equivalent*		*alcohol*
senap (-en)	*mustard*	**numera**	*nowadays*
potatismos (-et)	*mashed*	**etnisk**	*ethnic*
	potatoes	**italiensk**	*Italian*
gatukök (-et, -0)	*'street kitchen'*	**kinesisk**	*Chinese*
grillspett (-et, -0)	*kebab*	**indisk**	*Indian*
läskedryck	*soft drink*	**populär**	*popular*
(-en, -er)		**värdshus**	*country inn*
konditori (-et, -er)	*café, pâtisserie*	**(-et, -0)**	
läcker (läckert,	*delicious*	**gästgivargård**	*old coaching*
läckra)		**(-en, -ar)**	*inn*
oftast	*in most cases*	**i synnerhet**	*in particular*
lur/a (-ar, -ade, -at)	*cheat, mislead*	**genuin**	*genuine*
		standard (-en)	*standard*

Rätt eller fel? (*True or false?*)

a Man kan köpa 'fish and chips' i korvkioskerna.

b Det finns inga etniska restauranger i Sverige.

c Värdshusen och gästgivargårdarna serverar svenska specialiteter.

Ten things to remember

1 Note this odd phrase. You are likely to hear and use it often: **Hur var namnet?** *Could you tell me your name, please?* (lit. *What name was it?*)

2 **Där borta.** – *Over there.* Note the inverted word order compared to English.

3 Note these very common expressions: **Passar det? Är det bra så?** *Is that O.K.?/Is that enough?*

4 **Jag är inte så förtjust i . . .** – *I don't care for . . .* This is a polite way of declining something that you have been offered.

5 **Jag kan inte dricka något starkt** (lit. *strong*) *I can't drink anything strong* (meaning alcohol). Because of Sweden's very strict drink-driving laws, drivers are recommended not to drink any alcohol at all.

6 **Det fattas** can be used with both singular and plural words: **Det fattas lärare/vatten/pengar.** – *Teachers/water/money are/is missing.*

7 Note this very common phrase: **Det är /inte/ mitt fel.** *It is /not/ my fault.*

8 A standard phrase in restaurants: **Vad får det lov att vara?** – *What would you like to have?*

9 Likewise: **Fröken, får jag be om notan/räkningen?** – *Miss, may I have the bill, please?*

10 And: **Är det med eller utan dricks?** – *Is that with or without the tip?* (**Dricks** lit. *money for drinks*)

9

Har du kört i högertrafik?
Have you ever driven on the right?

In this unit you will learn:

- How to ask for permission to do something
- How to grant or refuse permission
- How to enquire about ability
- How to offer advice

Samtal 1 (*Dialogue 1*)

◄» **CD 2, TR 01**

Åke and John have borrowed Ulla's car and have set out for Dalecarlia, where they are joining Kerstin for the Midsummer celebrations. The road is wide and straight, so John wants to have a go at driving.

John	Vägen är ju bred och det är mycket lite trafik nu. Kan jag inte få köra här?
Åke	Har du kört i högertrafik förut?
John	Nej, men det är väl inte så svårt?
Åke	Det kan vara besvärligt vid en rondell eller när man kommer till en vägkorsning. Det är särskilt farligt vid utfarten från bensinstationer t.ex. Om du vill köra så är det nog bäst att vi kör av motorvägen och in på en mindre väg, så du får vänja dig vid hur det känns att köra på högra sidan av vägen.
John	Det är jag tacksam för.
Åke	Har du körkortet med dig? Det måste man alltid ha med sig om man kör bil i Sverige.

| John | Ja, det hörde jag och jag läste också att man måste köra med halvljus på hela tiden, till och med mitt på dagen. |
| Åke | Ja, det har faktiskt minskat trafikolyckorna avsevärt. |

ju	you know, of course
bred (brett, breda)	wide, broad
trafik (-en)	traffic
har du kört i högertrafik?	have you driven on the right?
förut	before
väl	I suppose
besvärlig	difficult
rondell (-en, -er)	roundabout
vägkorsning (-en, -ar)	crossroads
särskilt	particularly
farlig	dangerous
utfart (-en, -er)	exit
det är bäst att vi kör av vägen	we had better drive off the road

vänja dig vid	get used to
hur det känns	what it feels like
tacksam	grateful
körkort (-et, -0)	driving licence
hörde	heard
läste	read
halvljus	dipped headlights
hela tiden	all the time
mitt på dagen	in the middle of the day
faktiskt	really, in fact
minskat	decreased
trafikolyck/a (-an, -or)	road traffic accident
avsevärt	considerably

Rätt eller fel? (*True or false?*)

a John har aldrig kört i högertrafik.
b John har inte körkortet med sig.
c Man måste inte köra med halvljus på dagen.

Samtal 2 (*Dialogue 2*)

◆) CD 2, TR 02

Some time later . . . .

| Åke | Du körde mycket bra. Du får köra på motorvägen nu. |
| John | Var är den? Vi skulle väl köra norrut, men jag tror vi körde åt öster. Jag har inte tittat på kartan, så nu har vi nog kört vilse. Det är väl bäst att vi kör tillbaka samma väg? |

Åke	Nej, stanna så frågar vi mannen där borta om vägen!
John	Ursäkta! Hur kommer man till motorvägen?
Mannen	Fortsätt genom byn till nästa vägskäl och ta till vänster där.
John	Tack för upplysningen.

norrut	*northwards*	**by (-n, -ar)**	*village*
åt öster	*to the east*	**vägskäl**	*crossroads* (out of
vi har kört	*we have lost our*	**(-et, -0)**	town)
vilse	*way*	**upplysning**	*information*
där borta	*over there* (any	**(-en, -ar)**	
	direction)		

Rätt eller fel? (*True or false?*)

a De skulle köra österut men de körde nog norrut.
b John tror att de har kört vilse.
c De måste ta till vänster vid nästa vägskäl.

Samtal 3 (*Dialogue 3*)

A short while later.

John	Vad är det som har hänt där framme?
Åke	Det ser ut som om en bil har kolliderat med en älg. Det ser illa ut. Vi måste hjälpa dem. Släpp av mig! Kan du ta fram din mobiltelefon och ringa efter en ambulans och begära hjälp av polisen? Numret till larmcentralen är 112.
John	Jag ska skynda mig.

där framme	*over there* (in	**ringa efter**	*ring for*
	front)	**ambulans**	*ambulance*
det ser ut som	*it looks as if*	**(-en, -er)**	
om		**begära**	*request*
har kolliderat	*has collided*	**polisen**	*the police*
med	with	**larmcentralen**	*the emergency*
det ser illa ut	*it looks bad*		services
hjälpa	*help*	**skynda sig**	*hurry*
släpp av mig	*let me out*		

Rätt eller fel? (*True or false?*)

a En älg har kolliderat med en bil.
b Åke och John kan inte hjälpa dem.
c Telefonnumret till larmcentralen är 112.

On the road

Djur, älg

Älgar

Unfortunately, car accidents caused by elks are not as unusual as you might imagine, even though they have decreased considerably during the last few years. This is partly due to a decrease in the elk population because of a virus, and also as a result of the erection of roadside fences in areas where elks are common. It is estimated that 170 cars are written off each year because of collisions with elks. The warning signs should be taken seriously, especially at dawn and dusk when the elks are on the move.

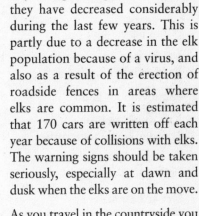

Sevärdhet

Sevärdhet

As you travel in the countryside you should look out for blue and white signs like the one shown here. It tells you that you are near a **sevärdhet** (*place of interest*) such as a rock carving, a runestone or a picture stone, a castle or a historical site.

Rastplats

Toalett

Badplats

Stugby

Vandrarhem

Vandringsled

Andra vägmärken

There are other blue and white signs which you may be unfamiliar with, for example **rastplats**, a lay-by with tables and seating where you can have your picnic. Usually there is a **toalett** (*toilet*) nearby. Other signs are: **stugby** (*log cabins for hire*), **vandrarhem** (*youth hostel*), **badplats** (*bathing facilities*), **vandringsled** (*walking route*).

Så här säger man (*What to say*)

- ask for permission

Kan jag/inte/få . . .?	*Can I/can't I . . .?*
Skulle jag kunna få . . .?	*Could I . . .?*

- grant permission

Du får . . .	*You may . . .*
Du kan . . .	*You can . . .*

- refuse permission

Du får inte . . .	*You must not . . .*
Du kan inte . . .	*You can't . . .*

- enquire about ability

Kan du (köra bil)?	*Can you (drive)?*
Har du (kört i högertrafik)?	*Have you (experience of driving on the right)?*

- offer advice

Det är bäst att vi . . .	*We had better . . .*
Du borde . . .	*You ought to . . .*
Du skulle . . .	*You should . . .*

Grammatik (*Language points*)

1 Verbs: past tense of the second conjugation

The present tense of second conjugation verbs ends in **-er** and the past tense has either **-de** (if the stem ends in a voiced consonant: b, d, g, j, l, m, n, r, v) or **-te** (if the stem ends in a voiceless consonant: f, k, p, s, t) added to the stem of the verb.

The voiced consonants are those where the vocal cords play a part in the formation of the sound. Put your fingers under your chin. Pronounce 'd' (voiced) and 't' (voiceless), and feel the difference.

You have already had a number of second conjugation verbs. Here follow their present and past tenses:

	Infinitive		Present tense		Past tense	
IIa	stäng**a**	*close*	stäng**er**	*close/s*	stäng**de**	*closed*
	ställ**a**	*put*	ställ**er**	*put/s*	ställ**de**	*put*
	sväng**a**	*turn*	sväng**er**	*turn/s*	sväng**de**	*turned*
	ring**a**	*ring*	ring**er**	*ring/s*	ring**de**	*rang*
	behöv**a**	*need*	behöv**er**	*need/s*	behöv**de**	*needed*
IIb	köp**a**	*buy*	köp**er**	*buy/s*	köp**te**	*bought*
	läs**a**	*read*	läs**er**	*read/s*	läs**te**	*read*
	åk**a**	*go*	åk**er**	*go/es*	åk**te**	*went*
	tyck**a**	*think*	tyck**er**	*think/s*	tyck**te**	*thought*
	hjälp**a**	*help*	hjälp**er**	*help/s*	hjälp**te**	*helped*

Note that verbs whose stem ends in an -r have no added present tense ending – the stem serves as the present tense – and verbs whose stem ends in -nd drop the 'd' before endings starting with 'd' or 't'. A verb containing a double 'm' or 'n' drops one 'm' or 'n' before an ending starting with 'd' or 't':

Infinitive		Present tense		Past tense	
kör**a**	*drive*	kör	*drive/s*	kör**de**	*drove*
hör**a**	*hear*	hör	*hear/s*	hör**de**	*heard*
lär**a**	*learn*	lär	*learn/s*	lär**de**	*learnt*
vänd**a**	*turn*	vänd**er**	*turn/s*	vän**de**	*turned*
händ**a**	*happen*	händ**er**	*happen/s*	hän**de**	*happened*
glömm**a**	*forget*	glömm**er**	*forget/s*	glöm**de**	*forgot*
känn**a**	*feel*	känn**er**	*feel/s*	kän**de**	*felt*

2 The past tense of the third conjugation

The past tense of the third conjugation verbs (those verbs where the infinitive ends in a vowel other than -a, and the present tense ending is only -r) ends in -dde, so you see that the past tense endings of the regular verbs are very similar. Here are the present and past tenses of some common third conjugation verbs:

bo	*live*	bor	*live/s*	bo**dde**	*lived*
tro	*believe*	tror	*believe/s*	tro**dde**	*believed*
klä	*dress*	klär	*dress/es*	klä**dde**	*dressed*

3 *Must* and *must not*

The Swedish verb **måste** and the English verb *must* correspond to each other if there is no negation in the same clause. The English *must not* is rendered by **får inte** in Swedish, and the Swedish **måste inte** means *need not, don't have to*.

The same difference exists of course in the past tense: **fick inte** means *wasn't allowed to*, whereas *didn't need to* should be translated as **måste inte**, since the same form – **måste** – is used for present tense (*must*), past tense (*had to*) and future tense (*shall/will have to*).

Jag **måste** gå nu.	*I **must** leave now.*
Man **får inte** röka här.	*One **must not** smoke here.*
Polisen sade, att han **måste** legitimera sig.	*The police said that he **had to** show proof of identity.*
Vi **måste** resa hem snart.	*We **shall have to** go home soon.*
Du **måste inte** vara där förrän klockan fem.	*You **don't have to** be there until five o'clock.*

4 Difficult adverbs

Väl, ju and **nog** are very common adverbs. **Väl** expresses what the speaker thinks, guesses or hopes. It is best translated by *I suppose* or a 'tag question', for example:

Du är **väl** inte sjuk?	*You aren't ill, **are you**?*
Han är **väl** duktig?	*I **suppose** he is clever?*

When stressed **väl** means *well*, e.g. **väl** betald (*well-paid*). It can also mean *rather* when stressed, e.g. det är **väl** dyrt (*it is rather expensive*).

So-called 'tag questions' are also translated by **eller hur**:

Hon är gift, **eller hur**?	*She is married, **isn't she**?*

Ju appeals to the listener, expecting him/her to agree with you. It means *you know, of course, to be sure*:

Det vet du **ju**.	*You know that, **of course**.*

Unstressed **nog** means *probably, I expect*, though the speaker is not quite sure:

Det blir **nog** regn i morgon. *It will **probably** rain tomorrow.*
Hon är **nog** hemma idag. *She is **probably** at home today.*

When stressed **nog** means *enough*: **det är nog** (*that is enough*).

5 Swedish equivalent of *un-*, *in-* and *dis-*

O- is a negation (corresponding to *un-*, *in-*, or *dis-*) when it is prefixed to an adjective, an adverb or a verb, for example:

vanlig	*usual*	ovanlig	*unusual*
lycklig	*happy*	olycklig	*unhappy*
lydig	*obedient*	olydig	*disobedient*
känd	*well-known*	okänd	*unknown*
giltig	*valid*	ogiltig	*invalid*
gift	*married*	ogift	*unmarried*
bekvämt	*comfortably*	obekvämt	*uncomfortably*
frivilligt	*voluntarily*	ofrivilligt	*involuntarily*
gilla	*like*	ogilla	*dislike*
vän	*friend*	ovän	*enemy*

However, the meaning changes altogether in certain words when **o-** is prefixed to them:

lycka	*happiness, luck*	olycka	*accident*
gräs	*grass*	ogräs	*weed*
väder	*weather*	oväder	*storm*
djur	*animal*	odjur	*monster*
rolig	*funny*	orolig	*worried*

6 *Väderstrecken (Points of the compass)*

Study the figure below and note the words for the points of the compass.

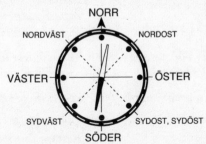

There are various methods of indicating directions.

a You can use the points of the compass as a noun:

i norr	*in the north*	mot/åt norr	*to the north* etc.
i söder	*in the south*		
i öster	*in the east*	från öster	*from the east* etc.
i väster	*in the west*		

Solen går upp i öster och	*The sun rises in the east and sets*
ner i väster.	*in the west.*

b You can make an adverb or adverbial phrase from the noun by adding suffix or prepositions:

norrut	*northwards* etc. but norr om	*north of* etc.
	västerifrån	*from the west* etc.

Kiruna ligger norrut,	*Kiruna lies northwards, north*
norr om polcirkeln.	*of the Arctic circle.*

Notice that with other adverbs the suffix meaning '*-wards*' is -**åt**, not -**ut**.

bakåt	*backward/s*	inåt	*inward/s*
framåt	*forward/s*	neråt	*downward/s*
utåt	*outward/s*	uppåt	*upward/s*

c You can use an adjective: **norra, södra, östra, västra**:

Skåne ligger i södra Sverige.	*Skåne lies in southern Sweden.*

d You can use the suffix -**lig**:

nordlig	*northerly, northern*
sydlig	*southerly, southern*
ostlig or **östlig**	*easterly, eastern*
västlig	*westerly, western*

Renarna lever i de nordliga	*The reindeer live in the*
delarna av Sverige.	*northern parts of Sweden.*

e You can use a prefix: **nord-, syd-, öst-, väst-**:

Sydafrika	*South Africa*
Östeuropa	*Eastern Europe*

Övningar (Exercises)

1 You have left the motorway for a picnic. Afterwards you have difficulty finding your way back. You ask a Swede for help.

◄)) **CD 2, TR 03**

You	(Say you have lost your way. Ask if he can help you.)
Mannen	Vart ska ni åka, norrut eller söderut?
You	(Say you are going northwards, to Stockholm.)
Mannen	Då är det bäst att ni vänder och kör tillbaka. När ni kommer ut ur skogen kommer ni till ett vägskäl. Där finns det skyltar. Ni ska svänga till höger där.
You	(Ask if it is far.)
Mannen	Nej då, det är bara någon kilometer.
You	(Ask if there is a petrol station nearby. Say you are short of petrol.)
Mannen	Ja, i byn, men då får ni köra rakt fram en halv kilometer. Det finns inga bensinstationer på motorvägen.
You	(Say you had better go to the petrol station first. Thank him for his help.)
Mannen	Ingen orsak. Lycklig resa!

skylt (-en, -ar)	*road sign*	**ha ont om**	*be short of*
i närheten	*nearby*	**bensin**	*petrol*

2 Fill in the missing verb forms. Use the verbs **byta, glömma, hjälpa, hända, köpa, stänga, tycka, åka.** All the verbs follow the patterns given in this unit. Use each verb only once.

Den tredje september 1967 . . . . . . svenskarna från vänstertrafik till högertrafik. Man ordnade en folkomröstning då regeringen frågade folket om de ville köra på högra eller vänstra sidan av vägen. Folket sade att de ville fortsätta att köra på vänstra sidan, men majoriteten för vänstertrafik var inte så stor. Då . . . . . . regeringen att det var bäst att gå över till högertrafik så snart som möjligt, för ju längre man väntade, desto dyrare skulle det bli. Före omläggningen . . . . . . det så många olyckor på vägarna när svenskar . . . . . . utomlands och när utlänningar kom till Sverige.

Folk . . . . vilken sida de skulle köra på, och då råkade de ut för frontalkrockar. Men man . . . . skolorna, för skolbarnen . . . . till med att dirigera trafiken under de första dagarna och staten . . . . . . nya bussar med dörren på höger sida. Tack vare skolbarnen och den omsorgsfulla organisationen blev omläggningen en stor framgång, även om elaka människor sade att det inte gjort någon skillnad – svenskarna fortsatte att köra mitt på vägen, som de alltid gjort!

ordn/a (-ar, -ade, -at)	arrange	stat (-en, -er)	state
folkomröstning (-en, -ar)	referendum	diriger/a (-ar, -ade, -at)	direct
regering (-en, -ar)	government	dörr (-en, -ar)	door
majoritet (-en, -er)	majority	tack vare	thanks to
gå över till	change (over) to	den omsorgsfulla organisationen	the careful organization
så snart som möjligt	as soon as possible	framgång (-en, -ar)	success
ju . . . desto	the . . . the	även om	even if
omläggning (-en)	change-over	elak	malicious
utomlands	abroad	gjort någon skillnad	made any difference
råka ut för	be involved in, meet with	gjort	done
frontalkrock (-en, -ar)	head-on collision		

Insight

Don't ever forget that **får inte** means *must not* in English, while **måste inte** means *you need not*.

3 Fill in the most appropriate word – får, fick, måste/inte - in the sentences below.

a Du (*may*) . . . . komma om du vill.
b Jag (*must*) . . . . åka hem i morgon.
c Hon (*was allowed to*) . . . . börja skolan i år.
d Du (*must not*) . . . . dricka sprit när du kör bil.
e John (*had to*) . . . . lära sig svenska innan han (*was allowed to*) . . . . arbeta i Sverige.
f Du (*don't have to*) . . . . klä om dig till middagen.

4 Complete the dialogue below by inserting **väl/ju/nog** in the appropriate places.

John	Det händer ...... inte så ofta att bilar kolliderar med älgar?
Åke	Jo, det gör det faktiskt. Det är ...... inte många utlänningar som vet hur ofta det händer. Älgar är ...... mycket stora djur, så det är allvarliga olyckor. Varje år är det ...... några människor som dör.
John	Man kan ...... sätta upp flera viltstängsel längs vägarna?
Åke	Det skulle ...... bli mycket dyrt, för stängslen måste vara så höga. Älgarna vandrar ...... också omkring, så det är svårt att veta var man skulle sätta upp stängslen.
John	Det är ...... bäst att vi saktar farten när vi ser varningsmärkena.
Åke	Absolut.

vet	*know*	**vandr/a (-ar, -ade, -at)**	*wander*
allvarlig	*serious*	**omkring**	*around*
dör	*die*	**saktar farten**	*slow down*
sätta upp	*put up*	**varningsmärke**	*warning*
vilt/stängsel	*game*	**(-t, -n)**	*sign*
(--stängslet, -0)	*fences*	**absolut**	*definitely*

QUICK VOCAB

5 Answer the questions in Swedish, as prompted.

◄» **CD 2, TR 04**

Example: Är vargar vanliga i Sverige? – Nej, de är ovanliga.
(Are wolves common in Sweden? – No, they are unusual.)

a Är han gift? Nej, . . .
b Var Eva alltid lydig? Nej, . . .
c Gillade drottning Victoria Mrs Pankhurst? Nej, . . .
d Är de nya skorna bekväma? Nej, . . .
e Är det vackert väder när det stormar? Nej, . . .
f Var dinosaurierna trevliga djur? Nej, . . .

6 Fill in the missing words.

a *The light comes from the east.*
Ljuset kommer från . . . .
b *The Arctic circle cuts through northern Norrland.*
Polcirkeln går genom . . . . Norrland.
c *The Norwegian Amundsen reached the South Pole in 1911.*
Norrmannen Amundsen nådde . . . . år 1911.

d *Oslo is situated northwest of Stockholm.*
Oslo ligger . . . . om Stockholm.

e *Stockholm is situated southeast of Oslo.*
Stockholm ligger . . . . om Oslo.

f *Columbus sailed westwards.*
Columbus seglade . . . .

g *The wall between East and West Berlin was demolished in 1989.*
Muren mellan . . . . och . . . . revs år 1989.

h *There are more Indians in South America than in North America.*
Det finns fler indianer i . . . . än i . . . .

i *The Swede Nordenskiöld discovered the North East Passage north of Europe and Asia to the Pacific.*
Svensken Nordenskiöld upptäckte . . . . -passagen . . . . . .
om Europa och Asien till Stilla havet.

j *The southeasterly winds over southern Sweden came from eastern Europe.*
De . . . . vindarna över . . . . Sverige kom från . . . .

7 Study these weather charts for early January and answer the questions according to the forecast.

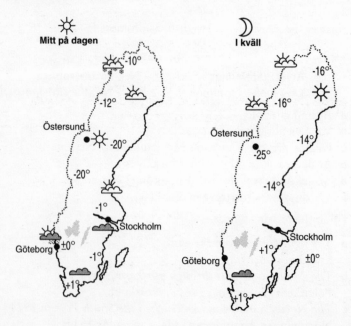

a Hur stor är skillnaden (*the difference*) i temperatur mellan de nordligaste och sydligaste delarna av Sverige mitt på dagen?

b Hur stor är den maximala skillnaden i temperatur på kvällen?

c Vilken stad har mest solsken den här januaridagen?

d Vad för slags (*What sort of*) väder är det i Stockholm?

e Beskriv vädret i Göteborg.

f Var snöar det på dagen?

omväxlande	*alternating*	**frost (-en)**	*frost*

8 Complete the dialogue and use an extra sheet of paper.

You . . .	(*Say: There is* (tr. stands) *a stone in the middle of the field. Why does it stand there?*)
Svensken . . .	Det är väl en runsten eller en bildsten. Vikingarna reste sådana stenar till minne av en släkting eller vän som inte kommit tillbaka från en vikingafärd.
You . . .	(*Say: A rune stone – what is that?*)
Svensken . . .	Det är en sten med runor, som är det äldsta alfabetet som användes i synnerhet i Skandinavien från 200-talet e. Kr. till slutet på medeltiden. En bildsten har förstås bara bilder, t.ex. av vikingar eller vikingaskepp.
You . . .	(*Say: What did they write on the rune stones?*)
Svensken . . .	En typisk text är t.ex. 'Tyra reste denna sten efter sin make som dog i Saracenernas land'.

sten (-en, -ar)	*stone*	**slut (-et, -0)**	*end*
run/a (-an, -or)	*rune*	**medeltiden**	*the Middle Ages*
åker (-n, åkrar)	*tilled field*		
varför	*why*	**viking (-en, -ar)**	*viking*
res/a (-er, -te, -t)	*here: erect*	**vikingaskepp (-et, -0)**	*viking ship*
släkting (-en, -ar)	*relative*	**mak/e (-en, -ar)**	*husband*
vikingafärd (-en, -er)	*viking journey*	**dö (-r, dog, dött)**	*die*

Förstår du? (*Do you understand?*)

Från midnattssol till midvintermörker (*From midnight sun to midwinter darkness*)

Sverige ligger högt uppe i norr. Sydspetsen ligger på samma bredd-grad som Alaska, Edinburgh och Moskva. Polcirkeln går genom Lappland, det nordligaste landskapet. Norr om polcirkeln är solen uppe hela dygnet under några veckor i juni och juli och det blir inte riktigt mörkt på flera månader. Därför kallas norra Sverige ofta för Midnattssolens land. Men under de mörkaste vintermånaderna visar solen sig inte alls ovanför polcirkeln, även om man har lite ljus mitt på dagen även där.

Svenskarna klagar ofta på sitt klimat, men det är faktiskt förvånansvärt bra. Tack vare Golfströmmen är klimatet mycket mildare än på andra platser som ligger lika långt norrut, fast naturligtvis varierar klimatet mycket mellan de norra och de södra delarna. På sommaren är dagarna långa med mycket solsken – enligt statistiken har en av Sveriges regnigaste städer, Göteborg, en timme mer solsken om året än Paris! – och det regnar mycket mindre än i Storbritannien. Nederbörden i Stockholm i form av regn eller snö är i medeltal 539 mm om året, men bara 442 mm i Karesuando i norr. Men vintern är kall – mycket kall i norr – och lång. Fast solen skiner ofta på vintern också. Om man rör sig så märker man inte kylan utomhus så mycket. Och naturligtvis har man centralvärme, så inomhus behöver man inte frysa.

midnattssol (-en)	*midnight sun*	**polcirkeln**	*the Arctic*
midvinter-/	*midwinter*		*circle*
mörker	*darkness*	**landskap (-et, -0)**	*province*
(--mörkret)		**dygn (-et, -0)**	*the 24-hour*
klimat (-et, -0)	*climate*		*day*
sydspetsen	*the*	**riktigt**	*really,*
	southernmost		*properly*
	point	**mörk**	*dark*
breddgrad (-en,	*latitude*	**visa sig**	*appear*
-er)		**inte alls**	*not at all*
Moskva	*Moscow*	**ovanför**	*above*

144

klagar på	complain about	om året	per year
faktiskt	actually	Storbritannien	Great Britain
förvånansvärt	surprisingly	nederbörd	precipitation,
Golfströmmen	the Gulf Stream	(-en)	rainfall
mild	mild	i form av	in the form
plats (-en, -er)	place		of
lika långt	as far	i medeltal	on average
fast[än]	though, although	rör sig	keeps moving
naturligtvis	of course,	märker	notices
	naturally	kyla (-n)	cold
varierar	varies	utomhus	outdoors
del (-en, -ar)	part	centralvärme	central
enligt statistiken	according to the	(-n)	heating
	statistics	frysa	be/feel cold
regnig	rainy	inomhus	indoors

Rätt eller fel? (*True or false?*)

a Södra Sverige ligger på samma breddgrad som Alaskas sydspets.
b Polcirkeln går mitt igenom centrala Sverige.
c Det är ofta solsken på vintern i Sverige.
d Klimatet varierar mycket mellan de södra och norra
delarna av Sverige.

Ten things to remember

1 **Hon är ju dum.** *She is of course stupid.* **Ju** appeals to the
listener, expecting him/her to agree with you.
2 *Väl* expresses a supposition or hope. It is best translated by
a tag question or *I suppose*: **Det är väl inte svårt?** *That isn't
difficult, is it?*
3 *Entrance* is **ingång,** but **infart** for vehicles. *Exit* is **utgång,** but
utfart for vehicles.
4 The Swedish impersonal phrase **Det är bäst att . . .** means *I/
you/he/she/it/we/you/they had better . . .* **Det är nog bäst att vi
går hem nu.** – *We had better go home now.*
5 Remember this useful phrase: **På högra/vänstra sidan om . . .**
On the right/left side of . . . .

6 Note these opposites: **öka** (*increase*) – **minska** (*decrease*).
Trafikolyckorna har ökat (*increased*)/**minskat** (*decreased*).

7 A **rast** is a *break* when talking about something like lessons or when driving, cycling, etc.

8 The suffix *-wards* as in *southwards* is translated with **-ut** when combined with the points of the compass, but with **-åt** when combined with other adverbs: **De svenska vikingarna for österut** but **Titta uppåt**.

9 Swedes prefer to say **sydost om** (*south-east of*) rather than sydöst om: **Jönköping ligger sydost om Göteborg**.

10 Pay particular attention to this odd Swedish phrase: **Jag har *ont om* bensin/tid/pengar**. *I'm short of petrol/time/money*.

10

Midsommar i Dalarna
Midsummer in Dalecarlia

In this unit you will learn:

- How to say where you/others come from and what languages you speak
- How to express ability and inability
- How to request others to do something and offer assistance
- How to tell others not to do something

Samtal 1 *(Dialogue 1)*

◄» **CD 2, TR 05**

Åke and John discuss where to stay the night.

Åke	Det var tur att vi tog med oss tältet och sovsäckarna. Kerstin har ringt runt och det finns inte ett enda rum att hyra någonstans. Alla hotell och stugbyar är fulla över midsommar och vandrarhemmet och campingplatsen är också fulla.
John	Om campingplatsen är full kan vi väl inte tälta?
Åke	Jodå. I Sverige får man lov att slå upp ett tält en natt var som helst utom nära någon annans hus. Men Kerstins föräldrar har sagt att vi gärna får tälta på deras tomt.
John	Det var bra.

det var tur	*it was lucky*	**slå upp ett tält**	*pitch a tent*
tog med oss	*brought*	**var som helst**	*anywhere*
tält (-et, -0)	*tent*	**natt (-en,**	*night*
sovsäck (-en, -ar)	*sleeping bag*	**nätter)**	
ring/a (-er, -de, -t)	*ring*	**utom**	*except*
enda	*single*	**någon annans**	*somebody*
rum (-met, -0)	*room*		*else's*
hyr/a (hyr, -de, -t)	*rent*	**har sagt**	*have said*
någonstans	*anywhere,*	**tält/a (-ar, -ade,**	*camp*
	somewhere	**-at)**	
full	*full*	**tomt (-en, -er)**	*private*
man får lov att	*one is*		*plot*
	allowed to	**det var bra**	*that's nice*

Rätt eller fel? (*True or false?*)

a Åke och John har inte tagit med sig något tält.
b Det finns inte ett enda rum att hyra över midsommar.
c Alla får tälta en natt var som helst i Sverige utom nära någon annans hus.
d Åke och John får tälta på Kerstins föräldrars tomt.

Samtal 2 (*Dialogue 2*)

◀) CD 2, TR 06

Kerstin introduces Åke and John to her relatives.

Kerstin	Åke och John, kom och hälsa på våra släktingar från Amerika, faster Lisa och farbror Sam. Och det här är mina kusiner, Karin och Martin. De talar också svenska.
Åke	Goddag.
Farbror Sam	Goddag, goddag.
Faster Lisa	Roligt att träffas.
Kusinerna	Hej, hej. [*They shake hands.*]
John	Hur har ni lärt er svenska?
Karin	Vi har alltid talat svenska hemma. Vår farfarsfar kom till Minnesota i slutet på 1800-talet. Där finns det många svenskamerikaner som fortfarande talar svenska och läser svenska tidningar. Mamma är född i Sverige. Hon kom till USA för att hälsa på släktingar och då förälskade pappa sig i henne. De förlovade sig

	samma år och nästa år gifte de sig. Jag har varit i Sverige flera gånger, men det här är första gången jag firar midsommar i Sverige.
Kerstin	Var snäll och hjälp oss att klä majstången! Karin, vill du vara snäll och plocka blommor på ängen! Ni pojkar får hämta björkkvistar, men ni får inte bryta kvistar från levande träd utanför vår tomt. Kransarna har vi redan bundit, men alla måste hjälpa till att resa majstången. Det har kommit mycket folk från många länder som vill vara med och dansa kring majstången i kväll.

hälsa på	greet, say 'hello' to	**förlov/a (-ar, -ade, -at) sig med**	get engaged to
faster (-n, fastrar) (lit. **fars syster**)	aunt (father's sister)	**gift/a (-er, -e, -0) sig med**	get married to
farbror (-n, farbröder) (lit. **fars bror**)	uncle (father's brother)	**flera gånger**	several times
		första gången	the first time
kusin (-en, -er)	cousin	**fir/a (-ar, -ade, -at)**	celebrate
lär/a (lär, -de, -t) sig	learn	**klä majstången**	decorate the maypole
kurs (-en, -er)	course, class	**äng (-en, -ar)**	meadow
hemma	at home	**hämt/a (-ar, -ade, -at)**	fetch, here: gather
farfarsfar	great-grandfather	**björkkvist (-en, -ar)**	birch branch
i slutet på	at the end of		
fortfarande	still	**bryt/a (-er, bröt, brutit)**	break off
läs/a (-er, -te, -t)	read	**levande**	living, growing
tidning (-en, -ar)	newspaper	**krans (-en, -ar)**	wreath
är född	was born	**har bundit**	have made
häls/a (-ar, -ade, -at) på	visit	**hjälpa till**	help with
		res/a (-er, -te, -t)	erect
förälsk/a (-ar, -ade, -at) sig i	fall in love with	**folk (-et, -0)**	people
		vara med	take part
		kring	around

Rätt eller fel? (*True or false?*)

a Kerstin ber Åke och John att hälsa på faster Lisa och farbror Sam.
b Faster Lisa är född i Minnesota.
c Åke och John får bryta kvistar till majstången var som helst.
d Både svenskar och utlänningar åker till Dalarna för att fira midsommar där.

Midsummer

Midsommar The Midsummer celebrations are about the return of summer. At this time it is only dark for a few hours in the south of Sweden, and above the Arctic circle the sun doesn't set at all – the Midnight sun shines both day and night. Most people try to leave the city and go out into the countryside, where they dance around a maypole, an old fertility symbol.

Midsummer Eve used to be celebrated on the 23rd of June, but it was decided that it should be celebrated on the Friday that comes nearest to June 24th in order to give people a long weekend.

Så här säger man (*What to say*)

- give factual information

Farbror Sam kommer från Amerika.	*Uncle Sam comes from America.*
Mamma är född i Sverige.	*Mum was born in Sweden.*

- express ability and inability

De talar svenska.	*They speak Swedish.*
Hon kan spanska också.	*She knows Spanish, too.*

| Åke kan spela gitarr. | *Åke can play the guitar.* |
| Han kan inte spela fotboll. | *He cannot play football.* |

- offer assistance

| Vi vill gärna hjälpa er. | *We'll be glad to help you.* |

- tell others not to do something

| Du får inte tälta nära någons hus. | *You mustn't camp close to anyone's house.* |
| Ni får inte bryta kvistar från levande träd. | *You mustn't break off branches from growing trees.* |

Grammatik (*Language points*)

1 Verbs: present perfect and pluperfect tense

In English the past participle has three functions:

- to form the present perfect and the pluperfect tense
- to form the passive voice
- as an adjective.

Swedish uses a special verb form, *the supine*, where English uses the past participle, after **har** to form the present perfect and after **hade** to form the pluperfect tense. The supine always ends in -**t** and it never changes. It is only used in this position.

The supine is formed by adding -**at** to the stem of first conjugation verbs, but only -**t** is added to the stem of both groups of second conjugation verbs. In the third conjugation -**tt** is added, and the strong verbs normally form the supine by adding -**it** to the stem (with vowel change, if applicable). The strong verbs are dealt with in more detail in Unit 11.

	Present perfect tense		**Pluperfect tense**	
Conj. I	har tal**at**	*has spoken*	hade tal**at**	*had spoken*
Conj. IIa	har ring**t**	*has rung*	hade ring**t**	*had rung*
	har glöm**t**	*has forgotten*	hade glöm**t**	*had forgotten*
	har kän**t**	*has known*	hade kän**t**	*had known*
Conj. IIb	har res**t**	*has travelled*	hade res**t**	*had travelled*

Conj. III	har bo**tt**	*has lived*	hade bo**tt**	*had lived*
Conj. IV	har var**it**	*has been*	hade var**it**	*had been*
	har tag**it**	*has taken*	hade tag**it**	*had taken*
	har komm**it**	*has come*	hade komm**it**	*had come*
	har bund**it**	*has bound*	hade bund**it**	*had bound*

Note that the clauses in a sentence should have the same time, either present or past time. If two things happen simultaneously or directly after each other, you should use the same tense in both clauses. The auxiliary verbs **har/hade** can be omitted in subordinate clauses if there is a supine. This is particularly common in written Swedish.

2 *Man, en, ens:* how to translate *one, you, they, people* or *we*

Man is a very common pronoun in Swedish. It can be used to mean *one, you, they, people* or *we*. It is used when you are not thinking of any particular person or when you are talking about something that concerns everybody, for example:

> **Man** får lov att plocka bär   *One is allowed to pick berries*
>   var som helst i Sverige.   *anywhere in Sweden.*

The object form is **en** (see Language point 9 in this unit for the reflexive form), and the possessive form is **ens**:

> **Man** vet inte alltid vad **ens**   *You don't always know what*
>   vänner tycker om **en**.   *your friends think of you.*

3 The ambiguous Swedish adjective *full*

Be careful when using the adjective **full**. Normally it means *full*, as in **hotellet var fullt** (*the hotel was fully booked*) or **det var fullt med folk i rummet** (*the room was full of people*), but if used about people it means drunk:

> Han var full igår.   *He was drunk yesterday.*

4 Common expressions

Note the common expressions:

> var som helst   *anywhere, wherever*
> vem som helst   *anybody, whoever*

när som helst	*at any time, whenever*
vad som helst	*anything, whatever*
hur som helst	*in any way, just anyhow*
någon som helst	*anybody, any whatsoever*
ingen som helst	*none whatsoever, nobody at all*
vilken som helst	*whichever, whoever, anyone*

5 Words for relatives and extended family

Släkt means *extended family* and **släkting/ar** means *relative/s*. From Swedish words for relatives you can tell precisely how people are related. The family tree below, which is drawn from the perspective of Åke, his brother Lasse and his married sister Anne, exemplifies the Swedish words for various relatives listed on the following page.

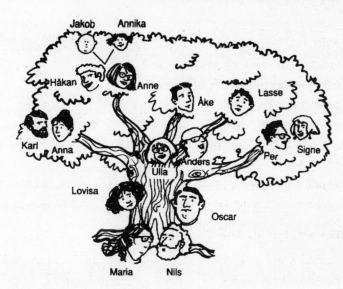

Additional vocabulary for relations

farmorsmor	*great-grandmother on father's side*
moster (lit. mors syster)	*aunt (mother's sister)*
morbror (lit. mors bror)	*uncle (mother's brother)*
sonson	*grandson (son's son)*
dotterdotter	*granddaughter (daughter's daughter)*
barnbarn	*grandchild*
systerson	*nephew (sister's son)*

brorson	*nephew* (brother's son)
systerdotter	*niece* (sister's daughter)
brorsdotter	*niece* (brother's daughter)
svärmor	*mother-in-law*
svärfar	*father-in-law*
svärdotter	*daughter-in-law*
svärson	*son-in-law*
svägerska	*sister-in-law*
svåger	*brother-in-law*
syssling/nästkusin	*second cousin*
sambo	*live-in partner*
styvmor	*stepmother*

6 The ambiguous phrase *hälsa på*

Pay special attention to which word is stressed in the expression **hälsa på**. If you stress **hälsa** the phrase means *to greet* or to say *hello*, but it means *to visit* if the preposition **på** is stressed.

7 Differences in the use of tenses

Unlike English, Swedish uses the present tense in the phrase **jag/han/hon är född** about people who are still alive. When talking about people who are no longer alive, past tense is used:

| Jag är född i Sverige. | *I was born in Sweden.* |
| Strindberg föddes år 1849. | *Strindberg was born in 1849.* |

On the other hand Swedish often uses past tense in some common phrases where English has present tense:

Det var bra.	*That's nice.*
Det var roligt att höra.	*I'm glad to hear it.*
Det var tråkigt att höra.	*I'm sorry to hear that.*
Det var synd.	*It's a pity.*
Det var snällt av dig.	*It's kind of you.*
Det var dyrt.	*That's expensive.*
Hur var namnet?	*What's your name, please?*

8 *Folk (People/persons – peoples)*

The word **folk** presents special difficulties. When used in the singular it means *people/persons*, but in the plural it means *peoples*. Since it has the same form in the singular and in the plural in Swedish you should look at the accompanying words to find out what it means in a particular sentence, for example:

Det kom mycket lite folk till konserten.	*Very few people came to the concert.*
Drottning Victoria regerade över många folk.	*Queen Victoria ruled over many peoples.*

9 Reflexive verbs and pronouns

Reflexive verbs consist of a verb and a reflexive pronoun. The reflexive pronoun denotes the same person as the subject:

Hon lär sig svenska.	*She is teaching herself Swedish.*

The reflexive pronouns are identical with the object forms of the personal pronouns, except for the third person which has a special form **sig**, used both in the singular and in the plural:

mig	*myself*
dig	*yourself*
sig	*himself/herself/itself/oneself*
oss	*ourselves*
er	*yourselves*
sig	*themselves*

Sig also corresponds to *him, her, it, them* when these words refer back to the subject without the verb being reflexive, e.g. when they are preceded by a preposition.

Han såg en bil bakom sig.	*He saw a car behind him.*

There are a number of verbs which are reflexive in Swedish but not in English. The most common of these are those to do with personal hygiene, e.g. **tvätta sig** (*wash*), **kamma sig** (*comb one's hair*), **raka sig** (*shave*), **klä sig** (*dress*), **klä av sig** (*undress*). Others are: **känna sig** (*feel*), **sätta sig** (*sit down*), **bestämma sig** (*make up one's mind*), **skynda sig** (*hurry*), **ta med sig** (*bring*), **bry sig om** (*care about*), **lära sig** (*learn/teach oneself*).

Note also the verbs **förälska sig** (*fall in love*), **förlova sig** (*get engaged*), **gifta sig** (*marry*), **skilja sig** (*divorce*).

Övningar (*Exercises*)

1 Link the correct responses to the questions below.

a John, har du rest till Sverige ensam?
b Åke, har du ringt hem?
c Hade du lärt dig svenska innan du träffade Åke, John?
d Har du kört hela vägen till Dalarna själv, Åke?
e Har ni träffat många ungdomar i kväll?
f Har ni hjälpt Kerstin att binda kransarna?
g Karin, har du hittat några blommor på ängen?
h Hade du firat midsommar förut, John?

i Ja, jag har talat om att vi har kommit hit.
ii Ja, jag har hittat en massa blommor.
iii Ja, vi har dansat med både svenskar och utlänningar.
iv Nej, mina föräldrar har också kommit till Sverige.
v Ja, men sedan har Åke pratat svenska med mig hela tiden.
vi Nej, Kerstin hade redan bundit kransarna när vi kom.
vii Nej, jag har inte hört att man firar midsommar i England nuförtiden (*nowadays*).
viii Nej, John och jag har turats om (*taken turns*) att köra.

2 Complete the sentences with the correct form of the word **full**.

◆) **CD 2, TR 07**

a Flaskan var . . . . i morse.
b Alla affärerna är . . . . med människor.
c Glaset är . . . .
d . . . . människor är tråkiga.
e Det är . . . . -måne i kväll.
f Det var . . . . hus på teatern.
g På midsommarafton är det tyvärr många som dricker sig . . . .

3 Fill in the missing words **när som helst, vad som helst, var som helst, vem som helst**.

Man får inte dricka sprit (*hard liquor*) . . . . i Sverige. Det är t.ex. inte tillåtet (*permitted*) att dricka sprit på allmänna platser (*public places*). . . . . kan inte heller (*nor, neither*) köpa sprit på systemet. Bara efter att man har fyllt 20 år (*reach the age of 20*) kan man köpa . . . . där, men inte . . . . Systemet är alltid stängt på söndagar och allmänna helgdagar (*public holidays*).

4 With the help of the family tree and the vocabulary of relations earlier in the unit, work out how the various people are related.

Example: Nils är släkt med Ulla. Nils är Ullas **morfar**.

a Ulla är släkt med Annika. Ulla är Annikas . . .

b Annika är släkt med Ulla. Annika är Ullas . . .

c Anna är släkt med Lasse. Anna är Lasses . . .

d Håkan är släkt med Anders. Håkan är Anders . . .

e Jakob är släkt med Anders. Jakob är Anders . . .

f Signe är släkt med Ulla. Signe är Ullas . . .

g Annika är släkt med Maria. Annika är Marias . . .

h Lasse är släkt med Annika. Lasse är Annikas . . .

i Karl är släkt med Ulla. Karl är Ullas . . .

j Ulla är släkt med Håkan. Ulla är Håkans . . .

5 Select the most suitable word from the following list to complete the sentences below: **alla/allt/hela/mycket/många.**

a I Afrika bor det . . . . olika folk.

b . . . . folk går på fotbollsmatcher i Sverige.

c . . . . folket hurrade (*cheered*) när Sverige vann.

d . . . . folk talar engelska som första språk.

e . . . . folket gick hem.

f Det var inte . . . . folk i kyrkan.

g . . . . folk vill ha fred (*peace*).

6 Insert an appropriate reflexive verb in the following sentences. Make sure that they are in the correct tense.

a Lennart har . . . . i Eva. (*fallen in love*)

b Eva och Lennart . . . . på midsommarafton. (*got engaged*)

c De ska . . . . nästa sommar. (*will get married*)

d Hur . . . . du . . . . idag, bättre eller sämre? (*feel*)

e Du måste . . . . för tåget går snart. (*hurry*)

f Det är bara män som behöver . . . . (*shave*)

7 Somebody would like to dance with you. Complete the following dialogue.

◀) **CD 2, TR 08**

X	Hej! Vill du dansa?
You	(*Say that you would be pleased to.*)
X	Var kommer du ifrån?
You	(*Tell him/her where you come from.*)
X	Har du alltid bott där?
You	(*Tell him/her whether you have or haven't.*)
X	Vad gör du här?
You	(*Say that you are a tourist.*)
X	Är du törstig? Ska vi gå till restaurangen och få något att dricka?
You	(*Say that you would love a cold beer.*)
X	Nu spelar de en vals. Ska vi dansa igen?
You	(*Say: Yes, please, I would love to.*)
X	Tack för dansen.
You	(*Say: Thank you, it was very nice.*)

Förstår du? (*Do you understand?*)

Allemansrätten (*Right of public access*)

Enligt allemansrätten är naturen tillgänglig för alla i Sverige. Det betyder att vem som helst får gå, cykla, jogga eller åka skidor i skog och över fält och ängar, t.o.m. på annans mark, men naturligtvis **inte** vid någons privata hus. Där har de som bor där rätt att få vara i fred. Man får plocka vilda bär (t.ex. hallon, björnbär, lingon, blåbär, hjortron) och svamp för eget bruk, och blommor också, men naturligtvis inte fridlysta blommor. Man får inte heller bryta kvistar från levande träd.

Man får **inte** jaga eller störa de vilda djuren, och det är absolut förbjudet att ta fågelägg.

Man får bara göra upp eld om det inte är minsta risk för att elden ska sprida sig, och man får aldrig elda på klipphällar eftersom de kan spricka.

Man måste städa efter sig och ta med sig skräpet hem om sopsäckarna är fulla.

Huvudregeln är: **Inte störa och inte förstöra!**

allemansrätten	*the right of public access*	**far/a (-an, -or)**	*danger*
enligt	*according to*	**eld/a (-ar, -ade, -at)**	*light a fire*
natur (-en, -er)	*nature*	**sprida sig**	*spread*
tillgänglig	*accessible, available*	**klipphäll (-en, -ar)**	*bare rock*
fält (-et, -0)	*field*	**spricka**	*crack and split*
naturligtvis	*of course*		
rätt (-en, -er)	*right*	**skad/a (-an, -or)**	*damage*
i fred	*in peace*	**skrämm/a (-er, -de, -t)**	*frighten*
för eget bruk	*for your own consumption*	**städ/a (-ar, -ade, -at)**	*tidy up*
fridlyst	*specially protected*	**skräp (-et)**	*rubbish*
jag/a (-ar, -ade, -at)	*hunt*	**sopsäck (-en, -ar)**	*dustbin*
stör/a (stör, -de, -t)	*disturb*	**huvud/regel (-n, --regler)**	*main rule*
göra upp eld	*light a camp fire*	**förstör/a (förstör, -de, -t)**	*destroy*
eld (-en, -ar)	*fire*		
minsta	*slightest*		

Rätt eller fel? (*True or false?*)

a Man får aldrig gå över någon annans mark.
b Man får bara plocka fridlysta blommor.
c Man får alltid göra upp eld.
d Alla måste städa efter sig.

Ten things to remember

1 Det finns is the Swedish for both *there is* and *there are*. Finns det något rum ledigt? Nej, det finns inga lediga rum alls på hotellet.
2 *I was born* is translated in the present tense in Swedish: **Jag är född i Sverige.**

3 On the other hand, *It is nice to see you* is **Det var trevligt att ses**, and *It has been a long time* is **Det var länge sedan.**

4 **Avbryta/bryta av** is a compound verb (see Language point 2 in Unit 16): **Jag blev avbruten** *(interrupted)* **när jag bröt av grenar** *(branches)* **på träden.**

5 **Hans första språk är engelska. Det är hans modersmål** *(mother tongue, native language).*

6 Note the ambiguity of **full** in English and Swedish: **Hon åt så att hon blev *mätt*** *(full).* **I går drack han så mycket att han blev *full*** *(drunk).*

7 **Jag hälsade på honom** means different things depending on which word is stressed. If the verb is stressed it means *I greeted him*, if the preposition is stressed it means *I visited him.*

8 *Mycket folk (many people)* **vill höra på Elton John.**

9 **Det bor *många folk* (many peoples) i Afrika.**

10 A more formal – and polite – way of inviting somebody to dance is **Fröken, får jag lov?** *(Miss, may I?).* **Damernas** is when ladies **bjuder upp till dans.**

11

Vart är ni på väg?
Where are you going?

In this unit you will learn:

- How to make suggestions
- How to accept an offer
- How to ask if someone speaks a language
- How to ask somebody to speak slowly
- How to deal with car breakdowns
- How to express displeasure

Samtal 1 *(Dialogue 1)*

◄ﻪ **CD 2, TR 09**

When Åke and John set off in their car to go home, they see Sirkka and Ilona waiting at the bus stop. They haven't seen them since the Midsummer Eve dance. They decide to offer them a lift.

Åke	Hej igen, Sirkka! Vart är ni på väg?
Sirkka	Vi ska till Skåne. Vi tänkte ta bussen till Falun och sedan tåget.
Åke	Vill ni följa med till Göteborg? Det är mer än halvvägs och därifrån går det många tåg till Skåne.
Sirkka	Ja, tack, mycket gärna! Det är jättesnällt av er.
John	Vad ska ni göra i Skåne?
Sirkka	Vi ska måla på Österlen. Vi känner några konstnärer där och landskapet är så annorlunda i Skåne.
John	Var kommer du ifrån, Ilona?
Ilona	Jag förstår inte. Var snäll och tala långsamt, för jag kan bara lite svenska.
John	Varifrån ... är ... du?

Ilona	Jag kommer från Ungern. Jag har bara varit här en månad.
Åke	Du talar flytande svenska, Sirkka, men du är finska. Hur har du lärt dig svenska?
Sirkka	Jag kommer från södra Finland. Där talar vi både finska och svenska.
John	Talar du ungerska också, Sirkka?
Sirkka	Nej, men jag förstår en del ord, för finska och ungerska är besläktade.
John	Ni kan alla flera språk. Vilka språk lär ni er i skolan här i Sverige?
Åke	Engelska, förstås, men många väljer att läsa ett språk till. Franska och spanska är vanligast, men man kan också läsa t.ex. tyska, italienska eller ryska. Barn till invandrare får också undervisning i sitt hemspråk.

QUICK VOCAB

vart är ni på väg?	where are you going?
vi ska till	we are going to
tänk/a (-er, -te, -t)	think, plan to
jättesnällt	very kind
mål/a (-ar, -ade, -at)	paint
känn/a (-er, kände, känt)	know
konstnär (-en, -er)	artist
landskap (-et, -0)	scenery
annorlunda	different
förstå (-r, förstod, förstått)	understand
långsamt	slowly
kunna (kan, kunde, kunnat)	know
flytande	fluent
finska (-n, -or)	Finnish woman
finska (-n)	Finnish language

både ... och	both ... and
ungerska (-n)	Hungarian language
en del	some
besläktade	related
språk (-et, -0)	language
förstås	of course
välj/a (-er, valde, valt)	choose
läs/a (-er, -te, -t)	read, study
franska (-n)	French language
spanska (-n)	Spanish language
vanligast	most common
tyska (-n)	German language
italienska (-n)	Italian language
ryska (-n)	Russian language
undervisning (-en)	tuition
hemspråk (-et, -0)	mother tongue

Rätt eller fel? (*True or false?*)

a Sirkka kommer från Skåne.

b I södra Finland talar många både finska och svenska.

c Ungerska och finska är besläktade.

d Alla svenska barn lär sig franska i skolan.

Samtal 2 (*Dialogue 2*)

◀) CD 2, TR 10

After a few hours' driving, Åke feels hungry.

Åke	Är ni inte hungriga? Jag tycker det är dags att fika.
Sirkka	Kan vi inte stanna vid något snabbköp och köpa nybakade bullar och pålägg och äta i det gröna? Det är en sådan vacker dag.
John	Det var en bra idé. Vi har kaffe på termosen, men vi kan väl köpa lite läsk också för det är så varmt. Vi kör av vägen så kan vi njuta av utsikten där uppe.

det är dags	*it is time*
fik/a (-ar, -ade, -at)	*have a coffee, snack, etc.*
snabbköp (-et, -0)	*self-service shop, supermarket*
nybakade	*freshly baked*
bull/e (-en, -ar)	*roll*
pålägg (-et, -0)	*things to put on the rolls*
i det gröna	*in the open air*
termos (-en, -ar)	*thermos*
läsk(edrycker)	*soft drinks*
njut/a (-er, njöt, njutit)	*enjoy*

QUICK VOCAB

Samtal 3 (*Dialogue 3*)

After the picnic they continue their journey.

John	Det var väldigt vad det skramlar!
Åke	Det är något fel ... kanske punktering. Det är bäst vi stannar och ser efter vad som har hänt.

QUICK VOCAB

det var väldigt vad det skramlar	*there is a tremendous rattle*	**fyll/a (-er, -de, -t) på**	*fill up with*
det är något fel	*something is wrong*	**kylar/e (-en, -0)**	*radiator*
punktering (-en, -ar)	*puncture*	**motor (-n, motorer)**	*motor*
tapp/a (-ar, -ade, -at)	*lose*	**motorn har gått varm**	*the engine is overheating*
avgasrör (-et, -0)	*exhaust pipe*	**mekaniker (-n, -0)**	*mechanic*
närmaste verkstad	*nearest garage*	**fix/a (-ar, -ade, -at)**	*fix*

After another stop they return but cannot find the car.

QUICK VOCAB

försvinn/a (-er, försvann, försvunnit)	*disappear*	**genast**	*at once*
lån/a (-ar, -ade, -at)	*borrow (euphemism for steal)*	**anmäl/a (-er, -de, -t)**	*report*
biltjuv (-en, -ar)	*car thief*	**stöld (-en, -er)**	*theft*
det värsta jag vet	*I can't stand it/ them*	**det ser ut som om**	*it looks as if*
		allesamman	*all of us*

Rätt eller fel? (*True or false?*)
a Att dricka kaffe kallas att 'fika'.
b Pojkarna kan själva fixa avgasröret.
c Billånare är inga tjuvar.

Driving

Bilverkstad A garage where repairs and services are carried out is called **en bilverkstad**. The word **garage** (pronounced **gar*a*sh**) is only used to refer to the garage where you keep a car. **Bilverkstäder** are found in all towns and large villages.

Vägar It has been said that happiness is driving on a Swedish road. There are more than 700 miles of toll-free motorways and around 50 000 miles of trunk roads. All main roads are very good with little traffic in comparison with other countries.

Så här säger man (*What to say*)

- make suggestions

Jag tycker det är dags att . . .	*I think it's time to . . .*
Vi kan väl . . .?	*We can . . ., can't we?*
Kan vi inte . . .?	*Can't we . . .?*
Har ni lust att . . .?	*Do you feel like . . .?*

- accept an offer

Ja, tack, gärna.	*Yes please, I would love it.*
Det var en bra idé!	*That is (lit. was) a good idea!*
Ja, det gör vi.	*Yes, we'll do that.*

- overcome language problems

Talar du engelska?	*Do you speak English?*
Var snäll och tala långsamt.	*Please speak slowly.*
Jag förstår inte.	*I don't understand.*
Kan du säga det en gång till.	*Please say it again.*
Tala inte så fort!	*Don't speak so fast!*

- deal with car emergencies

Det är något fel på bilen.	*There's something wrong with the car.*

Vi måste köra till närmaste verkstad.	*We must drive to the nearest garage.*
Vi måste anmäla det för polisen.	*We must report it to the police.*

- express displeasure

Jag tycker inte om ...	*I don't like ...*
Jag hatar ...	*I hate ...*
Det värsta jag vet är ...	*I can't stand ...!*

Grammatik (*Language points*)

1 Verbs: the fourth conjugation

As mentioned before, the main characteristic of the fourth conjugation (the irregular or strong verbs, as they are also called) is that they form the past tense by a change of stem vowel instead of by endings. Often the stem vowel is changed in the supine as well. The present tense ends in -er just like the second conjugation.

You have already met a large number of irregular verbs. There are not as many irregular verbs in Swedish as in English, and most of them conform to one of the patterns below.

Here are the main patterns. Notice that the present and the imperative tenses are formed from the infinitive, so the first vowel in the vowel change pattern is the stem vowel of the infinitive, present and imperative forms. The second vowel refers exclusively to the past tense. The third vowel is the stem vowel of both the supine and the past participle, as the only difference between them is that the normal supine ending is -it and the past participle ending is -en in the fourth conjugation.

i-a-u	fourth conjugation verbs with a short **i** as stem vowel (the **i** is followed by two consonants) follow this pattern:				
	Infinitive	**Present**	**Past**	**Supine**	**Past Part.**
find	finn**a**	finn**er**	f**a**nn	funn**it**	funn**en**
sit	sitt**a**	sitt**er**	s**a**tt	sutt**it**	sutt**en**

drink	dricka	dricker	drack	druckit	drucken
win	vinna	vinner	vann	vunnit	vunnen

i-e-i fourth conjugation verbs with a long **i** as stem vowel (the **i** is followed by only one consonant) follow this pattern:

write	skriva	skriver	skrev	skrivit	skriven
shine	skina	skiner	sken	skinit	–
rise	stiga	stiger	steg	stigit	stigen

u/y-ö-u

invite	bjuda	bjuder	bjöd	bjudit	bjuden
enjoy	njuta	njuter	njöt	njutit	njuten
fly	flyga	flyger	flög	flugit	flugen

a-o-a

travel	fara	far	for	farit	faren
take	ta(ga)	tar	tog	tagit	tagen

ä-a-u

carry	bära	bär	bar	burit	buren
starve	svälta	svälter	svalt	svultit	svulten

Unfortunately some of the irregular verbs are doubly irregular – some of their forms may be 'strong' but other forms comply with the regular verbs. Examples of common verbs which are doubly irregular are:

do, make	göra	gör	gjorde	gjort	gjord
go	gå	går	gick	gått	gången
see	se	ser	såg	sett	sedd
be	vara	är	var	varit	–
have	ha(va)	har	hade	haft	-havd
say	säga	säger	sa/de	sagt	sagd
know	veta	vet	visste	vetat	–
get	få	får	fick	fått	–
give	ge (giva)	ger	gav	gett	given
stand	stå	står	stod	stått	-stådd

From now on only the infinitive, present, past and supine forms of the irregular verbs will be given in the vocabularies (unless the verb is doubly irregular, in which case all the forms will be given), as the remaining forms can easily be constructed if you follow the rules given above. You will find a list of all the important irregular verbs and the auxiliary verbs towards the end of the book.

2 Nationality nouns and adjectives

	Country	Man	Woman	Language
America	Amerika	amerikan	amerikanska	engelska
Australia	Australien	australier	australiska	engelska
Denmark	Danmark	dansk	danska	danska
England	England	engelsman	engelska	engelska
France	Frankrike	fransman	fransyska	franska
Ireland	Irland	irländare	irländska	engelska/iriska
Iceland	Island	islänning	isländska	isländska
Italy	Italien	italienare	italienska	italienska
Norway	Norge	norrman	norska	norska
Portugal	Portugal	portugis	portugisiska	portugisiska
Russia	Ryssland	ryss	ryska	ryska
Scotland	Skottland	skotte	skotska	engelska
Spain	Spanien	spanjor	spanjorska	spanska
Germany	Tyskland	tysk	tyska	tyska
China	Kina	kines	kinesiska	kinesiska

The respective adjectives are: **amerikansk, australisk, dansk, engelsk, fransk, irländsk, isländsk, italiensk, norsk, portugisisk, rysk, skotsk, spansk, tysk, kinesisk.**

Note that only the name of the country is written with a capital. Nationality adjectives as well as the words for the people and the languages spoken in the respective countries are spelt with small letters. Usually the word for a woman is identical with the word for the language spoken in her country. Also remember that there is no separate -g- sound, just a single -ng- sound, in **England, engelsman, engelska** and **engelsk.**

3 Difficult pronunciation of loan-words

A number of (usually French) loan-words do not follow Swedish pronunciation rules, as they in part have kept their original pronunciation. Thus the stress is normally on the last syllable, and the -e is not pronounced after the g, so the -ge is pronounced like English voiceless *sh*. Examples of such words are: gar*a*ge, bag*a*ge (*luggage*), mass*a*ge, serge*a*nt.

In the following words the g is again pronounced like an English *sh* but the following e or i is pronounced: gen*i* (*genius*), reg*i* (*film or theatre direction*), energ*i* (*energy*), regissör (*film director*), generös (*generous*), generad (*embarrassed*), ingenjör, passagerare (*passenger*), traged*i* (*tragedy*).

Likewise, the j is pronounced in the same way as English *sh* in the words journal*i*st and just*e*ra (*adjust*), and so is sk in the very common word **människa** (*human being, person*).

4 Words ending in -er denoting men

Words ending in -er denoting men, either their job description or their nationality, have no plural ending as such, but they still take the normal -na ending in the definite form plural:

Det fanns många mek*a*niker i verkstaden.	*There were many mechanics in the garage.*
M*u*sikerna spelade en vals.	*The musicians played a waltz.*
Vi behöver fler t*e*kniker.	*We need more technicians.*
Indierna är mycket stolta.	*The Indians are very proud.*

5 *Veta/känna/kunna*: how to translate *know*

The English verb *know* corresponds to three different verbs in Swedish, and they are not interchangeable.

a veta when it is a question of knowing *facts*:

Vet du vad det är?	*Do you know what it is?*

b känna when it is a question of knowing *people*:

Känner du Julia Roberts?	*Do you know Julia Roberts?*

c kunna is used about *skills*, for example being able to play musical instruments, sports or knowing languages.

Kan du spela fiol?	*Do you know how to play the violin?*
De kan spela fotboll.	*They know how to play soccer.*
Kan du finska?	*Do you know Finnish?*

6 Läsa – plugga (Read/study – swot)

The Swedish verb **läsa** is used both in the meaning *to read* and *to study*. A very common slang word for *swot* is **plugga**:

Vilken tidning läser du?	*Which newspaper do you read?*
Vi läste ryska i skolan.	*We studied Russian at school.*
Alla pluggade inför ett prov/en skrivning/ett förhör.	*All were swotting for an examination.*

7 Bilens delar (Car parts)

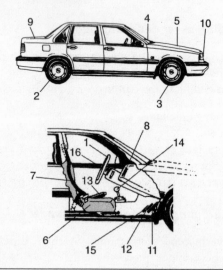

1 **ratt** (-en, -ar) *steering wheel*
2 **hjul** (-et, -0) *wheel*
3 **däck** (-et, -0) *tyre*
4 **vindrutetorkare** (-n, -0) *windscreen wiper*
5 **motor** (-n, motorer) *engine*
6 **framsäte** (-t, -n) *front seat*
7 **bilbälte** (-t, -n) *seat belt*
8 **hastighetsmätare** (-n, -0) *speedometer*
9 **bagageluck/a** (-an, -or) *boot*

10 lykt/a (-an, -or) *headlight*	14 växelspak (-en, -ar) *gear lever*
11 gaspedal (-en, -er) *accelerator, throttle*	15 koppling (-en, -ar) *clutch*
12 fotbroms (-en, -ar) *brake pedal*	16 signalhorn (-et, -0) (tuta) *horn*
13 handbroms (-en, -ar) *hand brake*	

helljus (-et, -0)	*full beam*	**lägga i ettan**	*get into first gear*
bensin (-en)	*petrol*		
bensinmack (-en, -ar)	*petrol station*	**lägga i backen**	*get into reverse gear*
blyfri	*unleaded*		
tank/a (-ar, -ade, -at)	*fill up with petrol*	**bärgningsbil (-en, -ar)**	*breakdown van*
broms/a (-ar, -ade, -at)	*brake*	**körfält (-et, -0)**	*lane*
tut/a (-ar, -ade, -at)	*hoot*	**försäkring (-en, -ar)**	*insurance*

QUICK VOCAB

8 *Rektor (Headmaster)*

Beware! A **rektor** in Sweden is a *headmaster* at a school, whereas an English *rector* is a **kyrkoherde** in Swedish.

Insight

There has always been a steady stream of loanwords from other languages into Swedish, with feeble attempts from purists to stem the flow. Before World War II they came mainly from Greek and Latin, Low and High German, and French. After the war German was rapidly replaced by English as the preferred second language for Swedes, with a deluge of anglicisms.

Övningar *(Exercises)*

1 Overleaf are some circular **förbudsmärken** (yellow and red restriction signs) and some triangular **varningsmärken** (warning signs) and also some **påbudsmärken** (blue and white command signs). Try to link the signs to the correct explanations.

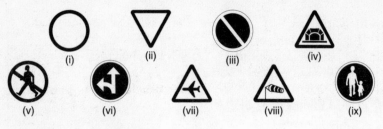

a Förbud mot gångtrafik.
b Lågt flygande flygplan.
c Påbjuden gångbana.
d Förbud mot fordonstrafik.
e Tunnel.
f Väjningsplikt.
g Farlig sidvind.
h Förbud att parkera fordon.
i Rakt fram eller vänstersväng.

fordon (-et, -0) *vehicle* **väjningsplikt** *give way*

2 Fill in the correct past tense form of the following verbs in the sentences below: **bjuda, bryta, fara, flyga, gå, njuta, skina, stiga, svälta, vinna.**

a Solen .... hela dagen.
b Hon .... upp tidigt eftersom färjan .... kl. sju.
c De .... oss på middag.
d Vi .... kvistar för att klä majstången.
e De .... till Finland förra året.
f Han .... till Nya Zeeland.
g Barnen i Afrika .... hela sommaren.
h De .... av utsikten.
i Brasilien .... fotbollsmatchen.

3 Complete the following sentences.

◄) CD 2, TR 11

Example: En man från USA är **amerikan.**

a En man som talar iriska hemma är nog . . .
b Snorre Sturlasson var från Island. Han var . . .

c Hamish MacIntosh från Skottland är förstås . . .

d Lenin var den . . . som ledde den . . . revolutionen.

e Thor Heyerdahl talade norska eftersom han var . . .

f En man från Portugal kallas . . .

g Eftersom Mao-Tse-Tung var . . . talade han . . .

h Är Brigitte Bardot fransman? Nej, hon är . . .

4 Fill in the correct verb **veta**, **känna** or **kunna** in the sentences below. Use the present tense.

a .... du när man firar midsommar i Sverige?

b .... du många svenskar?

c .... du räkna från 1 till 100 på svenska?

d En mekaniker .... allt om motorer.

e Ingen .... vad som hände.

f Sirkka .... flera språk.

g Jag .... att jag inte .... sjunga.

h Hon .... inte någon som kan hjälpa henne.

i Barnet .... inte tala ännu (*yet*).

5 Here is a list of descriptions of some parts of a car. Match each description with the correct Swedish word for the part.

a Fyra stycken sådana sitter under bilen.

b Man sitter på det när man kör.

c Man lägger sina väskor där.

d Man styr bilen med den.

e Den får bilen att gå.

f Man kan stoppa bilen med den.

g Den tar bort regn och snö från vindrutan.

h Den visar hur fort man kör.

i Man spänner fast sig med det.

j De måste lysa både dag och natt när man kör i Sverige.

k En vätska som driver bilen.

lägg/a (-er, la(de), lagt)	*lay*	**vis/a (-ar, -ade, -at)**	*show*
		fort	*fast*
väsk/a (-an, -or)	*bag, suitcase*	**spänna fast**	*fasten*
styr/a (styr, -de, -t)	*steer*	**lys/a (-er, -te, -t)**	*shine, be on*
		vätsk/a (-an, -or)	*liquid*

QUICK VOCAB

6 Describe in Swedish as fully as possible where the following cities are, using the points of the compass. Then compare your answers with the recording.

◀) **CD 2, TR 12**

a New York.
b Paris. (*use* Par*i*s)
c Rome (*use* Rom).

d Reykjavik.
e Moscow (*use* Moskv*a*).
f London.

7 Complete your parts of the following dialogue.

◀) **CD 2, TR 13**

> **You**   (*Say: Vattenlinjen, what is that?*)
> **Vännen**   Det är en miljövänlig busslinje i Stockholm. De bussarna släpper bara ut vatten i form av ånga.
> **You**   (*Say: Don't they need petrol?*)
> **Vännen**   Nej, de tankar med väte. Sedan tar de in syre från luften. En bränslecell omvandlar det till energi, som driver bussen. En till fördel är att bussen går väldigt tyst.
> **You**   (*Say that sounds really good. You wish all buses would use that technique, the sooner the better.*)

QUICK VOCAB

vän (-nen, -ner)	*friend*	**luft (-en)**	*air*
miljövänlig (-t, -a)	*environmentally friendly*	**bränslecell (-en, -er)**	*fuel cell*
släpp/a (-er, -te, -t) ut	*discharge*	**omvandl/a (-ar, -ade, -at)**	*convert*
ång/a (-an, -or)	*steam*	**fördel (-en, -ar)**	*advantage*
tank/a (-ar, -ade, -at)	*fill up*	**ju förr desto bättre**	*the sooner the better*
väte (-t)	*hydrogen*		
syre (-t)	*oxygen*		

Förstår du? (*Do you understand?*)

Svenska skolor (*Swedish schools*)

Obligatorisk skolutbildning för alla barn infördes mycket tidigt i Sverige, redan år 1842. Alla skolor är **samskolor**, dvs både pojkar och flickor går i samma skola och de får samma utbildning. Nu måste alla gå i skolan i nio år (skolplikt). Barnen kan få börja skolan redan när de är sex år gamla, men många väntar tills de är sju år.

Under de första fem åren är alla ämnen obligatoriska och man tar ingen examen. I de högre klasserna är vissa ämnen obligatoriska, men man kan också välja andra ämnen – ekonomi, konst, språk, teknik etc – efter sina intressen. Man får bara betyg under de sista åren. I en del skolor börjar man läsa engelska redan första året, men oftast börjar man med engelska under tredje eller fjärde året.

Omkring 92% av eleverna fortsätter att studera i **gymnasieskolan** (*corresponds roughly to the British sixth form*). Den har många olika studieprogram. Efter gymnasieskolan kan man fortsätta vid **universitet** eller **högskola** om man kommer in – konkurrensen är hård.

De som slutar skolan efter de obligatoriska nio åren kan börja studera igen på **komvux**, en skola för vuxna, eller på **folkhögskola**, ett slags internatskola. Folkhögskolorna är typiska för Skandinavien och mycket populära, men man kan inte komma in där förrän man är arton år.

I Sverige får alla flera chanser att studera, om och när de vill.

obligatorisk	*compulsory*	**välj/a (-er,**	*choose*
utbildning	*education*	**valde, valt)**	
(-en, -ar)		**ekonomi (-n, -er)**	*economy*
inför/as (införs,	*be introduced*	**konst (-en, -er)**	*art*
infördes,		**teknik (-en, -er)**	*technology*
införts)		**intresse (-t, -n)**	*interest*
tidigt	*early*	**betyg (-et, -0)**	*grade*
redan	*already*	**tredje**	*third*
dvs (det vill	*that is to say*	**fjärde**	*fourth*
säga)		**elev (-en, -er)**	*pupil*
skolplikt (-en)	*compulsory*	**konkurrens**	*competition*
	schooling	**(-en)**	
vänt/a (-ar, -ade,	*wait*	**vuxen (vuxna)**	*adult*
-at)		**ett slags**	*a kind of*
ämne (-t, -n)	*subject*	**internatskola**	*boarding*
examen (pl.	*exam*		*school*
examina)		**typisk**	*typical*
vissa	*certain*	**inte ... förrän**	*not until*

Rätt eller fel? (*True or false?*)

a Man behöver inte börja skolan i Sverige förrän man är 7 år.
b Inga ämnen är obligatoriska i skolan.
c Det är obligatoriskt att läsa engelska i svenska skolor.
d Folkhögskolorna är ett slags universitet.

Ten things to remember

1 *Halfway* is translated as **halva vägen** or **halvvägs: Det är långt från Ystad** (in the south) **till Haparanda** (in the far north), **Stockholm är inte ens halvvägs.**

2 Another way of saying **Jag förstår dig inte** is **Jag *har svårt att* förstå dig.**

3 The spread you put on (**lägga på**) a sandwich is **pålägg: De vanligaste påläggen på en smörgås är ost, korv** (*salami*) **och marmelad.**

4 Note the difference in tense and grade of comparison between *had better* and **det är bäst:** *You had better hurry up* is translated as **Det är bäst att du skyndar dig.**

5 *Radiator* is **kylare**, *to cool down* is **att kyla ner: En Volkswagen behöver inget vatten, *kylaren* är luftkyld.**

6 An inhabitant of Finland can be either **en finne** (Finnish speaker) or **en finlandssvensk** (Swedish speaker). **En finländare** is the neutral term.

7 *To know* is either **veta** or **känna** in Swedish, with different meanings: **Jag *vet* vem Julia Roberts är men jag *känner* henne inte.**

8 Note the different prepositions for *proud of* and **stolt över: Indierna är mycket stolta över sitt land.**

9 **Hon *njöt* av det varma sol*skenet*.** Swedish uses the preposition **av** after the verb **njuta** whereas *enjoy* has no preposition.

10 **Livslångt *lärande* är ett svenskt ideal.** The Swedish ideal is that one should never stop learning as long as one is alive.

12

På fjällvandring i Lappland
Walking in Lapland

In this unit you will learn:

- How to ask for information
- How to express preferences
- How to ascertain and state requirements when booking railway tickets
- How to name the months of the year

Samtal 1 *(Dialogue 1)*

◀) **CD 2, TR 14**

Åke and John discuss their journey to Lapland.

John	Vad ska vi göra nu i juli?
Åke	Vi ska åka upp till Lappland och se midnattssolen och samer och renar också förstås, och sedan ska vi vandra i fjällen. Naturen där med de stora vidderna, skogarna, älvarna och de höga fjällen är unik.
John	Hur ska vi komma dit? Ska vi köra?
Åke	Vi kan naturligtvis köra, men det tar tre dagar om vi ska hinna se något på vägen, och då är vi trötta när vi kommer fram. Bilen kommer också att vara på fel ställe efter fjällvandringen och det är besvärligt.
John	Kan vi inte flyga då?
Åke	Det är snabbt och bekvämt förstås, och vi kan få ungdomsrabatt eller studeranderabatt, och då är det inte så dyrt, men man ser inte så mycket. Jag föredrar nog tåget, men vi kan ju flyga hem.

John	Tar inte tåget väldigt lång tid?
Åke	Jo, ungefär 24 timmar från Göteborg till Abisko över Stockholm, men det är mycket bekvämt och man ser mycket mera än när man flyger. På fjärrtåget från Stockholm finns det också en speciell vagn med bar. Där kan vi se minst tre stycken filmer på kvällen om vi har lust. På dagen tittar man förstås hellre på naturen utanför tågfönstret.
John	Blir det inte dyrt?
Åke	Inte om vi köper våra biljetter i god tid och visar våra studerandekort. Då får vi cirka 30% rabatt.
John	Du har säkert rätt. Vi tar tåget dit, men jag vill hellre flyga hem.

juli	July
same (-n, -r)	Sami, Lapp
förstås	of course
natur (-en, -er)	nature, scenery
vidd (-en, -er)	vast expanse, wide open space
unik (-t, -a)	unique
det tar	it takes
hinn/a (-er, hann, hunnit)	have time to
trött (trött, trötta)	tired
komma fram	arrive
besvärlig (-t, -a)	difficult, awkward
flyg/a (-er, flög, flugit)	fly
snabb (-t, -a)	fast

bekväm (-t, -a)	comfortable
ungdomsrabatt (-en, -er)	youth discount
studeranderabatt (-en, -er)	student discount
före/dra (-drar, -drog, -dragit)	prefer
fjärrtåg (-et, -0)	long-distance train
speciell (-t, -a)	special
vagn (-en, -ar)	coach
minst	at least
om vi har lust	if we feel like it
fönster (fönstret, fönster)	window
biljett (-en, -er)	ticket
studerandekort (-et, -0)	student card

Rätt eller fel? (*True or false?*)

a Man kan se midnattssolen i hela Sverige.

b Det tar ungefär tre dagar att köra från Göteborg till Abisko om man vill se något på vägen.

c Det finns vagnar med bar på alla svenska tåg.

d Rabattpris är extra dyrt.

Samtal 2 (*Dialogue 2*)

◄))) CD 2, TR 15

Åke and John are at the booking office at the railway station.

Åke	Två biljetter Göteborg – Abisko turiststation över Stockholm med avresa på lördag om en vecka, tack. Kan vi få ungdomsrabatt? Här är våra leg.
Biljettförsäljaren	Det går bra. Enkel eller tur och retur, rökare eller icke-rökare, sovvagn, liggvagn eller sittvagn?
Åke	Enkla biljetter, icke-rökare, liggvagn, tack.
Biljettförsäljaren	Varsågod, här är biljetterna. Avgång kl. 13.10 och ankomst kl. 12.34. Tiderna och vagn och platsnumret står på platsbiljetten. Tåget går från plattform 1, spår 2. Trevlig resa!
Åke	Tack så mycket.

avres/a (-an, -or)	*departure*
om en vecka	*in a week's time*
det går bra	*that's O.K.*
enkel (-t, enkla)	*single*
tur och retur (abbrev. T o R)	*return ticket*
rökare	*smoker*
sovvagn (-en, -ar)	*sleeper*
liggvagn (-en, -ar)	*couchette*
sittvagn (-en, -ar)	*coach with ordinary seats*
avgång	*departure time*
ankomst (-en, -er)	*arrival*
vagn (-en, -ar)	*coach*
plats/nummer (-numret, -nummer)	*seat number*
plattform (-en, -ar)	*platform*
spår (-et, -0)	*track, line*
trevlig resa!	*have a nice journey!*

Rätt eller fel? (*True or false?*)

a Pojkarna kan inte få någon rabatt.

b Sovvagn och liggvagn är samma sak.

c Avgångstid och ankomsttid står på platsbiljetten.

Getting around

Flyg Transport in Sweden is very good. Because of the great distances, flying is popular. If you don't need to travel during the rush hours (before 09.15 or between 14.30 and 19.15 weekdays) you can get a ticket at budget price, but the ticket must be booked in advance of travel. There are also standby tickets.

Tåg Most trains are run by **SJ – Statens Järnvägar AB** (the State Railways Ltd), but some are run by other companies like **Connex**. They are modern and extremely comfortable. Some trains have special compartments for families (marked **Fam**) and access to showers in sleepers. Tickets are valid for one month. Second class travel is the norm. There is a high-speed train – X2000 – between Stockholm and Gothenburg and on some other lines. These have a fax, wireless internet connection, photocopier, shop, bistro, radio and music programmes, and so on. You can get a discount on the ticket price by booking early (seven days in advance). On certain trains there are a limited number of discounted **sista-minuten biljetter** (last-minute tickets), for pensioners and young people under 26 years of age, which have to be bought within 24 hours of departure.

Bussar There are plenty of short-distance local buses, and quite a few long-distance coaches. In the north, postal buses carry passengers as well as the post.

Lappland Lapland, especially the part that lies north of the Arctic circle, is the least spoilt wilderness in Europe. Here lovers of nature and adventure can find all they want – fishing, river rafting, mountain hiking in summer; skiing and dog sledge tours in winter.

Kungsleden The most popular hiking route is **Kungsleden** (the Royal Trail) which takes you through 220 km (135 miles) of the mountain world from Abisko to Kvikkjokk, but there are many other trails as well. The trails in Jämtland or south of Stockholm and in Skåne are becoming increasingly popular.

Så här säger man   (*What to say*)

- ask for information

| Vad ska vi göra? | *What shall we do?* |
| Hur ska vi komma dit? | *How shall we get there?* |

Ska vi (inte) köra?	*Shall we (not) drive?*
Kan vi (inte) flyga?	*Can we (not) fly?*
Tar inte tåget lång tid?	*Doesn't the train take a long time?*
Blir det (inte) dyrt?	*Will it (not) be expensive?*
Kan man få någon rabatt?	*Can one get a discount?*

- express a preference

Vi kan naturligtvis . . . men det är svårt/dyrt	*We can of course . . . but it is difficult/expensive*
Det är snabbt och bekvämt förstås, men . . .	*It is fast and comfortable, of course, but . . .*
Jag föredrar nog tåget.	*I'd probably prefer the train.*
Jag vill hellre flyga.	*I prefer flying.*

- book railway tickets

En enkel biljett Göteborg – Stockholm med X2000, tack.	*A single ticket Gothenburg – Stockholm on the X2000, please.*
En tur och retur Stockholm – Malmö rabattpris, tack.	*A return ticket Stockholm – Malmö at the discounted price, please.*
När går tåget?	*When does the train leave?*
När är vi framme?	*When do we arrive?*
Från vilken plattform går tåget?	*From which platform does the train leave?*

Grammatik (*Language points*)

1 Verbs: the future tense

The future tense naturally indicates that something is going to happen in the future. There are three ways of expressing the future in Swedish:

a **ska** + an infinitive without '**att**' is probably the least common way. It is used when the subject has decided to do – or not to do – something:

Jag ska lära mig svenska.	*I shall teach myself Swedish.*
Jag ska inte ge upp.	*I shall not give up.*

As an alternative it is also possible to use **tänka** + an infinitive without 'att' with the meaning of *planning* or *intending to do something*:

De tänker lära sig svenska.   *They intend to teach*
                               themselves Swedish.

b **kommer att** + an infinitive expresses an assumption about what is going to happen in the future:

Om du inte slutar röka   *If you don't stop smoking*
    kommer du att få cancer.   *you'll get cancer.*

This is a very common way of expressing the future tense, in particular when **det** is the subject of the clause:

Det kommer att regna   *It will rain tomorrow.*
    i morgon.

c the present tense is probably the most common way if there is a time expression indicating future or if it is obvious from the context that the action is taking place in the future:

De åker till Lappland i juli.   *They will go to Lapland in July.*
Blir det inte dyrt?   *Won't it be expensive?*

2 The names of the months

◀) CD 2, TR 16

The names of the months are as follows:

januari	juli
februari	augusti
mars	september
april	oktober
maj	november
juni	december

Note that Swedish does not use capital letters for the names of the months.

3 *Då/sedan (Then)*

The English adverb *then* is ambiguous. Sometimes it means *at that particular time* or *in that case*, and then it corresponds to **då** in

Swedish, but at other times it means *afterwards*, and then it must be translated by **sedan** in Swedish.

Vi ska åka till Lappland efter midsommar. **Då** ska vi se midnattssolen.	We *shall be going to Lapland after Midsummer.* **Then** *we'll see the midnight sun.*
Har du engelskt körkort? **Då** får du köra i Sverige också.	*Have you got an English driving licence?* **Then** *you are allowed to drive in Sweden as well.*
Vi ska åka till Finland. **Sedan** ska vi åka till Skåne.	*We are going to Finland.* **Then** *we'll be going to Skåne.*

The Swedish words **då** and **sedan** are also ambiguous. **Då** can also be a conjunction, meaning either *when* or *as*, though this is normally found in more formal language, for example in business letters. **Sedan** can be a conjunction or a preposition meaning *after, since*, as well as an adverb, for example:

Vi kommer att möta er **då** planet anländer.	*We are going to meet you* **when** *the plane arrives.*
Då vi inte hört från Er antar vi att Ni inte är intresserade.	*As we haven't heard from you we assume that you are not interested.*
Sedan han slutade skolan har han inte haft något arbete.	*Since he finished school he has not had any work.*
Han har inte haft något arbete **sedan** jul.	*He hasn't had a job* **since** *Christmas.*

4 Mountains, rivers

Fjäll is a word that is only used about high mountains in Scandinavia. Mountains in the rest of the world are called **berg**:

Fjällen i Lappland är mycket gamla.	*The mountains in Lapland are very old.*
Det högsta **berget** i världen är Mount Everest.	*The highest mountain in the world is Mount Everest.*

Similarly, **älv** is only used about large, fast-flowing rivers in Scandinavia. Smaller, slow-flowing rivers are called **å**. The general word for large rivers, and for rivers in other parts of the world, is **flod**:

Vindelälven är kanske den vackraste **älven** i Sverige.	*Vindelälven is perhaps the most beautiful river in Sweden.*
Flera små **åar** i Sverige kallas Svartån.	*Several small rivers in Sweden are called Svartån.*
Den mest kända **floden** i England är Temsen.	*The best-known river in England is the Thames.*

5 Ankomma/anlända (arrive), avgå (depart)

Ankomma and **avgå** are only used about means of transport in timetables and on noticeboards in stations etc. and there you normally see them in the forms **ankommande** and **avgående**. **Anlända** can be used about people as well as planes, trains, buses, boats, letters etc. though in everyday speech **komma** (**fram**) and **gå** are the most commonly used words for *arrive* and *depart*, for example:

Var är listan på **ankommande** och **avgående** tåg?	*Where is the list of train arrivals and departures?*
Vi **anländer** med morgonplanet.	*We'll arrive on the morning flight.*
Jag **kom fram** precis klockan elva.	*I arrived at exactly 11 o'clock.*
Bussen **går** om en kvart.	*The bus departs in a quarter of an hour.*

6 Du har rätt/fel (You are right/wrong)

Note the difference between English and Swedish in the phrase *you are right/wrong*, **du har rätt/fel** in Swedish.

Övningar (Exercises)

Luleå–Boden–Kiruna–Narvik

	Tågnummer	92	*904	980	2
	Period	12/6–8/1			
	Måndag—Fredag	M–F	M–F	M–F	M–To
	Lördag	L	L	L	L
	Sön- o Helgdag	SoH	SoH	SoH	SoH
km	Går även/Går ej		02		03

0	fr	Luleå C				16.41
14	fr	Sunderby sjukhus				16.54
36	t	Boden C				17.12
	fr	*Malmö*		*11.17*	*13.17*	
	fr	*Göteborg*		*13.10*	*16.27*	
	fr	*Stockholm C*		*17.30*	*20.10*	
36	fr	Boden C		7.35	10.43	17.14
123	fr	Murjek		8.30	11.41	18.06
156	fr	Nattavaara		I	I	18.27
204	t	Gällivare		9.36	12.42	18.57
204	fr	Gällivare		9.50	12.47	19.01
262	fr	Fjällåsen		I	I	19.48
265	fr	Kaitum		I	I	19.50
276	fr	Sjisjka		I	I	19.56
304	t	Kiruna C		10.59	14.08	20.17
304	fr	Kiruna C	7.45	11.15	14.23	
315	fr	Krokvik	8.01	I	I	
326	fr	Rautas	8.11	I	I	
336	fr	Rensjön	8.19	I	I	
356	fr	Torneträsk	8.35	I	I	
397	fr	Abisko Östra	9.08	12.27	15.24	
399	fr	Abisko turiststn	9.13	12.34	15.43	
406	fr	Björkliden	9.22	12.43	15.56	
423	fr	Låktatjåkka	9.38	I	I	
426	fr	Vassijaure	9.43	13.06	16.18	
430	fr	Katterjåkk	9.50	13.10	16.25	
433	fr	Riksgränsen	9.59	13.14	16.30	
435	fr	Björnfjell	10.03	13.22	16.38	
446	fr	Katterat	10.16	I	16.50	
455	fr	Rombakk	10.28	I	16.59	
463	fr	Straumsnes	10.38	I	17.08	
473	t	Narvik	10.50	14.03	17.20	

02 Går ej 25/12, 1/1.
03 Går även 23/12, 30/12, 28/3, 8/5.

Förköpsbiljett ger lägst pris
M, Ti, O, To, L

Under perioden 27/6–15/8 ges rabatt alla dagar

även	*also*	**lägst**	*lowest*
förköpsbiljett	*advance purchase ticket*		

1 Answer the following questions with the help of the timetable.

a Det finns två tåg som Åke och John kan åka med från Göteborg Central till Abisko turiststation. Vilka nummer har dessa tåg?
b När avgår de här tågen från Göteborg?
c När anländer de till Abisko turiststation?
d Vilka dagar går de här tågen?
e Vilka dagar kan man få rabatt på sommaren?
f Det tåg som kallas Nordpilen (*the Northern Arrow*) är ett X2000-tåg. Det har en stjärna* i tidtabellen. Vilket nummer har det och när avgår det från Stockholm under juli månad?

dagl (dagligen)	*daily*	**helgdag**	*public holiday*

2 Select the most suitable way of translating the future tense in the following sentences. Note that in some cases several ways are possible, depending on how you interpret the English text.

a Jag (*shall*) . . . . göra det.
b Vi (*shall*) . . . . få resultatet i morgon.
c (*Are you going to*) . . . . du köpa en Volvo?
d Nästa år (*will be*) . . . . mitt sista år här.
e Hon (*doesn't intend to*) . . . . hälsa på honom.
f Tror du att det (*will be*) . . . . vackert väder idag?
g Han (*is going to*) . . . . börja skolan i år.
h (*Will*) . . . . du stanna hemma i kväll?
i Du (*will*) . . . . bli gammal.

3 Answer the following questions in Swedish.

   a Vilken månad är den kortaste månaden?
   b Vilka månader är längst?
   c Vilka månader har bara 30 dagar?
   d I vilken månad firar svenskarna midsommar?
   e I vilken månad firar svenskarna jul?
   f När är det vår i Sverige?
   g När är det sommar i Sverige?
   h När är det höst i Sverige?
   i När är det vinter i Sverige?

4 Fill in the missing words, **då** or **sedan**, in the text below.

Svenskarna firar midsommar i slutet på juni . . . . dansar de
runt en majstång . . . . brukar flickorna plocka sju sorters
blommor . . . . får de inte prata med varandra . . . . ska de
lägga blommorna under kudden . . . . får de se den man som
de ska gifta sig med i drömmen, om de har följt reglerna.

kudd/e (-en, -ar)	*pillow*
dröm (drömmen, drömmar)	*dream*
följt reglerna	*followed the rules*

5 Study the railway ticket and answer the following questions in
   English.

```
5| SJ                    JKK7291C0001
   Biljett
Göteborg C - Abisko turistst  Plats i sovvagnskupé
1 Vuxen
  Göteborg C - Stockholm C    X2000 2 kl SJ
  Avgång  Ankomst  Tåg   Vagn Plats
  13.42   16.45    436   5    34    Fönster Salong
  Stockholm C - Abisko turistst          Nattåget  SJ
  Avgång  Ankomst  Tåg   Vagn Plats
  18.12   10.34    94    12   7    Under    Herr 3-bädd
Resan kan återbetalas
Återbetalas om avbokad före avgångstid

Giltig måndag 31 maj 2010              Pris SEK **1889.00
                                       varav moms ***106.93
20558379(SJ 1751 SEK)Bokn.avg. 138 SEK återbet e;
         Bet 9751 SJ RESEBUTIK STOCKHOLM C. Uth 9751
```

   a Where does the journey start and where does it end?
   b Is it a single or a return ticket?
   c At what time do the trains depart?

d At what time do the trains arrive?

e In which coaches will the passenger travel?

f What are the seat numbers?

g How many beds are there in the sleeping compartment?

h How much does the ticket cost?

6 Fill in the correct form of the words **älv/å/flod** in the following sentences.

a Tillsammans är Klarälven och Göta älv Sveriges längsta . . . .

b Det finns inga stora . . . . söder om Göteborg.

c I den lilla . . . . i Skåne finns ett par små öar.

d Den längsta . . . . i världen är Nilen.

e De stora . . . . i norra Sverige rinner från nordväst till sydost.

f Mississippi och Missouri är de mest kända . . . . i Amerika.

g Man bör inte dricka vattnet i de små . . . .

7 Which word do you think fits best in the sentences below? Choose between **ankomma/anlända, komma** (fram), **avgå/gå** and make sure that you use their correct form.

a Vi möter dig när du . . . .

b Postbussen . . . . varje dag mellan de små byarna.

c Jag hoppas att presenten . . . . i tid.

d När vi . . . . hade tåget redan . . . .

e Både . . . . och . . . . tåg är försenade (*late*).

8 John and Åke are talking together when they are approached by two girls.

John	Det är verkligen underligt att se solen vid midnatt.
Åke	Ja, det är särskilt besvärligt för föräldrar att övertyga sina barn att det är natt när det inte är särskilt mörkt. Men det varar inte så länge, bara några veckor i juni och juli. Ju längre norrut man är ovanför polcirkeln, desto längre kan man se midnattssolen.
Jytte	Ursäkta, vi hörde att ni ska vandra på Kungsleden. Jag heter Jytte och det här är min syster Jenny. Vi är lite rädda för att gå ensamma. Får vi följa med er?
John	Javisst. Ju fler desto bättre. Vad är ni rädda för?
Jytte	För att gå vilse, och också för vargarna och björnarna.
Åke	Kungsleden är mycket väl markerad, så där kan ni inte gå vilse. Det finns knappast några vargar kvar nu i Sverige, och björnarna ser man inte så ofta. Då är säkert myggen farligare.

underlig (-t, -a)	*curious*		**ensam (-t,**	*alone, by*
övertyg/a (-ar, -ade, -at)	*convince*		**ensamma)**	*ourselves*
			ju fler desto	*the more the*
var/a (-ar, -ade, -at)	*(to) last*		**bättre**	*merrier*
			varg (-en, -ar)	*wolf*
ju . . . desto	*the . . . the*		**björn (-en, -ar)**	*bear*
ju längre norrut man är	*the further north one is*		**väl markerad**	*well-marked*
			knappast	*hardly*
. . . desto längre kan man se	*. . . the longer one can see*		**mygg (-en) (collective)**	*mosquitoes*
ovanför	*above*		**farlig (-t, -a)**	*dangerous*
rädd (-a)	*afraid*			

Rätt eller fel? (*True or false?*)

a Man kan se midnattssolen hela sommaren i Sverige.

b Det finns många vargar i Sverige.

c Man ser sällan (*seldom*) björnar vid Kungsleden.

9 Åke has sent a postcard to his parents. Read it and answer the questions below in English.

GÄLLIVARE.
Gellivare gamla kyrka är
socknens äldsta byggnad
och byggdes på 1740-talet.
Kyrkan benämnes även som
Ettöres-kyrkan och Lappkyrkan.

Alesjaure d. 10/7 -10

Hej!

Vi har kommit ungefär halvvägs och allt har gått bra. Naturen är alldeles fantastisk och vi har haft fint väder nästan hela tiden. Det är ungefär 14° varmt på dagen och det är alldeles lagom när man vandrar. Vi har också träffat två trevliga flickor – de kommer att hälsa på oss i Göteborg. Det värsta har varit myggen – de är mycket besvärliga.

Vi ses snart!

Åke och John

Familjen Svensson

Storgatan 7 A III

421 84 GÖTEBORG

G. 4/54

Foto: Dino Sassi

Copyright
Sa-mar ab

alldeles lagom *just right* **vi ses snart** *see you soon*

a How far had the boys come when they sent the postcard?
b What sort of weather have they had?
c What will the girls do in Gothenburg?
d What has been difficult for the boys?

10 Complete the dialogue.

◄) **CD 2, TR 18**

You	(Ask your friend if he has seen the northern lights. Note that in Swedish 'northern lights' is singular.)
Vännen	Ja, det har jag, men det är inte så ofta man ser norrskenet så här långt söderut.
You	(Ask where one should be to have a better chance of seeing them.)
Vännen	Så nära den magnetiska polen som möjligt för norrskenet har samband med den.
You	(Ask what the northern lights look like.)
Vännen	Det ser ut som om himlen brinner. Närmast jorden är skenet rött, men högre upp är det gult eller gröngult.
You	(Ask if they are beautiful.)
Vännen	Det är fantastiskt vackert.

QUICK VOCAB

norrsken (-et, -0) (Note: singular) *the northern lights*, Aurora Borealis
magnetisk (-t –a) *magnetic*
så ... som *as ... as*
samband (-et, -0) *connection*

brinn/a (-er, brann, brunnit) *burn; be on fire*
jord (-en, -ar) *earth (here: horizon)*
röd (rött, röda) *red*
gul (-t, -a) *yellow*
gröngul (-t, -a) *greenish-yellow*

Insight

Swedish is the main official language in Sweden, but there are also five official minority languages: Finnish, Tornedal-Finnish (meänkieli, the version spoken along the Swedish-Finnish border), Sami, Jiddisch and Romani Chib.

Förstår du? (*Do you understand?*)

Samerna (*The Sami people*)

Samerna (som förr kallades lappar), har levt högst upp i norr i de arktiska eller subarktiska regionerna i Norge, Sverige, Finland och Sibirien sedan urminnes tider. De har också kallats 'Nordens indianer' eftersom deras historia har mycket gemensamt med indianernas historia.

Traditionellt var samerna nomader – de följde renarna när dessa vandrade från skogarna, där de var under vintern, upp till bergen, där de var under sommaren. Nu är det bara omkring 3000 samer som ägnar sig åt renskötsel. De flesta lever som resten av svenskarna, men samerna får statligt stöd för att bevara sitt urgamla språk, samiskan, och sin kultur, som t.ex. de färgglada kläderna. De har också sitt eget parlament, sametinget. Renskötseln har emellertid moderniserats. Nu använder man snöskotrar, flygplan och radio.

Förut klarade samerna sig nästan helt och hållet med produkterna som de fick från sina renar. Därför blev Tjernobylolyckan 1986 en katastrof för dem. Både renarna och vad de åt blev smittade av radioaktiviteten. Till januari 1994 fick 188 000 renar kasseras eftersom de innehöll för mycket cesium 137. Men det finns hopp – cesiumhalten har minskat snabbare än vad experterna räknade med, fast man tror att problemet med höga cesiumhalter kommer att finnas kvar åtminstone till år 2015.

same (-n, -r)	*Sami, Lapp*	ägn/a (-ar, -ade,	*make their living*
officiell (-t, -a)	*official*	-at) sig åt	*from*
lev/a (-er, -de, -t)	*live*	renskötsel	*reindeer keeping*
sedan urminnes	*from time*	emellertid	*however*
tider	*immemorial*	statligt stöd	*state subsidy*
indian (-en, -er)	*(American)*	bevar/a (-ar,	*preserve*
	Indian	-ade, -at)	
gemensamt med	*in common*	ur/gammal (-t,	*ancient*
	with	--gamla)	
traditionellt	*traditionally*	samiska (-n)	*the language of*
nomad (-en, -er)	*nomad*		*the Sami*
omkring	*around*	kultur (-en, -er)	*culture*
(abbrev. o.)			

färg/glad (--glatt, --glada)	*brightly coloured*	**smitt/a (-ar, -ade, -at)**	*contaminate*
moderniser/a (-ar, -ade, -at)	*modernize*	**radioaktivitet (-en)**	*radioactivity*
använd/a (-er, använde, använt)	*use*	**fick kasseras**	*had to be destroyed*
snöskoter (-n, snöskotrar)	*snow-mobile*	**innehåll/a (-er, innehöll, -it)**	*contain*
klar/a (-ar, -ade, -at) sig	*manage*	**hopp (-et)**	*hope*
helt och hållet	*entirely*	**cesiumhalt (-en, -er)**	*caesium content*
produkt (-en, -er)	*product*	**minsk/a (-ar, -ade, -at)**	*decrease*
Tjernobylolyck/a (-an, -or)	*the accident at Chernobyl*	**expert (-en, -er)**	*expert*
äta (äter, åt, ätit)	*eat*	**räkna med**	*calculate*
katastrof (-en, -er)	*catastrophe, disaster*	**finnas kvar**	*remain*
		åtminstone	*at least*

Rätt eller fel? (*True or false?*)

a Samerna har inte bott i Sverige så länge.

b Majoriteten av samerna ägnar sig åt renskötsel.

c Samiskan är ett mycket gammalt språk.

d Det finns inget hopp om att cesiumhalten i renarna ska minska.

Lapland

Ten things to remember

1 The prefix o- as a negation is always stressed: **Expresståget X 2000 är bekvämt** (*comfortable*), **lokaltåget obekvämt.**

2 The o- prefix does not always indicate opposites: **rolig** means *fun*, but **orolig** means *worried.*

3 Note the difference in verbs used: **Du har tur** (*You are lucky*) **och jag otur.**

4 Note that **enkel** has several meanings: **En enkel** (*single, one-way*) **till Stockholm, tack! Ett enkelrum, tack! Ett enkelt problem** (*simple problem*) **är lätt att lösa** (*easily solved*).

5 **Icke** is used in set phrases (**icke-rökare**) and in formal language. **Inte** is the common negation.

6 Note these expressions: **Jag vill** *hellre* **flyga** *än* **åka tåg. Jag** *föredrar* (*prefer*) **flyget** *framför* **tåget.**

7 The noun **ankomst** corresponds to the verb **ankomma: Planet** *ankommer* (or **anländer**) **till Arlanda 14.30. Jag möter honom i** *ankomsthallen.*

8 Similarly, **avgång** corresponds to **avgå: Tåget avgår 21.15 från avgångshallen.**

9 Note the difference in meaning between **rätt-fel** (*right-wrong*) and **rätt-orätt** (*just-unjust*).

10 *The more . . ., the more . . .* is **ju . . ., desto . . .** in Swedish: **Ju mer du studerar, desto mer lär du dig.**

13

Har ni något rum ledigt?
Do you have a room vacant?

In this unit you will learn:

- How to book a room in a hotel
- How to enquire about meals and facilities
- How to ask for information about tourist attractions and events
- How to express satisfaction
- How to write dates

Samtal 1 (*Dialogue 1*)

◄) CD 2, TR 19

Anders has been asked to book a room for an American business associate who has specified a first-class hotel in central Stockholm. Anders telephones the Hotell Diplomat.

Anders	Goddag. Har ni något rum ledigt för tre nätter, den 26, 27 och 28 augusti?
Receptionisten	Jadå. Önskar ni ett enkelrum eller dubbelrum, med bad eller dusch?
Anders	Ett enkelrum med bad och toalett, tack. Ingår frukosten i priset och finns det telefon och TV på rummet?
Receptionisten	Frukosten ingår i priset. Alla våra rum har telefon, färgteve och radio.

ledig	*vacant*	**toalett (-en, -er)**	*toilet*
önsk/a (-ar, -ade, -at)	*wish*, here: *'would like'*	**ingå (-r, ingick, ingått)**	*is included*
enkelrum (-met, -0)	*single room*	**telefon (-en, -er)**	*telephone*
dubbelrum (-met, -0)	*double room*	**färgteve (-n)**	*colour television*
bad (-et, -0)	*bath*	**bekräftelse (-n, -r)**	*confirmation*
dusch (-en, -ar)	*shower*	**omgående**	*at once*

QUICK VOCAB

Rätt eller fel? (*True or false?*)

a Det finns inga lediga rum på Hotell Diplomat.
b Mr Stacey vill inte ha ett dubbelrum.
c Anders kan snart få bekräftelse på bokningen.

Samtal 2 (*Dialogue 2*)

Mr Stacey arrives at Hotell Diplomat.

Mr Stacey	Goddag. Jag har reserverat ett rum för tre nätter.
Portiern	Välkommen. Hur var namnet?
Mr Stacey	Mr Bill Stacey. Här är bekräftelsen.
Portiern	Det stämmer. Rum nummer 307, på tredje våningen. Här är nyckeln. Pickolon visar er till ert rum och tar hand om bagaget.
Mr Stacey	När serveras frukosten?
Portiern	Mellan klockan 7 och 9.30. Ni kan också få mat på rummet när som helst.
Mr Stacey	Jag skulle också vilja veta vad som händer i Stockholm just nu, och en karta över staden vore bra att ha.

Portiern	Varsågod, här är en karta och 'Stockholm this week'. Broschyrer över de flesta attraktionerna ligger där borta. Det är bara att välja. Vi kan ordna biljetter om ni vill.
Mr Stacey	Tack, det var utmärkt.

reserver/a (-ar, -ade, -at)	*reserve*	**vore**	*would be*
det stämmer	*that's right*	**broschyr (-en, -er)**	*pamphlet*
nyckel (-n, nycklar)	*key*	**attraktion (-en, -er)**	*attraction, event*
pickolo (-n)	*bellboy, porter*	**det är bara att välja**	*please choose for yourself*
tar hand om	*takes care of*	**ordn/a (-ar, -ade, -at)**	*get, obtain*
händ/a (-er, hände, hänt)	*happen*	**utmärkt**	*excellent*

Rätt eller fel? (*True or false?*)

a Mr Staceys rum är reserverat för en natt.

b Rummet ligger på första våningen.

c Han kan få mat på rummet när som helst.

Samtal 3 (*Dialogue 3*)

◀) CD 2, TR 20

John and Åke have decided to go to Stockholm. They have not booked any accommodation in advance and turn up at a small hotel.

John	Hej. Finns det några lediga rum?
Portiern	Tyvärr inte. Alla våra rum är upptagna under hela veckan. Vilken prisklass ville ni ha?
John	Så billigt som möjligt, för vi är studerande.
Portiern	Då rekommenderar jag att ni går till Hotellcentralen på Centralstationen. De har uppgifter om tillgängliga rum.
John	Tack för rådet! Det var bra.

upptagen	*booked, occupied,*	**så ... som**	*as ... as*
(upptaget,	*taken*	**möjligt**	*possible*
upptagna)		**uppgift (-en,**	*detail,*
prisklass	*price*	**-er)**	*information*
(-en, -er)	*category*	**tillgänglig**	*available*
		råd (-et, -0)	*advice*

Rätt eller fel? *(True or false?)*

a Det finns inget ledigt rum på hotellet.

b Priset på rummet är inte så viktigt för John och Åke.

c Hotellcentralen har uppgifter om lediga rum i Stockholm.

Culinary treats in August

Kräftskiva August is a very important month in the Swedish culinary calendar. Three major feasts take place. The crayfish season starts at midnight on the second Wednesday of that month and continues until early September (although now you may catch them all year round). Swedes dressed in party hats and paper bibs gather on verandahs and terraces all over the country under gaily coloured Chinese lanterns for a moonlit feast called **Kräftskiva**. Native Crayfish are less abundant than they used to be, so most of them are imported, especially from the USA, China and Turkey – where incidentally they are considered inedible! The crayfish are boiled with salt and plenty of flowering dill and eaten cold accompanied by aquavit and beer, and with the August moon looking on, parties tend to be very jolly.

Surströmming Crayfish don't occur north of Dalecarlia, so from the third Thursday of August people in Norrland have their own feast on **surströmming**, fermented Baltic herring. This is definitely an acquired taste, and most 'southerners' steer well clear of it. The smell says it all . . . !

Ålagille Late August is the season for **ålagille** in Skåne and Blekinge in the south of the country. The eels are prepared in ten or twelve different ways, and served with aquavit.

Så här säger man (*What to say*)

- book a room in a hotel

Har ni något rum ledigt?	*Have you a room vacant?*
Jag skulle vilja ha ett enkel-/ dubbelrum.	*I would like a single/double room.*
Jag skulle vilja ha ett rum med bad/dusch/ luftkonditionering/ balkong.	*I would like a room with bath/shower/air conditioning/ balcony.*
Jag vill vara nära stadens centrum.	*I want to be near the town centre.*
Vad kostar det?	*How much does it cost?*

- enquire about facilities

När serveras frukosten?	*When is breakfast served?*
Finns det telefon/TV/radio på rummet?	*Is there a telephone/TV/radio in the room?*

- ask about tourist attractions and events

Jag skulle vilja veta vad som finns att se här.	*I would like to know what there is to see here.*
Kan ni tala om för mig . . .?	*Can you tell me . . .?*
Kan ni ordna biljetter till . . .?	*Could you get tickets to . . .?*

- express satisfaction

Det var utmärkt!	*That's excellent!*
Det var bra.	*That's good.*
Det var snällt.	*That's kind of you.*

Grammatik (Language points)

1 Ordinal numbers: 1st–1000th

◄》 CD 2, TR 21

The Swedish ordinals are as follows:

1	första/förste	18	artonde
2	andra/andre	19	nittonde
3	tredje	20	tjugonde
4	fjärde	21	tjugoförsta
5	femte	22	tjugoandra etc.
6	sjätte	30	trettionde
7	sjunde	40	fyrtionde
8	åttonde	50	femtionde
9	nionde	60	sextionde
10	tionde	70	sjuttionde
11	elfte	80	åttionde
12	tolfte	90	nittionde
13	trettonde	100	hundrade
14	fjortonde	101	(ett)hundraförsta
15	femtonde	172	(ett)hundrasjuttioandra
16	sextonde	500	femhundrade
17	sjuttonde	1000	tusende

The two first ordinals may take the optional ending -e when they refer to males in the singular:

> Min andre son är kemist.   *My second son is a chemist.*

As in English, the ordinal numbers are used as adjectives. **1:a, 2:a, 4:e** etc. are very common abbreviations for **första, andra, fjärde,** etc. but the number alone is usually sufficient to indicate an ordinal, for example in dates and names of kings and queens.

> Rummet är på tredje
> våningen.
> De olympiska spelen äger
> rum vart fjärde år.

> *The room is on the third
> floor.*
> *The Olympic Games take place
> every fourth year.*

Bussen går var femte minut.	*The bus goes every five minutes.*
Norwich, den 19 augusti.	*Norwich, 19 August.*
Terminen börjar den 1 oktober.	*The term starts on October 1.*
Kung Carl XVI Gustaf	(pron. Carl den sextonde Gustaf)
Drottning Elizabeth II	(pron. Elizabeth den andra)

2 'Each – every – every single one – every second', etc.

Varje and **var/vart** mean *each, every,* but are not always interchangeable. **Varje** is the most common of them and, unlike the others, is unchanged, whether it refers to an **en-** word or an **ett-** word. Only **var/vart** can be used before an ordinal.

Varenda/vartenda (*every single one*) is used when the words are particularly stressed.

Var och en/vart och ett means *each one.*
Varannan/vartannat means *every second.*

varje/var gång	*every time*
varje/vart år	*every year*
var sjätte månad	*every six months*
vartenda hus	*every single house*
var och en av oss	*each one of us*
vartannat år	*every two years*

Note also the expressions **lite av varje** *all sorts of things* and **i varje fall** *in any case.*

3 The translation of English *-ing* forms

In English a word ending in *-ing* can be either a noun, an adjective, an adverb or a verb, for example:

Laughing is good for you.	Att skratta är nyttigt.
a laughing clown	en skrattande clown
He went away laughing.	Han gick därifrån skrattande.
The child is laughing.	Barnet skrattar.

As a noun it is translated by an infinitive in Swedish.

In the last three examples, the -*ing* form is a present participle used as an adjective or adverb or a verb.

The Swedish present participle has two forms. If the infinitive form of a verb ends in an -a (as it does for most verbs) the present participle ends in -**ande**. If the infinitive ends in a vowel other than -a the present participle ending is -**ende**: gråt*ande* (*crying*), komm*ande* (*coming*), stig*ande* (*rising*), dö*ende* (*dying*), gå*ende* (*walking*), le*ende* (*smiling*).

In Swedish the present participle is seldom used as a verb. In practice this happens only after the verbs **komma**, **gå**, **bli** and verbs of motion, for example:

Han kom visslande på vägen.	*He came whistling along the road.*
Hon gick leende till honom.	*She went smiling to him.*

The present participle is mainly used as an adjective or a noun in Swedish, or occasionally as an adverb:

en sjungande flicka	*a singing girl*
De studerande får rabatt.	*Students get a discount.*
Hon var påfallande vacker.	*She was strikingly beautiful.*

Note that all present participles used as nouns denoting people are fifth declension **en**- nouns, so they don't have a plural ending. If the present participle nouns do not denote people, they are fourth declension **ett**- nouns, so they take -**n** as the plural ending:

Alla överlevande är sårade.	*All survivors are wounded.*
Hon gav honom många leenden.	*She gave him many smiles.*
Han fick flera erbjudanden om arbete.	*He got several job offers.*

Present participles used as adjectives or adverbs do not take any endings. They must be compared with **mera** and **mest**:

Det mest lockande erbjudandet kom från Unilever.	*The most tempting offer came from Unilever.*

4 The spelling of words ending in -*m* or -*n*

Sometimes an **m** or **n** at the end of a word is not doubled even though the vowel is short. Thus these words break the normal spelling and pronunciation rules. Such words are: **rum** (*room*), **hem** (*home*), **dum** (*silly*), **kam** (*comb*), **kom** (*came*), **program** (*programme*), **min** (*my*), **din** (*your*), **sin** (*his/her/its/their*), **man** (*man*), **män** (*men*), **men** (*but*), **vän** (*friend*), **mun** (*mouth*), **kan** (*can*).

However, if an ending starting with a vowel is added, the **m** or **n** respectively is doubled. Thus the number of **m**s or **n**s varies between different forms of the same word, for example:

Noun	Indef. sing.	Def. sing.	Indef. plural	Def. plural
	rum	rummet	rum	rummen
	hem	hemmet	hem	hemmen
	man	mannen	män	männen
Verb	**Infinitive**	**Present tense**	**Past tense**	**Supine**
	komma	kommer	kom	kommit
Adjective	**Basic**	**Neuter**	**Plural and def. form**	
	dum	dumt	dumma	

5 The spelling of words containing a double -*m* or -*n*

In contrast to the above, a word containing an -**mm** or -**nn** normally drops one -**m** or -**n** respectively when an ending starting with a consonant is added. This *must* be done if the ending starts with a -**d** or -**t**, for example:

Noun	nummer	numret	nummer	numren
Verb	glömma	glömmer	glömde	glömt
	känna	känner	kände	känt
	kunna	kan	kunde	kunnat
Adjective	sann	sant	sanna	

However, the double -**m** or -**n** is kept before -**s** endings (genitives and verbs ending in -**s**), before suffixes and in compound words:

ett lamms ull	*a lamb's wool*
Det känns bra.	*It feels good.*
kvinnlig	*female*
lammkotletter	*lamb chops*

Insight

The subjunctive is fast losing ground in Swedish, and is now, unlike in French or Spanish, limited to some set phrases.

---

6 The subjunctive

The subjunctive causes few problems in Swedish, as it is not used today in normal Swedish, apart from **vore** (from **vara**) and in a few set phrases. It is normally formed by adding -e to the stem of the verb. The subjunctive expresses wishful thinking or an unreal state, a hypothesis etc., for example:

Det **vore** roligt om du kom.	*It would be nice if you came.*
Leve brudparet!	*Long live the bride and bridegroom!*
Tack vare dig.	*Thanks to you.*
Måtte han komma!	*I do hope he'll come!*
Gud välsigne dig!	*God bless you!*

An alternative is to use the ordinary **past tense** and **skulle + infinitive**, or **pluperfect** and **skulle + ha + supine**:

Om jag **var** rik, **skulle** jag **segla** jorden runt.	*If I were rich, I would sail around the world.*
Om jag **hade varit** rik, **skulle** jag **ha flugit** med Concorde.	*If I had been rich, I would have flown on Concorde.*

Övningar (*Exercises*)

1 State the accommodation required by the following people.

Example: Erik Johansson vill ha ett enkelrum med bad. Han behöver också garage för sin bil.

	Enkelrum	Dubbelrum	Bad	Dusch	Garage
Erik Johansson	✓		✓		✓
a Bertil och Siv Andersson		✓		✓	–
b Tore Olsson	✓			✓	✓
c Eva Sköld	✓		✓ eller	✓	–
d Familjen Vik		2 ✓	1 ✓ och	1 ✓	✓

2 Write the missing ordinals or dates in words, as in the example.

◄))) CD 2, TR 22

Example: (4/7) I Amerika firar man **den fjärde juli.**

a (4) Julen firas under det . . . kvartalet.
b (6) Det . . . budet (*commandment*).
c (7) Hon var i . . . himlen.
d (6/6) Sveriges nationaldag är . . .
e (14/7) Fransmännen firar . . .
f (17/5) I Norge firas . . .
g (23/4) S:t George firas . . .

3 Insert the correct words in the following sentences:

◄))) CD 2, TR 23

a Vi åker buss (*every*) . . . . dag.
b Hon är ledig (*each*) . . . . tredje söndag.
c Han vann (*every single*) . . . . gång.
d Hon kommer till Sverige (*every*) . . . . fjärde år.
e (*Each one*) . . . . av barnen fick en present.
f Ett flygplan landar (*every second*) . . . . minut.

4 Form a present participle noun or adjective appropriate for the following sentences. Use the following verbs: **cykla, dö, falla** (*fall*), **gå, le, leva, stiga.**

a Trottoaren (*the pavement*) är bara för . . . .
b . . . . måste cykla på gatan.
c Det är svårt att se de . . . . barnen i Afrika på TV.
d Under 90-talet har vi haft . . . . matpriser men . . . . . . huspriser.
e Mona Lisas . . . . är berömt i hela världen.
f Ingen nu . . . . har sett en dinosaurie.

5 A tourist who doesn't know Swedish has asked you for information about some Stockholm hotels. Read the descriptions of the hotels below and summarize the information about each of the hotels in English for him.

Grand Hotell Unikt läge vid vattnet bredvid Kungliga Operan. Favoriserat av de kungliga, nobelpristagare och dignitärer. Medlem av 'The Leading Hotels of the World'. 319 rum.

Example: Grand Hotell is Stockholm's luxury hotel. It is large and beautifully situated in the centre by the water beside the Royal Opera House, but it is expensive.

a Hotell Reisen Förstklassigt hotell i gammaldags stil. Läge i Gamla stan (*The Old Town*). Restaurang, barer, bastu. Utmärkta konferensrum. 113 rum.

b Hotell Amaranten Modernt och bekvämt hotell. Läge vid City Air Terminal. Restaurang, barer, konferensrum. 410 rum.

c The Crown Hotel Modernt hotell nära centrum. Med ett Holiday Card bor barn under 13 år gratis i föräldrarnas rum. Tonåringar får eget rum billigt. Frukost ingår i priset. Ett Holiday Card kostar inte mycker, och dessutom ingår en presentcheck i hotellets restaurang + hundratals rabatter för Avis hyrbilar, bilfärjor, svenskt glas etc. ingår.

d Welcome Hotell Barkarby 15 minuter från centrum. Man betalar fullt pris första natten men halvt pris följande nätter. Frukost ingår i priset.

e Sommarhotell Moderna studentrum med dusch och toalett. Budgetpris. Utanför centrum. Särskilt lämpligt för konferenser och grupper.

f af Chapman Vandrarhem ombord på ett gammalt segelfartyg. Centralt läge vid Skeppsholmen. Billigt.

läge (-t, -n)	*situation*	**segelfartyg**	*windjammer*
gammaldags	*old-fashioned*	**(-et, -0)**	
tonåring	*teenager*	**lämplig**	*suitable*
(-en, -ar)		**(-t –a)**	

6 Imagine you have been asked to book accommodation in Stockholm for the following people. Choose the most appropriate accommodation from the list above and explain your choice.

a A visiting President on an informal visit to Sweden.
b A family of five. Two children under 13, one son aged 17.
c Two teenagers on a restricted budget.
d A busy commercial traveller from abroad. He has to fly to the main Swedish cities, but wants to have Stockholm as his base.
e A young couple hoping to stay for a week, if their means allow it. A central situation is not essential, but privacy is.
f An elderly couple who emigrated from Sweden to America in their youth. They are particularly fond of everything old and quaint.
g A group of foreign students studying modern architecture.

7 Complete the following dialogue. You phone Room Service.

◄) CD 2, TR 24

You	(Say: Can I order a meal to be sent up to my room?)
Portiern	Det går bra. Vad vill ni ha?
You	(Say you would like smoked salmon to start with.)
Portiern	Något mera?
You	(Say you would like roast duck with orange sauce.)
Portiern	Någon efterrätt?
You	(Say: Yes, please, fruit salad with double cream.)
Portiern	Något att dricka?
You	(Say: Yes, please, a half bottle of white wine and coffee afterwards.)
Portiern	Det kommer om ungefär en halvtimme.

rökt lax   smoked salmon
ugnsstekt anka   roast duck
vispgrädde   double cream

Förstår du? (Do you understand?)

Stockholm

Man har kallat Sveriges huvudstad, Stockholm, för 'Nordens Venedig'. Den svenska författarinnan Selma Lagerlöf beskrev Stockholm som 'staden som flyter på vattnet'. Stockholm ligger på fjorton öar mitt emellan Östersjön och Mälaren, Sveriges tredje största sjö. Vart man än går i Stockholm är man inte långt från vatten och båtar. Vattnet är så rent att man kan fiska lax och bada mitt i centrum. På vintern brukar vattnet frysa till is i ungefär en månad. Det är vattnet och öarna, bergen och åsarna som gör Stockholm till en så vacker stad. Ett annat namn som Stockholm har fått är 'Mälardrottningen'.

Enligt Erikskrönikan, som skrevs på 1300-talet, var det Birger Jarl som grundlade staden år 1252. Namnet Stockholm användes första gången officiellt i ett brev som är undertecknat av kung Valdemar och Birger Jarl. Namnet kommer från 'stock' och 'holme'. Enligt krönikan byggde Birger Jarl en fästning på den holme där hans stock flöt i land för att skydda hamnarna i Mälaren mot fiender från havet. Staden växte långsamt, men har nu två miljoner invånare.

QUICK VOCAB

huvud/stad	*capital*	**Erikskrönikan**	*the Eric*
(-en, - -städer)			*Chronicle*
Nordens	*the Venice of*	**grundlägg/a (-er,**	*lay the*
Venedig	*the North*	**grundlade,**	*foundations*
författarinn/a	(female)	**grundlagt)**	*of*
(-an, -or)	*author*	**använd/a (-er,**	*use*
beskriv/a	*describe*	**-e, använt)**	
(-er, beskrev,		**brev (-et, -0)**	*letter*
beskrivit)		**underteckn/a**	*sign*
flyt/a (-er, flöt,	*float*	**(-ar, -ade, -at)**	
flutit)		**kung (-en, -ar)**	*king*
vart . . . än	*wherever*	**(from konung)**	
ren	*clean*	**bygg/a (-er,**	*build*
frysa till is	*freeze over*	**-de, -t)**	
ås (-en, -ar)	*ridge*	**fästning**	*fortress*
stock	*log*	**(-en, -ar)**	
(-en, -ar)		**i land**	*ashore*
holm/e	*islet*	**fiende**	*enemy*
(-en, -ar)		**(-n, -r)**	
Mälardrottningen	*The Queen*	**väx/a (-er,**	*grow*
	of Lake	**-te, -t)**	
	Mälaren	**långsamt**	*slowly*

Rätt eller fel? (*True or false?*)

a Man kan inte bada i Stockholm.
b Stockholm kallas också 'Mälardrottningen'.
c Stockholm grundlades för att skydda befolkningen runt Mälaren mot fiender från havet.

Ten things to remember

1 The opposite of **ledig** is either **bokad** or **upptagen: Vi har inga lediga rum, hotellet är fullbokat. Är den här platsen ledig? Nej, den är upptagen. Är du ledig i kväll? Nej, jag är upptagen.**

2 Note the different prepositions in: **Jag har reserverat rummet** *för tre dagar*; **Jag ska bo där** *i tre dagar*.

3 The Swedish passive is given either with an -s, or with an auxiliary verb: **En enkel lunch** *serveras* **klockan två. Fulla gäster** *blir* **inte** *serverade* **här.**

4 In time expressions, English can use either cardinal numbers or ordinal ones: *Every five years* or *every fifth year*, *every five weeks* or *every fifth week*. Swedish has ordinals: **vart femte år, var femte vecka.**

5 Ordinal numbers referring to males take an -e: **Kung Carl XVI (den** *sextonde***) Gustafs farfar var Gustav VI (den** *sjätte***) Adolf.**

6 Note *vartannat* **år** but *varannan* **månad.**

7 Note that **sårad** covers both *wounded* and *hurt*: **Soldaten** *sårades*. **Hon** *blev sårad* **av det dumma skämtet** (*joke*).

8 The subjunctive **Måtte han komma** can be rephrased with a verb in the indicative, further stressed with a qualifying adverb: **Jag hoppas verkligen** (*I really hope*) **att han kommer.**

9 Note that **sauna** is a Finnish word, **bastu** (from **badstuga**) the Swedish word.

10 Note another instance where Swedish usually takes cardinal numbers, English ordinal ones: **På 1300-talet** (*in the 14th century*). The expression **Det tjugonde århundradet** is much less frequent than **1900-talet.** The present century is either **tjugohundratalet** or (less common) **tvåtusentalet.**

14

Var har du varit?
Where have you been?

In this unit you will learn:

- How to say if you like or do not like something
- How to ask where someone has been
- How to express disappointment

Samtal 1 *(Dialogue 1)*

◄) **CD 2, TR 25**

John and Åke discuss their sightseeing programme in Stockholm.

John	Vart ska vi gå först?
Åke	Jag tycker vi ska börja med Stadshuset, för det har blivit en symbol för Stockholm. Blå hallen – som är röd! – och Gyllene salen med de fina mosaikerna, där festmiddagen för nobelpristagarna serveras, är mycket vackra.
John	Ja, dit måste vi gå.
Åke	Medan vi ändå är där kan vi väl också titta på slottet. Det har över 600 rum, och de flesta är tillgängliga för besökare. Vi kan ju inte se allt, men representationsvåningarna borde vi väl se. Det finns också sju museer på slottet. Av dem är väl skattkammaren med alla kronjuvelerna mest spännande.
John	Jag tycker inte att det är så roligt med juveler. Våra kronjuveler i Towern är väl finare.
Åke	I så fall kan vi titta på Gamla stan efteråt.
John	Var ligger Gamla stan?

QUICK VOCAB

Stadshuset	the City Hall	kronjuvel	crown jewel,
symbol	symbol	(-en, -er)	state
(-en, -er)			regalia
blå (blått, blå(a))	blue	spännande	thrilling
röd (rött, röda)	red	i så fall	in that case
gyllene	golden	efteråt	afterwards
Gyllene salen	the Golden	just bakom	just behind
	Hall	medeltida	medieval
mosaik (-en, -er)	mosaic	smala gränder	narrow lanes
festmiddag	banquet	butik (-en, -er)	shop,
(-en, -ar)			boutique
nobelpristagare	Nobel prize	mysig (-t, -a)	(colloquial)
(-n, -0)	winner		(nice and)
serveras	is served		cosy
ändå	anyway	domkyrk/a	cathedral
slott (-et, -0)	palace, castle	(-an, -or)	
tillgänglig	accessible,	drak/e (-en, -ar)	dragon
(-t, -a)	open	alltså	that's to say
besökare (-n, -0)	visitor	tro (-r, -dde, -tt)	believe
skattkammare	treasury	skyddshelgon	patron saint
(-n, -0)		(-et, -0)	

Rätt eller fel? (*True or false?*)

a Stadshuset har över 600 rum.

b Det finns sju olika museer på slottet.

c Det finns en staty av S:t George i Stockholms domkyrka.

Samtal 2 (*Dialogue 2*)

◄) CD 2, TR 26

John and Åke split up as they have different interests. John then failed to turn up at Kungsträdgården, where they had agreed to meet.

Åke	Var har du varit?
John	Jag gick till Vasamuseet, för jag är mer intresserad av båtar.
Åke	Jag blev besviken, för jag väntade på dig i Kungsan. Vi hade ju bestämt att vi skulle träffas där.
John	Förlåt, men Vasa var så imponerande att jag inte kunde slita mig därifrån. Jag tänkte att jag inte skulle hitta dig i alla fall, för det var ju så fullt med folk i Kungsan.
Åke	Jag är ju intresserad av miljön så jag gick till Aquaria, Vattenmuseet. Jag lärde mig mycket om vattnet. Drygt 70% av jordens yta är täckt av vatten, men bara 1% går att dricka, så vi måste vara rädda om vattnet.
John	Fick du biljetter till Paul McCartney?
Åke	Nej, jag är ledsen men det var utsålt på Globen.
John	Det var synd.
Åke	Vi får gå till Historiska museet i morgon i stället.

QUICK VOCAB

intresserad av	interested in	fullt med folk	crowded
besviken (besviket, besvikna)	disappointed	miljö (-n, -er)	environment
Kungsan (colloquial)	Kungsträdgården (a park)	drygt	slightly more than
		yt/a (-an, -or)	surface
imponerande	impressive	vara rädd om	take care of
slita mig därifrån	tear myself away from there	jag är ledsen	I'm sorry
hitt/a (-ar, -ade, -at)	find	utsålt	sold out
		det var synd	that's a pity
i alla fall	anyway	i stället	instead

Rätt eller fel? (*True or false?*)

a Man kan se modern konst på Vasamuseet.

b Det är aldrig fullt med folk i Kungsträdgården.

c Bara 1% av vattnet på jorden går att dricka.

Worth a visit . . .

Vasa The flagship *Vasa*, pride of the Swedish fleet, was wrecked on her maiden voyage in 1628. Salvaged in 1961, and now beautifully restored, it is one of the main tourist attractions in Stockholm. There is an exhibition on *Vasa*'s 700 sculptures, their symbolism and mythology, and how these were used in the pursuit of power. You can also see a slide show, 'Why did Vasa sink?', a diorama of a battle at sea in 1627, and on a spherical screen a film on the horrors of war.

Aquaria Vattenmuseum A new kind of museum, more like an ecological adventure. You can follow a river from a tropical rainforest into the sea with sharks, sting-rays, other fish and live coral reefs.

Globen The largest spherical building in the world. Major sporting and cultural events take place there.

Historiska Museet Ten thousand years of Swedish history from prehistoric times to the end of the Middle Ages are displayed here. The section devoted to the Vikings is particularly interesting.

Så här säger man (*What to say*)

- say that you like something

  Det är så vackert/intressant/im- *It's so beautiful/interesting/*
  ponerande/spännande/kul. *impressive/thrilling/amusing.*

- say that you don't like something

  Jag tycker inte om modern *I don't like modern art.*
  konst.

  Det är förskräckligt/ *It's terrible/awful/ugly.*
  hemskt/fult.

- ask where someone has been

  Var har du varit? *Where have you been?*
  Vart tog du vägen? *Where did you get to?*

- express disappointment

  Jag blev besviken. *I was disappointed.*
  Jag är ledsen. *I'm sorry.*
  Det var synd. *That's a pity.*

Grammatik (Language points)

1 Adverbs

Adverbs are words that modify the meaning of an adjective, a verb, another adverb or a whole clause. They can refer to place, time, quantity or manner. The most common adverbs are the negations **inte, aldrig, icke, ej.**

Many adverbs are identical with the neuter form of the adjective. Their comparative and superlative forms are identical with those of the corresponding adjectives.

sent	*late*	senare	*later*	senast	*latest*
gott	*good*	bättre	*better*	bäst	*best*
högt	*high*	högre	*higher*	högst	*highest*

Other adverbs derived from adjectives are those ending in **-en**, such as **verkligen** (*really*), **troligen** (*probably*), **slutligen** (*finally*) and those ending in **-vis** like **naturligtvis** (*of course*), **vanligtvis** (*usually*), **lyckligtvis** (*fortunately*). Because of their meaning, these can of course not be compared.

Note that most of the place adverbs have two forms. One form is used with verbs indicating *rest* or *position at* a place, and the other form is used with verbs indicating *movement towards* or *from* a place. English used to have the same distinction, e.g. *here/hither, there/thither* etc. Expressions of position answer the question **var?** (*where?*) and expressions of movement answer the question **vart?** (*where to?*). Overleaf is a list of those adverbs with two forms.

Rest or position		Movement towards	
var?	*where?*	vart?	*where to?*
här	*here*	hit	*to here*
där	*there*	dit	*to there*
inne	*in(side)*	in	*in*
ute	*out(side)*	ut	*out*
uppe	*up*	upp	*up*
nere	*down*	ner	*down*
hemma	*at home*	hem	*(to) home*
borta	*away*	bort	*away*
framme	*in front, there, at one's destination*	fram	*forward*

Var har du varit?	*Where have you been?*
Vi är **här**.	*We are here.*
Vart ska vi gå först?	*Where shall we go first?*
Ni måste komma **hit**.	*You must come here.*
Åke och John stannade **inne** hela kvällen.	*Åke and John stayed in(doors) the whole evening.*

There are a few idiomatic phrases:

De bor tre trappor **upp**.	*They live on the third floor.*
Hon ringde **hem**.	*She phoned home.*
Jag längtar **dit**.	*I long to go there.*

2 'Before'

Before can be a conjunction, an adverb or a preposition. As a conjunction (a word that links two clauses) it is translated by **innan**, unless it is preceded by a negative clause, in which case it is translated by **förrän**. Thus **inte . . . förrän** corresponds to *not . . . until*.

As an adverb it corresponds to *previously, earlier* and is translated by **förr, förut, tidigare**. These words are interchangeable.

As a preposition it is translated by **före** when it refers to *time*, but **framför** when it refers to *place*.

John körde på en mindre väg **innan** han körde på motorvägen.	*John drove on a minor road **before** he drove on the motorway.*
Åke vaknade **inte förrän** väckarklockan ringde.	*Åke didn't wake up **until** the alarm clock rang.*
John hade aldrig kört i högertrafik **förut**.	*John had never driven on the right **before**.*
Du måste komma **före** klockan fem.	*You must come **before** five o'clock.*
Han satt **framför** mig på bion.	*He sat **in front of** me at the cinema.*

3 'Think'

The English verb *think* corresponds to three different verbs in Swedish. These verbs are rarely interchangeable.

a **Tycka** renders *think* when it means *to hold an opinion* or when it is a matter of *taste*:

Jag **tycker** vi ska börja med Stadshuset.	*I **think** we should start with the City Hall.*
John **tyckte** att Vasa var imponerande.	*John **thought** that Vasa was impressive.*
Åke **tycker** att modern konst är intressant.	*Åke **thinks** that modern art is interesting.*

b **Tänka** renders *think* when it means *ponder, use one's brain*. Note that *think of* is always translated by **tänka på**:

| Tänk först och handla sedan. | *Think before you act.* |
| Åke **tänker på** John. | *Åke **is thinking of** John.* |

c **Tro** renders *think* when it means *believe*, i.e. you cannot be sure, but you believe something:

| Jag **tror** att det blir vackert väder i morgon. | *I **think** it will be fine tomorrow (i.e. I cannot be sure).* |
| Vi **tror** på Gud. | *We **believe** in God.* |

4 'Interested in/Of interest to/An interest in'

The expression *interested in* (art, sport etc.) must be translated by **intresserad av (konst, sport** etc.):

Åke trodde att John var intresserad av miljön.	*Åke thought that John was interested in the environment.*

Of interest to or *an interest in* is translated by **intresse för**, unless it refers to having an economic interest (i.e. shares) in a company, in which case it is **intresse i**:

Den gamla damen fattade intresse för pojken.	*The old lady took an interest in the boy.*
Riksdagsledamöter måste tala om ifall de har intressen i de bolag som diskuteras.	*MPs must declare if they have an interest in the companies which are being discussed.*

5 Adjectives without endings

There are a number of adjectives which do not conform to the normal pattern with regard to endings. In this unit we have had **gyllene** and **medeltida**. These are typical of the adjectives which do not take any endings whatsoever, namely adjectives ending in -e, -a or -s (though those adjectives ending in -ös like **graciös** (*graceful*), **skandalös** (*scandalous*), **nervös** (*nervous*) do take normal adjective endings). Examples of indeclinable adjectives are:

a Adjectives ending in -e, among them all present participles and adjectives in the comparative form: **leende** (*smiling*), **främmande** (*foreign, strange*), **äldre** (*older*), **mindre** (*smaller*), **öde** (*deserted*), **ordinarie** (*regular*), **ense** (*agreed*).

b Adjectives ending in -a: **bra** (*good*), **extra**, **äkta** (*genuine*), **sakta** (*slow*), **stilla** (*peaceful*), **samma** (*(the) same*), **nästa** (*(the) next*), **förra** (*(the) last*), **nutida** (*present-day*), **dåtida** (*of that time*).

c Some adjectives ending in -s: **gratis** (*free of charge*), **stackars** (*poor*), **utrikes** (*foreign*), **gammaldags** (*old-fashioned*), **medelålders** (*middle-aged*).

Some odd – but common – adjectives without endings are: **fel** (*wrong*), **slut** (*finished*), **fjärran** (*faraway*).

6 Adjectives with variations of the normal endings

Other adjectives with minor variations to the regular pattern of endings are:

a Adjectives ending in a vowel in the basic form:

ny	**nytt**	nya	*new*
fri	**fritt**	fria	*free*
blå	**blått**	**blå/a**	*blue*

b Adjectives ending in a **vowel + tt** in the basic form:

lätt	**lätt**	lätta	*easy, light*
trött	**trött**	trötta	*tired*

c Adjectives ending in a **consonant + t** in the basic form:

intressant	**intressant**	intressanta	*interesting*
intelligent	**intelligent**	intelligenta	*intelligent*

d Adjectives ending in a **vowel + d** in the basic form:

god	**gott**	goda	*good*
röd	**rött**	röda	*red*

e Adjectives ending in a **consonant + d** in the basic form:

stängd	**stängt**	stängda	*closed*
berömd	**berömt**	berömda	*famous*

f Adjectives ending in **-ad** in the basic form:

älskad	**älskat**	**älskade**	*beloved*
öppnad	**öppnat**	**öppnade**	*opened*

g Adjectives ending in a **vowel + m** in the basic form:

dum	dumt	**dumma**	*silly*
tom	tomt	**tomma**	*empty*

h Adjectives ending in **-nn** in the basic form:

sann	**sant**	sanna	*true*
noggrann	**noggrant**	noggranna	*careful*

i Adjectives ending in **-el** or **-er** in the basic form:

enkel	enkelt	**enkla**	*simple*
vacker	vackert	**vackra**	*beautiful*

j Adjectives ending in **-en** in the basic form:

ledsen	**ledset**	**ledsna**	*sad*
mogen	**moget**	**mogna**	*mature, ripe*

k Adjectives containing -mm-:

| gammal | gammalt | **gamla** | *old* |

7 'Be careful with' – 'be afraid of'

Note the difference in meaning between **vara rädd om** (*be careful with, take care of*) and **vara rädd för** (*be afraid of*), for example:

Du borde vara **rädd**
   om din hälsa.
You ought to take care of your
health.

Är du **rädd för** spindlar?
Are you afraid of spiders?

8 Determinative pronouns

They look identical to the additional definite articles (**den, det, de**) but they are stressed and followed by adjectives in the **definite form** and nouns in the **indefinite form**. They are only used when the noun is followed by a relative clause which is essential to the understanding of the sentence, for example:

De industrier som
   förorenat vattnet får
   betala höga böter.
Those industries which have
polluted the water have
to pay (high) heavy fines.

De unga flickor som bantar
   hela tiden riskerar sin hälsa.
Those young girls who diet
all the time risk their health.

Övningar (*Exercises*)

1 Complete the text, using **före/framför, förr/förut/tidigare, innan, inte . . . förrän.**

. . . . jul är det skönt att sitta . . . . den öppna spisen och steka äpplen. . . . ., när man inte hade centralvärme, hade alla en öppen spis i huset. Det var . . . . på 1900-talet, som det blev vanligt med centralvärme. . . . . dess var det kallt i husen om vintern.

centralvärme (-n)   *central heating*   **dess**   here: *then*

2 Construct suitable questions, using **var** or **vart**, to which the following statements could be the answers.

Example: John är i Sverige. – **Var** är han?

a Robert och Jane bor i London.
b Marco Polo reste österut.
c John träffade Kerstin i Göteborg.
d De körde till sommarstugan.
e John ringde hem.
f Robert och Jane ska resa hem.

3 Answer the following questions, using **dit/där/hit/här**.
Example: Var är bilen? Den är **där**.

a Vart körde Åke och John? (*to there*)
b Var ligger staden? (*there*)
c Var är du? (*here*)
d Vart cyklar Lasse? (*to here*)
e Var står skidorna? (*there*)

4 Put the sentences in the right order to fit the pictures on the next page. Then insert the correct form of the place adverbs in the text. Choose from: **dit/där, fram/framme, hem/hemma, hit/här, in/inne, ner/nere, upp/uppe, ut/ute**. Some of the adverbs are used several times, others are not used.

a . . . . bor familjen Svensson.
b Åke åker hiss . . . . till tredje våningen.
c Han går . . . . i huset.
d Han går (*out*) . . . . i köket,
e Han häller (*up*) . . . . ett glas öl åt sig.
f och tar . . . . en öl ur kylskåpet.
g men John säger att han tycker om att vara . . . .
h Sedan sätter han sig . . . . och väntar på John.
i När John kommer tittar Åke . . . . Då står John redan
. . . . i rummet.
j Åke tänker att John kanske vill åka . . . . till London, för
. . . . är alla hans vänner,
k Han står (*in front*) . . . . vid fönstret och tittar . . . .
l Åke är på väg . . . . Det är kallt . . . . Han går fort, så
han är snart . . . .

Note: If you translated '*pours out*' as **häller ut** it would mean that Åke poured the beer down the drain – an awful waste!

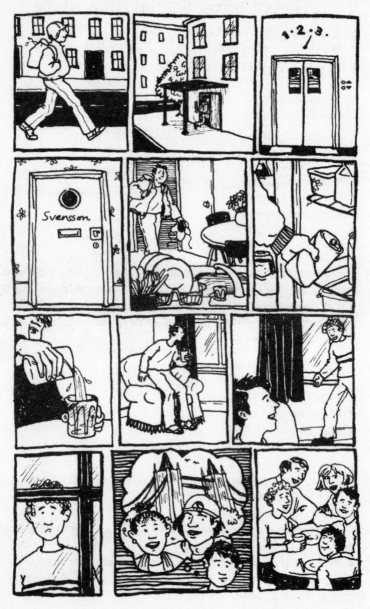

5 You are in Stockholm and you would like a night at the theatre. A Strindberg play is a must. Three Strindberg plays are advertised. Read the advertisements and answer the questions that follow.

a Vilka titlar har de tre Strindbergspjäserna?
b Vilken pjäs är den enda som du kan få biljetter till?
c Var spelas den här Strindbergspjäsen?
d Hur kan du köpa biljetter till den?
e Varför kan du inte få biljetter till de två andra föreställningarna?

DRAMATEN

KASSAN ÖPPEN I DAG 10.00-19.00
TEL. BEST. 10.00-18.00. BILJ. 08-667 06 80. FAX 08-667 84 00.
I AFTON SPELAR VI

DÖDSDANSEN
av August Strindberg
19.00-21.55 på Fyran
UTSÅLT

TEATER
Premiär Fordringsägaren
Strindbergssalen N.Bantorget
Bilj 200843 el. Boxoffice

marionetteatern
Brunnsg 6 vid Stureplan
**SPÖK
SONATEN**
På turne i Argentina:
Ikvall pa
Buenos Aires
Stadsteater kl. 21.00
Åter i Stockholm 3/9.

föreställning (-en, -ar)   *performance*   ᐵᐯ

6 Choose the correct word – **tycka/tänka/tro** – and the correct form of the chosen word to fill the gaps in the sentences.

🔊 **CD 2, TR 28**

a Man . . . . bäst på morgonen.
b Alla . . . . att John talar svenska flytande.
c Många . . . . att det alltid regnar i England.
d Åke . . . . att John skulle komma till Kungsträdgården.
e Vad . . . . du om smörgåsbordet?
f Ingen . . . . att Danmark skulle vinna fotbollsmatchen.
g Vad . . . . du på?

7 You decide you need some light relief after the Strindberg play. Three events have been recommended to you. Study the advertisements and answer the questions in English.

Shirley Valentine

NYPREMIÄR
av Willy Russell
Översättning **Gunilla Anderman**
Regi: **Björn Melander**
I rollen: **GUNILLA NYROOS**
"Suverän Shirley" Sundsvalls Tidn.
"Shirley Valentine
   en teaterpärla" Skånska Dagbl.
Spelas på
Mosebacke Etablissement
Måndagar kl 19.00
Bilj. tel 08-644 54 20, 641 90 20.
640 46 60 kl 10.00-17.00
Shirley Valentine
- en pärla!

JARLATEATERN
Kunsstensg. 2 (vid Jarlaplan)

Fågelhandlaren
Operett av Cari Zeller

**STOCKHOLMS
OPERETTENSEMBLE**
"En operett på rätt sätt" SvD
"Det är en stilfull, vacker uppsätt-
ning med hög ambitionsnivå,
som kännetecknar denna ensembles
arbete" Arbetet

SISTA VECKORNA!
Spelas fre–lör 19.30,
lör–sön 15.00
tis-ons-tors 13.00
Kassan öppen dagligen 10 – 18
Tel. 20 16 02, 20 19 02.

STOCKHOLMS OPERETTENSEMBLE
Operettfest

*En färgsprakande kavalkad
med operett, musikal och wienermelodier*

Anne-Lie Kinnunen	Mark Bartholdsson
Raymond Björling	Eva Magnusson
Ulrika Nilsson	Mattias Nilsson
Pontus Helander	Michael Schmidberger
Emil Dekov	Eva Norberg
Wilhelm Schaaf	Dansgruppen "Sweet Feet"

HALLWYLSKA PALATSETS GÅRD
HAMNGATAN 4

a Vad för slags föreställningar är de? (Dans, drama etc.)
b En av dem spelas bara en gång i veckan. Vilken är det?
c När spelas den och vem spelar huvudrollen?
d Du vill helst se den föreställningen. Hur kan du få biljetter till den?

8 Choose the appropriate preposition – **av/för/i** – to complete the sentences.

a Vad är du mest intresserad . . . ., film eller teater?
b Åke har fattat intresse . . . . miljön.
c Familjen Wallenberg har intressen . . . . många bolag.
d Flickorna är bara intresserade . . . . kläder.
e Artikeln är inte av något intresse . . . . mig.
f Mannen var av stort intresse . . . . polisen.

9 Complete the sentences with the correct form of the following adjectives: **dum/hård/ny/sann/medelålders/stackars/stängd/äkta.** Use each adjective only once.

a Den . . . . studenten hade inga pengar kvar.
b Jag behöver ett . . . . batteri till bilen.
c Hon fick ett halsband med . . . . pärlor.
d De fick svara på många . . . . frågor.
e Det gamla brödet var . . . .
f Han dansade med en . . . . dam.
g Det var ett . . . . ord.
h Kontoret var . . . . på söndagarna.

10 Complete the following dialogue.

◄» **CD 2, TR 29**

You	*(Ask where Historiska Museet is.)*
Flickan	Det ligger på Narvavägen på Östermalm.
You	*(Ask when it is open.)*
Flickan	Det är öppet tisdagar till söndagar från klockan 11 till 17 och på torsdagar också mellan klockan 17 och 20.
You	*(Ask what one can see there.)*
Flickan	Det finns saker där från stenåldern till slutet på medeltiden. Det finns också ett Guldrum. Det ligger längst ner i källaren. Där finns skatter i synnerhet från bronsåldern och vikingatiden. Du skulle se vad vikingarna tog med sig hem från sina långa resor.
You	*(Say: Then there might be things there from England, too.)*
Flickan	Det gör det nog, för England var mycket populärt bland vikingarna.
You	*(Say that you can understand that, but the Vikings were not as popular among the English.)*

stenåldern	*the Stone Age*	**skatt**	*treasure*
medeltiden	*the Middle Ages*	**(-en, -er)**	
		bronsåldern	*the Bronze Age*
källare (-n, -0)	*basement*		

Förstår du? (Do you understand?)

Alfred Nobel

Sverige har haft många uppfinnare och vetenskapsmän som har gjort landet känt i hela världen. Alfred Nobels många uppfinningar, av vilka dynamiten var den viktigaste, gjorde honom fantastiskt rik och berömd. Nobel var född i Stockholm av svenska föräldrar. När han var nio år gammal flyttade familjen till S:t Petersburg, som var huvudstad i Ryssland vid den tiden. Han bodde i flera länder efteråt och kom till slut att betrakta sig som världsmedborgare, men han gav aldrig upp sitt svenska medborgarskap, och svenska är också språket i det testamente som han skrev i Paris år 1895.

Han testamenterade största delen av sin förmögenhet till en stiftelse, och räntan på inkomsten från den stiftelsen skulle delas upp varje år i fem lika stora delar och fyra av dem delas ut till dem som har gjort sig mest förtjänta inom områdena litteratur, fysik, kemi och medicin.

Nobel instiftade också ett fredspris, vilket kan verka ironiskt eftersom dynamit spelat så stor roll i krigen, men han ville ha fred i världen. Fredspriset delas ut i Norge, medan de andra prisen delas ut i Stockholm den 10 december varje år i närvaro av kungaparet. Ett sjätte pris, i ekonomi, har tillkommit senare.

QUICK VOCAB

uppfinnare (-n, -0)	*inventor*	världsmedborgare (-n, -0)	*citizen of the world*
vetenskaps/man (--mannen, --män)	*scientist*	ge (-r, gav, givit) upp	*give up*
uppfinning (-en, -ar)	*invention*	medborgarskap (-et, -0)	*citizenship*
dynam*i*t (-en)	*dynamite*	testamente (-t, -n)	*will*
viktig	*important*	testamenter/a (-ar, -ade, -at)	*bequeath*
flytt/a (-ar, -ade, -at)	*move*	förmögenhet (-en, -er)	*wealth*
till slut	*in the end*	stiftelse (-n, -r)	*foundation*
betr*a*kt/a (-ar, -ade, -at) sig	*regard himself*	ränt/a (-an, -or)	*interest*
		inkomst (-en, -er)	*income*

delas upp	*be divided up*	**fredspris (-et, -0)**	*peace prize*
delas ut	*be shared out, awarded*	**verk/a (-ar, -ade, -at)**	*seem*
		ironisk	*ironic*
göra sig förtjänt	*distinguish oneself*	**krig (-et, -0)**	*war*
		i närvaro av	*in the presence of*
inom	*within, in*	**kungapar (-et, -0)**	*royal couple*
område (-t, -n)	*area*		
fysik (-en)	*physics*	**tillkomma**	*be added*
kemi (-n)	*chemistry*	**(tillkommer,**	
instift/a (-ar, -ade, -at)	*establish*	**tillkom, tillkommit)**	

Insight

The Nobel Peace Prize is handled by the Norwegians – Sweden and Norway were a double monarchy from 1814 to 1905, thus encompassing Alfred Nobel's entire lifespan (although he knew its capital as Kristiania, not Oslo).

Rätt eller fel? (*True or false?*)

a Alfred Nobel uppfann dynamiten.

b Nobel skrev sitt testamente på franska i Paris år 1895.

c Nobelpriset i litteratur är större än de andra prisen.

Ten things to remember

1 **Skatt** means both *tax* and *treasure*: **Den som fann Sierra Madres skatt fick betala skatt.**

2 **Gamla stan** (the Old Town) is the medieval part of Stockholm. **Stan = staden.**

3 As for time, note that *1 p.m.* is **13.00,** *9 p.m.* is **21.00,** etc. **12.10** is thus *ten minutes past noon,* **00.10** is *ten minutes past midnight.*

4 The equivalents of *a.m.* and *p.m.* are also used: **Klockan elva på förmiddagen** (kl. 11 f.m.), **klockan tre på eftermiddagen** (kl. 3 e.m.).

5 *Before* is either **innan** or **före**: **Du måste äta *innan* du går, du får inte gå *före* middagen.** However, this distinction between the conjunction **innan** and the preposition **före** is no longer strictly upheld in Swedish.

6 **Tänka** can also express an intention: **Vad tänker du göra i morgon?**

7 **Tänka om** (with the preposition stressed) means *re-think*, and **läsa om** means *re-read*.

8 Note adjectives in absolute comparative (where no comparison is intended): **En *äldre* man är inte alltid urgammal** (*extremely old*). **En *bättre* middag är inte alltid superb. En *större* summa pengar är inte alltid flera miljoner.**

9 The colour adjectives **blå** and **grå** have double plural forms, which are equally common: **Blå/a bilar, grå/a hus.**

10 Both **på** and **vid** can be used in relation to streets and squares: **NK (Nordiska Kompaniet**, a department store) **ligger på/vid Hamngatan, och Nobelmuseet på/vid Stortorget i Gamla Stan.**

15

···

Vilken linje ska jag ta?
Which line should I take?

In this unit you will learn:

- Phrases used about public transport and hiring a car
- How to express surprise
- How to express hesitation
- About the political scene

Samtal 1 *(Dialogue 1)*

◀) **CD 2, TR 30**

John is meeting Åke at Riksdagshuset but he doesn't know how to get there. He asks a man at S:t Eriksplan underground station for help.

John	Var snäll och tala om för mig vilken linje jag ska ta för att komma till Riksdagshuset!
Mannen	Det går bra att ta första tåg som kommer.
John	Var ska jag gå av?
Mannen	Vid Gamla stan eller T-centralen.
John	Finns det ingen hållplats vid Riksdagshuset?
Mannen	Nej, men det är inte alls långt att gå.
John	Måste jag byta tåg?
Mannen	Nej, alla tågen härifrån passerar de stationerna.

linje (-n, -r)	*line*	**byta tåg**	*change trains*
det går bra	*it is possible*	**passer/a (-ar,**	*pass*
att . . .	*to . . .*	**-ade, -at)**	
gå *av*	*get off*		

Rätt eller fel? (*True or false?*)

a John kan inte åka med tunnelbanan.

b Det finns ingen hållplats vid Riksdagshuset.

c Inga tunnelbanetåg från S:t Eriksplan passerar Gamla stan.

Samtal 2 (*Dialogue 2*)

John and Åke have met up at Riksdagshuset and are waiting for the guided tour.

John	Kan du berätta lite om den svenska riksdagen. Hur gammal är den?
Åke	Det är svårt att säga. Vikingarna hade ju sina ting, där alla fria män fick rösta, men man brukar räkna år 1435 som det år då den första svenska riksdagen sammankallades av den svenske frihetshjälten Engelbrekt. Det unika med den var att folket representerades av fyra stånd: adel, präster, borgare och bönder. I andra länder var det inte vanligt att bönder fick vara med och bestämma, men i Sverige hade bönderna en mycket stark ställning till långt in på 1900-talet.
John	Var de inte livegna?
Åke	Nej, de flesta svenska bönderna ägde sin jord.
John	Är det verkligen sant?
Åke	Ja, nu är de bara 2% av befolkningen, men de producerar mer än vad landet behöver, så överskottet exporteras.
John	När avskaffades ståndsriksdagen?
Åke	År 1866. Den ersattes med en två-kammarriksdag ungefär som i England, men år 1970 infördes en en-kammarriksdag.
John	Är det verkligen bättre?
Åke	De flesta tycker nog det.

berätt/a (-ar, -ade, -at)	*tell*	**frihetshjält/e (-en, -ar)**	*champion of liberty*
riksdag (-en, -ar)	*parliament*	**unik**	*unique*
ting (-et, -0)	(hist.) *thing, assembly*	**stånd (-et, -0)**	here: *estate*
		adel	*nobility*
röst/a (-ar, -ade, -at)	*vote*	**präster**	*clergy*
		borgare	*burghers*
sammankall/a (-ar, -ade, -at)	*summon*	**bönder**	*peasants*
		vanligt	*common, usual*

Rätt eller fel? (*True or false?*)

a Den svenska riksdagen är gammal.

b De flesta svenska bönder arbetade för andra.

c Sverige införde en två-kammarriksdag som i England år 1970.

Stockholm

Tunnelbanan You can travel throughout Stockholm county for a fairly modest sum by means of **tunnelbanan** (the underground), buses, local trains and trams on the same ticket for one hour. The entrances to the underground stations are marked with a blue T on a white background. If you buy *cash coupons* at the start of your journey there are no discounts available, so it is advisable to buy *discount coupons*. Pensioners and young people under 18 get them at a reduced price. They can also purchase *tourist cards* at a discount. These are valid either for 24 or 72 hours for an unlimited number of journeys on all **SL's (Storstockholms Lokaltrafik)** routes, throughout the whole of Greater Stockholm. The three-day card also includes free admission to some tourist attractions. Don't neglect to look at the world's longest art exhibition – the decorations in the underground stations in Stockholm!

Skansen The oldest open-air museum in the world, with approximately 140 old and charming buildings from all over Sweden, old crafts, an aquarium, a Nordic zoo, etc. A favourite place for Stockholmers.

Kultur The arts are well supported in Sweden, both by the people and the state. You have the opportunity to see first-class performances of operas, plays, ballets and concerts. Sweden has produced such opera stars as Jenny Lind, Jussi Björling, Birgit Nilsson and Elisabeth Söderström. Actors like Greta Garbo, Ingrid Bergman and Max von Sydow need no introduction, and when it comes to direction Ingmar Bergman was in a class of his own.

Folkparker There are also performances of a less elitist kind. Stockholm has 30 open-air stages for all kinds of popular events, such as pop concerts or fringe theatre performances. There is also a large number of **folkparker** all over the country. People go there to dance and to enjoy performances of various kinds. Popular singers, musicians and other artists tour the country during the summer, performing light-hearted comedies rather than serious theatre. They are very dear to the people of Sweden.

Så här säger man (What to say)

- enquire about things

Var snäll och tala om för mig . . .	*Please tell me . . .*
Kan du berätta lite om . . .?	*Can you tell me a little about . . .?*
Hur gammal/stor är . . .?	*How old/large is . . .?*

- express surprise

Är det verkligen sant?	*Is it really true?*
Säger du det!	*Is that so!*

- express uncertainty

Det är svårt att säga	*It's difficult to say.*
Är det inte besvärligt . . .?	*Isn't it difficult . . .?*
Är det verkligen bättre . . .?	*Is it really better . . .?*
Jag är inte så säker på det.	*I'm not so sure of that.*
Jag vet inte.	*I don't know.*

Grammatik (Language points)

1 Verbs ending in -s

The most important group of verbs ending in -s comprises the ordinary verbs that have an s added to their endings to express the passive voice.

Compare the two sentences:

Active voice	Tjuven stal **bilen**.	*The thief stole the car.*
	(subject) (object)	
Passive voice	**Bilen** stals av **tjuven**.	*The car was stolen by*
	(subject) (agent)	*the thief.*
	Bilen stals.	*The car was stolen.*

In the active voice, the subject is active and carries out the action that the verb describes. In the passive voice, the object of the active clause becomes the subject, and the active voice subject is not mentioned or, if the subject is known, the subject becomes the agent.

The preposition of the agent is **av** in Swedish (*by* in English). In Swedish there are three ways of expressing the passive voice. The -s passive is the most common. It is used both in the written and the spoken language, especially when the subject of the sentence is not known or it is not important to identify the person who carries out the action. In this unit we have had many examples of the -s passive, for example:

Riksdagen sammankallades av Engelbrekt.	*The parliament was summoned by Engelbrekt.*
Folket representeras av valda män och kvinnor.	*The people are represented by elected men and women.*
De små partierna släpps inte in i riksdagen.	*The small parties are not admitted into the parliament.*

Passive constructions are particularly common in instructions and notices:

Öppnas här!	*Open here!*
Bör tillagas inom 24 timmar.	*Should be cooked within 24 hours.*
Får ej vidröras!	*Must not be touched!*

A small number of verbs always end in -s. You have already met **fattas** in **det fattas ett glas** (*a glass is missing*) in Unit 8. Other such verbs are: **andas** (*breathe*), **finnas** (*be, exist*), **hoppas** (*hope*), **lyckas** (*succeed, manage*), **minnas** (*remember*), **skämmas** (*feel ashamed*), **trivas** (*be/feel happy*), **låtsas** (*pretend*).

A third group of verbs have an -s form which denotes reciprocal action, i.e. what two or more people do with or to each other:

De möttes i Paris.	*They met (each other) in Paris.*
Pojkarna slåss.	*The boys fight (with each other).*
De skildes.	*They parted (from each other).*

Normally – but not always – these verbs also have a form without the -s. Then the same thing can be expressed by the **verb + varandra**, for example:

De mötte varandra i Paris.   *They met (each other) in Paris.*
Pojkarna slår varandra.   *The boys fight (with each other).*

Other reciprocal verbs are: **hjälpas** åt (*help each other*), **kramas** (*hug*), **kyssas** (*kiss*), **ses** (*meet*), **träffas** (*meet*).

The -s forms are very simple to construct. You just add an -s to the other endings of the verb in the infinitive, past tense and supine. However, before adding the -s in the present tense you have to omit the -r in the -ar ending of the first conjugation verbs. In the second and fourth conjugations the -er is omitted. (In formal style, the e is kept, and only the -r is omitted.) In the third conjugation you omit the -r before adding the -s in the present tense. Study the table below.

Conjugation		Infinitive	Present	Past	Supine
I	bake	baka/**s**	baka/**s**	bakade/**s**	bakat/**s**
IIa	turn	vända/**s**	vänd/**s**	vände/**s**	vänt/**s**
IIb	fry	steka/**s**	stek/**s**	stekte/**s**	stekt/**s**
III	sew	sy/**s**	sy/**s**	sydde/**s**	sytt/**s**
IV	write	skriva/**s**	skriv/**s**	skrev/**s**	skrivit/**s**

Insight

Addressing people in the correct way used to be a complicated affair in Sweden, with a strict adherence to titles. If the title was not known one could always resort to passive verb forms, making the address impersonal: **Önskas det mera kaffe?** (*Is there a wish for more coffee?*).

2 Non-reflexive and reflexive possessives

In Unit 8 we looked at possessive adjectives and pronouns, and in the third person singular and plural it was mentioned that Swedish also has a reflexive form: **sin** in front of **en**- nouns, **sitt** in front of **ett**- nouns and **sina** in front of plural nouns.

In English, the sentence *he kissed his wife* is ambiguous. It could mean *he kissed his own wife,* which is all very well, but it could also mean *he kissed another man's wife,* which could give rise to serious trouble, even though grammatically it is not objectionable!

Like the other Scandinavian languages, Swedish has a subtle way of avoiding the risk of misunderstanding by using different words. **Hans, hennes, dess, deras** is used when the object belongs to some other person/s than the subject, whereas **sin, sitt, sina** means that the object is the subject's own.

Note that two conditions must be fulfilled when you use **sin/sitt/sina**:

- You can only use **sin/sitt/sina** in front of an object.
- The object must belong to the subject of that same clause.

From this it follows that you can never use **sin/sitt/sina** as part of the subject, however many words the subject consists of. Nor can you use **sin/sitt/sina** in front of an object if **det** is the subject of the clause (since **det** cannot own anything!), apart from in a few old idioms.

Note also that in abbreviated clauses without a subject it is the implied subject that counts. Study the examples below:

Lisa gick ut med **sin** hund.	*Lisa went out with her (own) dog.*
Lisa gick ut med **hennes** hund.	*Lisa went out with her (some other female's) dog.*
Han tycker om **sin** fru.	*He likes his (own) wife.*
Hans fru är vacker.	*His wife is beautiful (ambiguous).*

(*Note*: **Hans fru** is the subject, and there is no object in the clause.)

Lisa och Eva hatar **sina** läxor.	*Lisa and Eva hate their (own) homework.*
De tycker, att **deras** läxor är svåra.	*They think that their homework is difficult.*

(*Note*: **Deras läxor** is the subject of the subordinate clause.)

Det är **hans** far som har gett honom bilen.	*It is his father who has given him the car.*

(*Note*: **Det** is the subject of the clause.)

Han sa till henne att gå hem till **sin** mamma.	*He told her to go home to her (own) mum.*

(*Note*: The implied subject of the abbreviated clause is *she*. The full clause would be: *He told her that she should go home to her mum*.)

3 Adjectives referring to males ending in -e

When referring to a male the adjective in the definite form singular (i.e. after **den**) sometimes ends in **e** (instead of the usual **a**), as it always did in the past. Nowadays the -e ending is used in more formal style, but it is normal – and more polite – to use it when addressing men in letters, e.g. **Käre John** (*Dear John*). It is compulsory when you use adjectives in the singular used as nouns referring to a male person: **Karl den store** (*Charlemagne*), **den döde** (*the dead man*), **den gamle** (*the old man*).

If the adjective had an -a ending, it could only refer to a female. Thus, **den döda** could only mean *the dead woman*.

4 Adjectives used as nouns

It is much more common to use adjectives as nouns in Swedish than in English, where you normally have to add a word like *one*, *man*, or *thing* in the singular. However, in the plural it is common in both English and Swedish to omit the noun:

den döve	*the deaf man*
den döva	*the deaf woman*
Det sorgliga är att . . .	*The sad thing is that . . .*
Rosorna är vackra. Vill du ha den röda eller den vita?	*The roses are beautiful. Do you want the red one or the white one?*
de gamla	*the old*
de få	*the few*
de duktiga	*the clever ones*

5 Emphatic pronouns

The pronouns **själv/självt/själva** are only used for emphasis. Thus they could be omitted without any change to the meaning of the sentence. Note that they are **not** reflexive. As you saw earlier in Unit 10, grammar point 9, the reflexive pronouns are identical with the object pronouns, apart from in the third person singular and plural where Swedish has the special form **sig**. Look at the following examples:

Kungen delade (själv) ut priserna.	*The King handed out the prizes (himself).*
Barnet gjorde det (alldeles självt).	*The child did it (all by itself).*
Bönderna ägde (själva) sin jord.	*The peasants owned their land (themselves).*

Swedish also has the adjective **själv** which does not take any endings except when it refers to a male person in the singular, when it can have the optional form **själve**. The colloquial form **självaste** can be used about both males and females. Note that these adjectives precede a noun in the definite form:

Själva drottningen kom till invigningen.	*The Queen herself came to the inauguration.*
Själva idén var sund.	*The idea itself was sound.*
Själve kungen sköt älgen.	*The King himself shot the elk.*

Övningar (*Exercises*)

1 Here are some famous sights in Stockholm that you want to visit. You approach a Stockholmer for advice about how to get to the various places. The best view over Stockholm is from Kaknästornet, the tallest building in Scandinavia.

You	(*Ask politely how to get there from T-centralen.*)
Mannen	Ta buss nummer 69.
You	(*Ask what is the quickest way to get to Skansen from Norrmalmstorg.*)
Mannen	Ta spårvagnen. Den stannar just utanför Skansen.
You	(*Ask where Kulturhuset is.*)
Mannen	Det ligger vid Sergels torg, där glasobelisken står mitt på torget.
You	(*Ask what is the easiest way to get to Sergels torg from Kungsträdgården.*)
Mannen	Det är lättast att gå. Det tar bara fem minuter om man går Hamngatan rakt fram.
You	(*Ask how you can get to the theatre at Drottningholms slott.*)
Mannen	Ta båten från stadshuset. Man kan komma dit med tunnelbanan till Brommaplan och sedan buss, men det är mycket trevligare med båten.

T-centralen (tunnelbanecentralen)	*underground central station*
snabb (-t, -a)	*quick, fast*
spårvagn (-en, -ar)	*tram*

1 the Royal Palace at Stockholm   **2** the Drottningholm Court Theatre
3 the Kaknästornet   **4** the Sergel's Torg glass obelisk

2 You are interested in going to the Opera. You phone for information.

◀) **CD 2, TR 31**

You	(Ask which opera is on ('do you play').)
Kassörskan	Vi spelar Maskeradbalen, Un ballo in Maschera, av Verdi.
You	(Ask what the story is about (handlar om).)
Kassörskan	Den handlar om den svenske kungen Gustav III som blev skjuten här på operan i Stockholm år 1792.
You	(Ask when the opera starts and ends.)
Kassörskan	Den börjar klockan 19.30 och slutar 22.30.
You	(Ask for two tickets.)
Kassörskan	Tack. Det blir 500 kronor.
You	(Ask if you can pay by credit card.)
Kassörskan	Det går bra.

skjuten   *shot*

3 Mr Stacey has got a ticket to the famous Royal Opera. Study the ticket and answer the following questions in English.

  a Vilken opera och vilken dag har han fått biljett till?
  b När börjar föreställningen?
  c Vad kostar biljetten?
  d Var ska han sitta?
  e Vad händer om han kommer för sent?

dörr (-en, -ar)	*door*	**insläpp**	*admission*
parkett	*stalls*	**återlöses**	*is redeemed*
rad (-en, -er)	*row*	**plats (-en, -er)**	*place*

4 Insert the correct form of the most suitable -s verb in the sentences below. Make sure that you use the correct tense. Use the verbs below. To help you, the Roman numbers indicate the conjugations.

Example: (**vidröra, IIa**) De elektriska ledningarna får ej **vidröras**. (*The electric wires must not be touched.*)

förbruka, I (*consume*)   skämmas, IIa
hoppas, I   stryka, IV (*iron*)
kyssa, IIb   sy, III (*sew*)
lyckas, I   sälja, IV (*sell*)
minnas, IIa   vända, IIa (*turn*)
träffa, I

a Skjortan behöver ej . . . .
b Kotletterna måste . . . . efter halva tiden.
c Jag fick . . . . för jag kunde inte . . . . hans namn.
d De . . . . ofta när de gick i skolan.
e Cigaretter får ej . . . . till barn.
f Kläderna har . . . . i Indien.
g Medicinen bör . . . . före den 1.10.10.
h John . . . . att Åke skulle . . . . få biljetter.
i De . . . . när ingen såg dem.

5 Åke and John have been visiting one of Åke's friends at Stockholm University. They have decided to go to a tennis match at Globen Arena in Stockholm. John has been sent ahead to buy a strip of 20 discount coupons for the Underground, as their three-day Tourist cards have run out, and they have only one day left. Study the underground plan opposite and answer the questions that follow.

a Kan de åka direkt till Globen eller måste de byta tåg?
b Vid vilka stationer kan de byta tåg?
c Vilket är det tåg de måste ta först?
d Vilket är det tåg som går till Globen?
e SL har fem trafikzoner. Man behöver 2 kuponger per person för att resa i en zon, 3 kuponger för att resa i två zoner osv. Hur många kuponger per person måste pojkarna stämpla i biljettautomaten innan de går igenom spärren?

| stämpl/a (-ar, -ade, -at) | stamp | igenom | through |
| biljettautomat (-en, -er) | ticket machine | spärr (-en, -ar) | barrier |

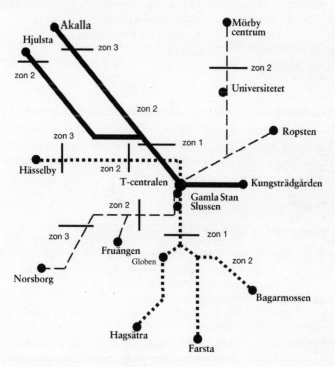

6 Complete the text using one of the following words: **hans/hennes/ deras/sin/sitt/sina.**

Åke lånade . . . . mors bil när han skulle åka för att hälsa på
. . . . . . vän Kerstin. . . . . mors bil är ganska gammal, men
. . . . mor tycker mycket om . . . . bil. Hon köpte den för
. . . . egna pengar, och den har varit . . . . stora förtjusning
(*delight*). Hon använder den varje dag när hon kör till . . . .
arbete och när hon kör pojkarna till . . . . idrottsklubb. Tyvärr
blev . . . . mors bil stulen. Åke vet inte hur han ska tala
om för . . . . mor att . . . . bil är stulen och att hon
förmodligen aldrig får se . . . . bil igen.

7 Complete the sentences with the correct form of the adjectives used as nouns. The first three refer to males and the last two to females.

◆) CD 2, TR 32

   a (blind) Den . . . . hade en hund med sig.
   b (rödhårig) Den . . . . kallades Erik Röde.
   c (yngst) Den . . . . fick jobbet.
   d (sjuk) Den . . . . blev sämre.
   e (liten) Den . . . . var den trevligaste.

8 You have been invited to spend the weekend with friends at their summerhouse at Dalarö by the coast southeast of Stockholm. You have decided to hire a car and drive yourself so you can see something of the countryside. You go to a **biluthyrningsfirma**. Complete your part of the dialogue.

◆) CD 2, TR 33

You	*(Greet the manager. Say you would like to hire a car.)*
Föreståndaren	Vill ni ha en liten, mellanstor eller stor bil?
You	*(Say that you would like a medium-sized car with automatic gears.)*
Föreståndaren	Hur länge vill ni ha bilen?
You	*(Say that you want it over the weekend and ask how much it is.)*
Föreståndaren	Då kan ni få en SAAB. Vi har specialpris för veckoslut. Den kostar 500 kronor. Kan jag få se körkortet och passet, tack.
You	*(Say: Here you are. Say you want comprehensive insurance and ask how much the deposit is.)*
Föreståndaren	Helförsäkring ingår i priset. Om ni betalar med kreditkort behöver ni inte betala någon deponeringsavgift.
You	*(Say: Thank you, that's all right.)*

automatlåda	*automatic gears*	**helförsäkring**	*comprehensive insurance*
helg/veckoslut	*weekend*	**deponeringsavgift**	*deposit*

Förstår du? (*Do you understand?*)

Sverige är en monarki, men kungen har inte längre någon makt. Han har bara ceremoniella funktioner. Han får inte delta i politiken. År 1979 bestämdes det att det äldsta barnet i kungafamiljen ska ärva tronen, så prinsessan Victoria kommer att efterträda kung Carl XVI Gustaf. Makten ligger hos riksdagen med dess 349 riksdagsledamöter.

Regeringen ska se till att vad riksdagen bestämmer blir gjort. Statsministern är ledare för regeringen. Folket kallas till riksdagsval den tredje söndagen i september vart fjärde år. Alla svenska medborgare över 18 år har rätt att rösta, och rösträtten utnyttjas vanligtvis av omkring 90% av befolkningen, ett mycket högt tal. Invandrare som har bott i Sverige i minst tre år får rösta i de lokala valen, men inte i riksdagsvalen förrän de blivit svenska medborgare.

Den första **ombudsmannen** utnämndes av riksdagen redan år 1809. Vem som helst kan vända sig till honom med ett klagomål. Han ska skydda individen mot orättvis behandling av någon statstjänsteman eller någon byråkratisk institution. Nuförtiden har Sverige många olika ombudsmän, t ex KO (Konsumentombudsmannen), PO (Pressombudsmannen), BO (Barnombudsmannen). Många länder har följt Sveriges exempel och utnämnt sina egna ombudsmän.

monarki (-n, -er)	*monarchy*	**riksdags/**	*member of*
makt (-en, -er)	*power*	**ledamot (-en,**	*parliament*
ceremoniella	*ceremonial*	**--ledamöter)**	
funktioner	*functions*	**regering (-en, -ar)**	*government*
del/ta(ga) (--tar,	*take part*	**stats/minister (-n,**	*prime*
--tog, --tagit)		**--ministrar)**	*minister*
politik (-en)	*politics,*	**ledare (-n, -0)**	*leader*
	policy	**val (-et, -0)**	*election*
ärv/a (-er, -de, -t)	*inherit*	**rätt att rösta**	*the right to*
tron (-en, -er)	*throne*		*vote*
efterträd/a (-er,	*succeed*	**utnyttj/a (-ar,**	*exercise*
-de, efterträtt)		**-ade, -at)**	

QUICK VOCAB

tal (-et, -0)	*number*	**indiv*i*d (-en, -er)**	*individual*
ombudsman	*representative*	**orättvis**	*unfair*
(-nen,	*of the*	**behandling**	*treatment*
ombudsmän)	*people*	**statstjänsteman**	*civil servant*
utnämn/a (-er,	*appoint*	**(-nen,**	
-de, -t)		**statstjänstemän)**	
vänd/a (-er, -e,	*turn to*	**nuförtiden**	*nowadays*
vänt) sig till		**konsument**	*consumer*
klagomål (-et, -0)	*complaint*	**(-en, -er)**	
skydd/a (-ar,	*protect*		
-ade, -at)			

Rätt eller fel? (*True or false?*)

a Kungen spelar en viktig roll i politiken.

b Sverige har riksdagsval vart fjärde år.

c Invandrare får rösta i de lokala valen efter tre år i Sverige.

d Ombudsmannen är en mycket modern institution.

Ten things to remember

1 Note that Swedish takes the singular, English the plural in the following expressions: **Måste jag *byta buss*** (*buses*)? **Behöver jag *byta plats*** (*places*)?

2 The preposition in *go by bus*, *go by train* is not used in Swedish: **åka buss, åka tåg.**

3 A small number of verbs have a passive form but an active meaning, among them **trivs** (*feel at home*) and **andas** (*breathe*): **Trivs du i Sverige? Andas djupt!**

4 Note the difference between reciprocal and reflexive verbs: **Pojkarna *slåss/slår varandra*** (*fight each other*), and **pojkarna *slår sig*** (*hurt themselves*).

5 The active verbs corresponding to **fattas, finnas, hoppas** mean something totally different: **fatta** (*grasp, i.e. both understand and seize*), **finna** (*find*), **hoppa** (*jump*).

6 Note also the difference in meaning between **sin** and **hans/hennes**: **Hon åkte på semester med *sin* man** (*her own husband*) – **hon åkte på semester med *hennes* man** (*some other woman's husband*).

7 Note that -e in **den blinde, den döve, den stumme** indicates a male, -a in **den blinda, den döva, den stumma** a female.

8 As in English, *blind*, *deaf* and *mute* are also used metaphorically: **Kärleken är blind, att tala för döva öron, han var stum av häpnad** (*astonishment*).

9 **Jag bor själv** is a new idiom for **Jag bor ensam** (*alone, on my own*).

10 *To rent* (hire) *a car* is **att** *hyra* **bil**. *To let a flat to a tenant* is **att** *hyra ut* **en våning till en hyresgäst**.

16

Vad är det för fel på er?
What's the matter?

In this unit you will learn:

- How to describe symptoms of illnesses and ailments
- How to persuade somebody to do something
- How to promise to do something
- How to express indifference

Samtal 1 (*Dialogue 1*)

◆ CD 2, TR 34

John has got an upset stomach while in Stockholm. Åke takes him to a **vårdcentral** (*health centre*). The doctor's secretary asks for his **personnummer** (*social security number*) and his **patientkort** (*patient's card*). As he is British he hasn't got any of these, but he does have his passport and his European Health Insurance Card, so he is all right.

The doctor comes in and examines John's tummy. John uses the formal address for 'you'.

Doktor Ek	Har ni eller har ni haft någon allvarlig sjukdom?
John	Nej då, bara mässlingen för länge sedan.
Doktor Ek	Gör det ont?
John	Inte särskilt.

Doktor Ek	Det är i varje fall inte blindtarmsinflammation. Det är nog något ni har ätit. När började ni må illa?
John	Igår kväll, ett par timmar efter middagen. Jag är också lös i magen.
Doktor Ek	Vad åt ni?
John	Fisk och glass till efterrätt.
Doktor Ek	I den här värmen blir maten skämd mycket fort. Ta det här receptet till apoteket. Ta två teskedar av medicinen tre gånger om dagen och drick mycket, men inget sött och ingen mjölk. Kom ihåg, högst åtta teskedar om dygnet – det är farligt att överskrida dosen.
John	Tack så mycket.

Rätt eller fel? (*True or false?*)

a Doktorn tror att John har blindtarmsinflammation.
b John fick ont i magen några timmar efter middagen igår kväll.
c Mat blir fort skämd när det är varmt väder.

Samtal 2 (*Dialogue 2*)

◄) CD 2, TR 35

Ulla is unwell and Anders is concerned.

Anders	Är du sjuk? Du ser blek ut.
Ulla	Usch, ja. Jag mår så illa.

Anders	Gå till sängs och ta temperaturen så ska jag laga frukost åt dig.
Ulla	Tack, men jag bryr mig inte om någon frukost. Jag vill bara ha något att dricka ... O, jag har 39,2 i feber!
Anders	Jag ringde efter doktorn. Han är upptagen just nu, men han kommer om ett par timmar.

After a couple of hours, the doctor arrives.

Doktorn	Goddag, fru Svensson. Vad är det för fel på er?
Ulla	Jag har en förfärlig huvudvärk och det värker i hela kroppen. Jag har hosta och ont i halsen också.
Doktorn	Jag måste lyssna på lungorna och titta i halsen. Säg ah!
Ulla	Aaah.
Doktorn	Det är inte lunginflammation. Det är nog inte så farligt. Ni har influensa, som så många andra just nu. Det går över om några dagar. Ta de här tabletterna fyra gånger om dagen. De ska lösas i ett glas kallt vatten. Här är lite hostmedicin också. Kom till min mottagning om en vecka.
Ulla	Tack, doktorn.

sjuk (-t, -a)	*ill*	**huvudvärk (-en)**	*headache*
blek (-t, -a)	*pale*	**det värker i hela**	*my whole*
usch	*ugh, ooh*	**kroppen**	*body aches*
jag mår så *i***lla**	*I feel so sick*	**hosta (-n)**	*cough*
gå till sängs	*go to bed*	**ont i halsen**	*a sore throat*
ta temperatu-	*take one's*	**lyssn/a (-ar,**	*listen*
ren	*temperature*	**-ade, -at)**	
laga frukost	*make breakfast*	**lung/a (-an, -or)**	*lung*
jag bryr mig	*I don't feel like*	**hals (-en, -ar)**	*throat*
inte om ...	(lit. care	**lunginflamma-**	*pneumonia*
	about) ...	**tion (-en, -er)**	
feber (-n)	*fever*	**influensa (-n)**	*flu*
upptagen	*busy, engaged*	**gå över**	*pass*
Vad är det för	*what's the*	**tablett (-en, -er)**	*tablet*
fel på er?	*matter?*	**lös/a (-er, -te, -t)**	*dissolve*
förfärlig	*terrible*	**mottagning**	*surgery*
		(-en, -ar)	

246

Rätt eller fel? (*True or false?*)

a Ulla vill inte äta frukost.

b Doktorn kommer genast.

c Doktorn tror, att Ulla snart blir bra igen.

Samtal 3 (*Dialogue 3*)

Lasse has suddenly got a bad toothache. Ulla takes him to the dentist.

Lasse	Aj, det gör ont!
Tandläkaren	Vill du att jag ska dra ut tanden?
Lasse	Det gör detsamma.
Tandläkaren	Å nej, vi ska nog försöka rädda den. Men du borde sluta att äta så mycket godis, och du skulle borsta tänderna lite noggrannare. De tänder som du vill behålla måste du borsta extra noggrant.
Lasse	Jag lovar att borsta alla tänderna varje dag, och jag ska aldrig mera äta godis.

aj!	*ow! ouch!*	**rädd/a (-ar, -ade, -at)**	*save*
det gör ont	*it hurts*	**godis (-et)**	*sweets*
dra (-r, drog, dragit) ut	*extract*	**borst/a (-ar, -ade, -at)**	*brush*
tand (-en, tänder)	*tooth*	**noggrann (noggrant, noggranna)**	*careful*
det gör detsamma	*it doesn't matter, I don't care*	**behåll/a (-er, behöll, behållit)**	*keep*
		lov/a (-ar, -ade, -at)	*promise*

Rätt eller fel? (*True or false?*)

a Lasse bryr sig inte om om tandläkaren drar ut tanden.

b Tandläkaren vill inte rädda tanden.

c Lasse lovar att aldrig mera äta godis.

Illness and injury

If you are taken ill in Sweden and are a British subject resident in the UK, you will be entitled to the same medical facilities as the Swedes. However, this agreement does not apply to citizens of the USA or the

Commonwealth countries with the exception of Australia, so you should check your insurance cover before leaving home. If you are going to work in Sweden, you should check with **Försäkringskassan** (the Swedish National Health Service).

Hospital in-patient treatment is free, including medicines, and so is dental treatment for children. But if you have to visit a doctor, make sure that the doctor is affiliated to **Försäkringskassan**. You can also go to the casualty ward at the hospital, the **Akutmottagning**, or **Vårdcentralen** (Health Centre). Don't forget your passport and your European Health Insurance Card so that the doctor can recover the fee from **Försäkringskassan**.

The British Department of Health cannot refund any medical costs incurred abroad, so medical insurance is advisable.

Apotek Pharmacies or chemists' are called **Apotek**. They dispense prescriptions and stock over-the-counter medicines though nowadays you can get headache tablets etc, in supermarkets or other shops.

The welfare system

Swedes enjoy a social welfare system, **Välfärdsstaten,** that stretches from the cradle to the grave. When a baby is born, the parents are entitled to share a total of 480 days' paid leave from work, and it is the parents – not the employer – who decide who should take the leave. Thus the parents could decide to take eight months each, either together or consecutively, or both parents stay at home with the baby for the first three months and then the mother or the father looks after the baby for the remaining months. The greater part of the costs of medical care and prescribed medicines is subsidized by the state. Old-age pensions are indexed to the cost of living. Average life expectancy is high and rising, about 79 years for men and 84 for women.

Så här säger man (*What to say*)

- describe illnesses and ailments

Jag har ont i huvudet/ryggen.   *I've a pain in my head/back.*
Jag har tandvärk/öronvärk.   *I've got toothache/earache.*

Det gör ont i benet.	*My leg hurts.*
Det värker i ryggen.	*My back aches.*
Jag är förkyld.	*I've got a cold.*

- persuade somebody to do something

Du skulle borsta tänderna noggrannare.	*You should brush your teeth more carefully.*
Du borde sluta äta godis.	*You ought to stop eating sweets.*

- promise to do something

Jag lovar att aldrig äta godis.	*I promise never to eat sweets.*
Jag lovar att sluta röka.	*I promise to stop smoking.*

- express indifference

Jag bryr mig inte om . . .	*I don't care about . . .*
Det gör detsamma.	*It doesn't matter.*

Some common phrases:

Jag har feber.	*I have a fever.*
Jag känner mig frisk/sjuk/yr/matt.	*I feel well/ill/dizzy/faint.*
Jag har högt/lågt blodtryck.	*I have high/low blood pressure.*
Jag är allergisk mot fisk/ost/nötter.	*I am allergic to fish/cheese/nuts.*
Han är medvetslös.	*He is unconscious.*
Hon blöder.	*She is bleeding.*

Some illnesses and ailments not mentioned in the dialogues are: **förkylning** (*cold*), **halsfluss** (*tonsillitis*), **migrän** (*migraine*), **hösnuva** (*hayfever*), **sockersjuka** (*diabetes*), **hjärtattack** (*heart attack*), **hjärnblödning** (*stroke*).

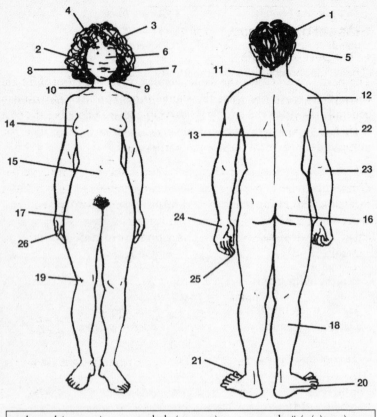

1	huvud (-et, -en)	10	hals (-en, -ar)	19	knä (- (e)t, -n)
2	ansikte (-t, -n)	11	nack/e (-en, -ar)	20	fot (-en, fötter)
3	pann/a (-an, -or)	12	axel (-n, axlar)	21	tå (-n, -r)
4	ög/a (-at, -on)	13	rygg (-en, -ar)	22	arm (-en, -ar)
5	ör/a (-at, -on)	14	bröst (-et, -0)	23	armbåg/e (-en, -ar)
6	näs/a (-an, -or)	15	mag/e (-en, -ar)	24	hand (-en, händer)
7	mun (-nen, -nar)	16	stjärt (-en, -ar)	25	finger (fingret,
8	kind (-en, -er)	17	höft (-en, -er)		fingrar)
9	hak/a (-an, -or)	18	ben (-et, -0)	26	tumm/e (-en, -ar)

Note: The word **ben** denotes both *leg* and *bone*, but it is always obvious from the context what the word means. **Bröst** denotes *chest* and *breast*. About women, **bröstet** refers to 'the chest', **brösten** to the breasts. **Hals** denotes *throat* (inside and outside) and **nacke** denotes *nape of the neck*.

Grammatik (*Language points*)

1 The past participle

The past participle has the same stem as the supine, but different endings. If you know what the supine form of a verb is, you can generally construct the basic past participle form. Therefore the past participle form is not mentioned in dictionaries or vocabularies, unless it deviates from the normal pattern.

Whereas the supine never changes its form, the past participle has different endings depending on which conjugation the verb belongs to. These endings change in a similar way to adjective endings, depending on whether the noun that it refers to is an **en-** word, an **ett-** word or a word in the plural or definite form. Study the table of endings below.

	Supine	Past Participles		
		en-words	**ett**-words	plural and def. forms
Conj.I				
baked	bak**at**	bak**ad**	bak**at**	bak**ade**
Conj.IIa				
burnt	brän**t**	brän**d**	brän**t**	brän**da**
Conj.IIb				
fried	stek**t**	stek**t**	stek**t**	stek**ta**
Conj.III				
believed	tro**tt**	tro**dd**	tro**tt**	tro**dda**
Conj.IV				
stolen	stul**it**	stul**en**	stul**et**	stul**na**

As you can see, it is only the plural and definite form of the first conjugation past participle that deviates by ending in an **e**. The other conjugations conform with the variations of the normal pattern for adjective endings. Look at the examples:

en bak**ad** kaka	den bak**ade** kakan	kakan är bak**ad**
ett bak**at** bröd	det bak**ade** brödet	brödet är bak**at**
bak**ade** kakor	de bak**ade** kakorna	kakorna är bak**ade**

en bränd kaka	den brända kakan	kakan är bränd
ett bränt bröd	det brända brödet	brödet är bränt
brända bröd	de brända bröden	bröden är brända
en stulen bil	den stulna bilen	bilen är stulen
ett stulet brev	det stulna brevet	brevet är stulet
stulna bilar	de stulna bilarna	bilarna är stulna

2 Compound verbs

A verb that has a syllable or another word attached to it is called a compound verb. These are of two kinds. Some are inseparable, e.g. those starting with **an-, be-, er-, för-, miss-, und-, van-,** for example: **be**tala (*pay*). Others are separable, i.e. the attached word can stand apart from the verb, e.g. känna *igen* (*recognize*). However, in the present participle and past participle forms the separable verbs become inseparable, for example:

Alla tycker **om** henne. *Everybody likes her.*
but
Hon är **om**tyckt. *She is well liked.*
Han blev **igen**känd. *He was recognized.*
ett **igen**kännande leende *a smile of recognition*

3 Passive voice formed with *bli* or *vara*

When talking about the -s passive in Unit 15, it was mentioned that there were two more ways of forming the passive voice in Swedish. For these the past participle is needed. As in English, the past participle can be used after a form of the verb *to be* to form the passive voice, for example:

Kotletten är grillad. *The chop is grilled.*

However, the passive form with **vara** + past participle is not very common in Swedish. It is only used when no action takes place. It denotes a state, a condition or the result of an action, but not the happening itself.

As far as meaning is concerned, both the -s passive and the passive with **bli** + past participle describe an action, i.e. denote a change.

The difference between passive with **bli** and passive with **vara** is clearly visible in the following example. In English the sentence *the* *car was stolen* is ambiguous. It can be translated into Swedish in two ways:

- **Bilen *blev* stulen när jag var i London.** (if it means that the theft occurred while I was away)
- **Bilen *var* stulen när jag kom hem.** (if it means that the theft had already occurred by the time I returned)

4 'Doctor' – 'hospital'

There are two words for *doctor*: **doktor** and **läkare** as in **läkarmottagning** (*doctor's surgery*), **läkarundersökning** (*doctor's examination*), **jourhavande läkare** (*doctor on call*). However, you always address the doctor as **doktorn** or **doktor** + his surname, e.g. **doktor Ek.** A **sjuksköterska** (*nurse*) – even an **avdelningsföreståndare** (*sister*) – is addressed as **syster** + her first name, e.g. **syster Karin.**

There are also two words for *hospital*, **sjukhus** and **lasarett**, both denoting *general hospital*. The old word **hospital** was only used about *mental hospitals* – nowadays called **mentalsjukhus** – so do make sure you end up in the right place should you have the misfortune to fall ill in Sweden!

5 Endings denoting females

There are some endings which always denote females: **-inna, -ska, -ös:**

kvinna	*woman*	studentska	*female student*
doktorinna	*doctor's wife*	skådespelerska	*actress*
kejsarinna	*empress*	städerska	*female cleaner*
lärarinna	*female teacher*	sångerska	*female singer*
författarinna	*female author*	sjuksköterska	*nurse*
väninna	*female friend*	damfrisörska	*ladies' hairdresser*
dansös	*female dancer*	massös	*masseuse*

These days it is not politically correct to use different words for males and females doing the same work, so a female teacher or author should be called **lärare** and **författare** respectively, though you will see the special female forms in texts written not too many years ago. A male nurse is called a **sjuksköterska.** Titles like **kejsarinna, hertiginna** (duchess) remain, but the words indicating wives of professional men are not used nowadays.

6 End article in Swedish – possessive adjective in English

A feature of the Scandinavian languages is that they use the definite form of nouns denoting parts of the body or clothing where English uses a possessive adjective, for example:

John har ont i magen.	*John has a pain in **his** stomach.*
Doktorn tittar i halsen.	*The doctor examines **her** throat.*
Han skakade på huvudet.	*He shook **his** head.*
Hon tappade näsduken.	*She lost **her** handkerchief.*
Han hade handen i fickan.	*He had **his** hand in **his** pocket.*

7 *Till* followed by words ending in -*s*

There are a number of set expressions with **till** where the following word always ends in -s. These are expressions which have survived from the past when *till* was followed by a genitive:

Gå/Ligga **till sängs**.	*Go to/Be in bed.*
Sitta **till bords**.	*Sit at the table.*
Gå **till sjöss/havs**.	*Go to sea.*
tillsammans	*together*

8 Interjections

Interjections are words that express strong emotion. Apart from the swear words the following groups are particularly common:

Expression of pain:	Aj!	
	Aj, det gör ont!	*Ow, that hurts!*
Expressions of surprise:	Oj! O!	*Oh dear!*
Expressions of pleasant surprise:	Å! O!	
	Å, så vackert!	*Oh, how nice!*
Expressions of disgust:	Usch! Fy! Hu!	
	Usch, så hemskt!	*Ugh, how awful!*

9 Expressions of repeated action

In expressions of frequency Swedish uses the preposition **om** without any equivalent in English in the following expressions denoting repeated actions:

en gång **om** dagen	*once a day*
fyra gånger **om** dygnet	*four times in 24 hours*
två gånger **om** året	*twice a year*

In all other expressions of repeated action the preposition **i** is used:

en gång **i** sekunden	*once a second*
tre gånger **i** timmen	*three times an hour*
sex gånger **i** månaden	*six times a month*

Övningar (*Exercises*)

1 What is wrong with the people in the pictures? Match the people with the illnesses and ailments overleaf!

a hosta
b huvudvärk
c mässling
d ont i magen

e tandvärk
f ont i ryggen
g öronvärk
h feber

2 Fill in the missing past participle in the sentences below. To help you, the numbers indicate the verb conjugation. Example: Den **hemlagade** maten var skämd. (*The home-made food had gone bad.*)

a (grilla, I) Den . . . . kycklingen var god.
b (steka, IIb) Det fanns bara . . . . korvar.
c (bränna, IIa) Vikingaskeppet blev . . . .
d (försvinna, IV) Polisen fann de . . . . . . barnen.
e (bebo, III) Robinson Crusoe kom till en o- . . . . ö.
f (förlova, I) Det . . . . paret ska snart gifta sig.
g (stänga, IIa) Han kunde inte öppna det . . . . fönstret.
h (köpa, IIb) De . . . . kläderna var dyra.
i (dricka, IV) Den . . . . mannen kunde inte stå upp.

3 Complete the sentences with the correct form of the words given in brackets.

◆) CD 2, TR 36

a (ansikte) Hon var röd i . . . .
b (skor) Sätt på dig . . . .
c (ben) Mannen bröt . . . . när han åkte skidor.
d (mun) Lasse stoppade chokladen i . . . .
e (hatt) Professorn glömde . . . .

4 The interjections in the following exclamations have been misplaced. Put them in their appropriate places.

a Fy, vad det var roligt!
b Usch, så snäll du är!
c O, vad det luktar illa!
d Oj, ett sådant tråkigt väder!
e Å, vad tjock (*fat*) jag har blivit!

5 Answer the questions, following the example.

◀ CD 2, TR 37

Example: (2/dygn) Hur ofta slår klockan 12? Två gånger om dygnet.

  a Hur ofta firar du jul? (1/år)
  b Hur ofta åker du skidor? (4/månad)
  c Hur ofta borstar du tänderna? (2/dag)
  d Hur ofta spelar han tennis? (6/vecka)
  e Hur ofta slår hjärtat? (80/minut)

6 You are in pain and you phone a doctor. Complete your part of the dialogue.

◀ CD 2, TR 38

You	(Say that your back is aching.)
Doktor Ek	Hur länge har ni haft ont i ryggen?
You	(Say that it started last night.)
Doktor Ek	Kan ni komma till min mottagning?
You	(Say that you cannot. You are in bed.)
Doktor Ek	Har ni feber?
You	(Say that you haven't got a temperature, but you cannot sleep because your back is aching so much.)
Doktor Ek	Kan jag få namn och adress?
You	(Say that you are Siv Eriksson, and you are living at Strandvägen 59, Malmö.)
Doktor Ek	Jag kommer om ungefär en timme.
You	(Say thank you to the doctor.)

Förstår du? (Do you understand?)

Carl Linnaeus

Carl von Linné, eller Carl Linnaeus som han hette före adlandet och som han fortfarande kallas utanför Sverige, är förmodligen den främste och internationellt mest berömde vetenskapsman som Sverige någonsin haft.

Han föddes år 1707 som son till en fattig präst i Småland. Han studerade medicin vid Lunds universitet. Redan år 1735 blev han berömd i hela Europa då han under en vistelse i Holland publicerade sin epokgörande skrift SYSTEMA NATURAE. Där ordnade han växterna i klasser och gav dem deras latinska namn, ett namn för släktet och ett för arten. Den första upplagan var bara 12 sidor lång, men den sista upplagan – den tolfte – var 2 300 sidor lång. Där har han gett namn åt och beskrivit omkring 15 000 växter, djur och mineraler. Ett L. efter en växts namn i en flora visar att Linnaeus gett växten dess namn. I Holland publicerade han också många andra skrifter, bl.a. sina iakttagelser från en resa i Lappland. De väckte stort uppseende i den akademiska världen.

32 år gammal grundade Linnaeus den Kungliga Svenska Vetenskapsakademien och han blev dess första president. Från 1744 till 1777 var han professor i medicin i Uppsala. Han fortsatte med sina forskningsresor till olika landskap i Sverige, och hans reseskildringar från dessa är mycket berömda. Han skickade också ut sina lärjungar över hela världen, till Kina, Japan, Arabien, Syd- och Nordamerika. Anders Sparrman och Daniel Solander var t.ex. med på James Cooks expeditioner, mer än 50 år före Darwins expedition på HMS Beagle.

'Den moderna botanikens fader', 'Den andre Adam' och 'Blomsterkungen' är några av de namn han har fått av eftervärlden, och en blomma, linnean (Linnaea borealis), har blivit uppkallad efter Linnaeus.

adlande (-t)	*raising to the nobility*	**epokgörande**	*epoch-making*
den	*the*	**skrift (-en, -er)**	*publication*
främste	*foremost*	**ordn/a**	*arrange*
någonsin	*ever*	**(-ar, -ade, -at)**	
präst (-en, -er)	*clergyman, parson*	**släkte**	*genus*
		(-t, -n)	*(genera)*
vistelse (-n, -r)	*stay*	**art (-en, -er)**	*species*
publicer/a	*publish*	**upplag/a**	*edition*
(-ar, -ade, -at)		**(-an, -or)**	

beskriv/a (-er, beskrev, beskrivit)	describe	grund/a (-ar, -ade, -at)	found
växt (-en, -er)	plant	forskningsres/a (-an, -or)	scientific expedition
mineral (-et, -0 or -(i)er)	mineral	reseskildring (-en, -ar)	travel account
bl.a. (bland annat)	among other things, inter alia	lärjung/e (-en, -ar)	disciple
iakttagelse (-n, -r)	observation	eftervärlden	posterity
		linne/a (-an, -or)	twinflower
uppseende (-t)	sensation	uppkallad efter	named after

QUICK VOCAB

Insight

As indicated by his Latinized name, Carl Linnaeus wrote most of his treatises in Latin, the lingua franca for the international scientific community, as did his contemporary, Emanuel Swedenborg. But his detailed observations from travels in different Swedish provinces were in Swedish, a model for the subsequent strong tradition of nature-writing in Swedish literature.

Rätt eller fel? (*True or false?*)

a Många tycker att Linnaeus är Sveriges främsta vetenskapsman.

b Linnaeus var professor i medicin.

c Linnaeus har fått sitt namn efter en blomma, linnean.

Ten things to remember

1 Att må illa means *to feel sick*; att inte må bra means *to feel unwell*. Man *mår illa* om man äter skämd mat. Man *mår inte bra* när man har ont i huvudet.

2 Att skämmas means *to feel ashamed*: att bli skämd means *to go off* (when talking about food): Han *skäms* för sin fula näsa. I augusti när det är varmt blir maten fort *skämd* eller rutten. Augusti kallas därför rötmånaden (*the dog days*).

3 Note that in Sweden the temperature is given in degrees centigrade (called Celsius, after the 18th-century Swedish chemist), not Fahrenheit: **När man *tar temperaturen* (tar tempen) ska man normalt ha 37 grader, men man får feber när man har influensa (flunsa).**

4 Note the Swedish for *You seem to have a fever/You look feverish*: **Du *ser ut att* ha feber, du ser febrig ut.**

5 As in English, necks and hearts can also be broken figuratively: **Han *bröt nacken* och dog. Hon körde *halsbrytande* fort** (*breakneck speed*). **De var så rädda att de hade *hjärtat i halsgropen*** (*had their hearts in their mouths*). **Hon dog av *brustet hjärta*.**

6 Note that **vrist** means *ankle*, **handled** means *wrist*, **armbandsur** means *wrist watch*.

7 A **professor** can be either a female or a male, while **professorska** (now obsolete) denotes the wife of a professor.

8 Another set phrase with **till** + a noun ending in -s is: **Den lilla katten sprang *till skogs* och kom aldrig tillbaka.**

9 Thanks to good daily practice as well as fluoride rinse and regular check-ups, younger Swedes have excellent teeth: **Använd tandborste och tandkräm efter varje måltid, säger tandläkaren.**

10 A popular word among Swedish children is **lördagsgodis**: **Svenska barn får ofta sin veckopeng** (*pocket money*) **på lördagar. Då köper de *lördagsgodis*** (and hopefully keep away from sweets on the other days of the week).

17

Har du lust att åka skidor?
Would you like to go skiing?

In this unit you will learn:

- How to make a telephone call
- How to ask what someone wants
- Phrases used in telegrams

Samtal 1 (Dialogue 1)

◀) **CD 2, TR 39**

John, out on business for Anders' firm, has been caught in a sudden snowstorm. He wants to telephone Anders at the office, but the battery in his mobile phone has run out. You can use your ordinary credit card in Swedish payphones – they no longer take coins to avoid being vandalized – but he has left his at home. He buys a **telefonkort** (telephone card) and inserts it in a payphone. He dials **riktnumret** (the code) and then the number to the office.

John	Hallå! Kan jag få anknytning 21, tack.
Växeln	Var god dröj. Numret är upptaget.
John	Jag väntar.
Anders	Anders Svensson.
John	Det är John. Jag har blivit insnöad, så jag blir försenad. Jag kan inte komma förrän vägen har blivit plogad.
Anders	Jaså. Det har snöat här också, men snöplogarna arbetar för fullt. Se till bara att du kommer så fort vägen blir klar, för du vill väl vara med och fira Lucia i morgon?
John	Ja, naturligtvis. Lucia vill jag absolut inte missa.

Anders	Då säger vi det. Hej så länge!
John	Hej då.

anknytning (-en, -ar)	*extension*	**jaså**	*really*
växeln	*the switchboard*	**snöplog (-en, -ar)**	*snow plough*
var god dröj	*please hold on*	**arbeta för fullt**	*work flat out*
upptaget	*engaged*	**se till bara**	*see to it*
det är John	*John speaking*	**absolut**	*definitely*
insnöad	*snowed in*	**miss/a (-ar, -ade, -at)**	*miss*
försenad	*late, delayed*		
plog/a (-ar, -ade, -at)	*clear (of snow)*	**då säger vi det**	*agreed*
		hej så länge!	*so long! bye!*

Rätt eller fel? (*True or false?*)

a Numret är ledigt.

b Det ligger så mycket snö på vägen så det är omöjligt att köra.

c John vill inte missa Lucia.

Samtal 2 (*Dialogue 2*)

◆) CD 2, TR 40

John receives a telephone call.

John	Hallå!
Kerstin	Hej! Det är Kerstin. Vi tänkte åka skidor i morgon. Har du lust att följa med?
John	Det skulle vara roligt, men det går nog inte.
Kerstin	Varför inte?
John	Därför att jag inte kan åka skidor.
Kerstin	Jaså, men det är inte alls svårt. Vi kan lära dig, och vi har skidor åt dig också. Det är klart att du ska åka skidor när du är i Sverige.
John	Jag får väl göra det då.
Kerstin	Det blir mörkt så tidigt vid den här tiden på året. Därför vill vi ge oss iväg strax efter nio så vi kan vara ute hela dagen. Det är så skönt att vara ute i friska luften.

John	Vill du att jag ska ta med någonting?
Kerstin	Kan du ta med några smörgåsar så vore det bra.
John	Det kan jag, men åka skidor kan jag inte. Ni kommer säkert att få mycket roligt. Vi ses i morgon bitti!

har du lust att ...?	do you feel like ...?, would you like to ...?
det skulle vara roligt	it would be fun
det går inte	it isn't possible
därför att	because
inte alls	not at all
det är klart att	of course

därför	that's why
ge oss iväg	set off
strax efter	soon after
hel	whole, all
skönt	nice
friska luften	open air
ta med	bring
smörgås (-en, -ar)	sandwich
vi ses!	see you!

Rätt eller fel? (*True or false?*)

a John frågar Kerstin om hon vill åka skidor.

b John vill lära Kerstin att åka skidor.

c John tror att de andra får mycket roligt i morgon.

Telegrams

The Svensson family receive a telegram from their married daughter Anne and her husband. The message is as follows:

> Jakob föddes klockan 0245 idag vikt 3,7 kg längd 55 cm allt väl Anne Håkan Annika.

vikt	*weight*	längd	*length*

Ulla and Anders reply with a **lyxtelegram** (greetings telegram). They choose Lx 4 which depicts a bunch of roses. This is the text:

> Hjärtliga lyckönskningar!
> Det ska bli roligt att se er och vårt nya barnbarn här i jul
> Ulla och Anders

Åke and Lasse choose to send a **postogram**. This costs about one tenth of the price of a telegram and looks like a greetings telegram but is delivered as a letter, unlike a telegram, which is delivered right away. Their message is as follows:

Grattis!
Ni fick vad ni ville
en fin liten kille
Morbror Åke och morbror Lasse

hjärtliga	*hearty*	**grattis!**	*congratula-*
lyckönskningar	*congratulat-*	(slang for)	*tions*
	ions	**gratulationer**	

Communications

The post office in Sweden only deals with mail, so for telephone, e-mail, faxes and telegrams ask at your hotel or go to the Tourist Office.

Posten The full name for a post office is **Postkontor**, but everybody calls it **Posten**. Post offices are indicated by a round yellow sign with a blue horn. Letterboxes are fixed to walls. They are yellow, except those for local mail, which are blue.

Insight

Like everywhere else, mobile phones are replacing landline ones in ever growing numbers, and telegrams are a thing of the past except for congratulations at weddings or jubilees. Until 1996, 90 000 was the number to call in distress. Now it is 112 in all EU member states.

Så här säger man *(What to say)*

- make a telephone call

Hallå!	*Hello!*
Var finns närmaste telefonkiosk?	*Where's the nearest telephone box?*
Har ni en telefonkatalog?	*Have you got a telephone directory?*

Kan jag få tala med . . . ?	*May I speak to . . . ?*
Det är jag Kerstin/John.	*This is Kerstin/John speaking.*
Vad är (rikt) numret till . . . ?	*What is the (code) number for . . . ?*
Kan jag få anknytning 21?	*May I have extension 21?*
Fel nummer	*Wrong number*

- ask what someone wants

Du vill väl vara med och . . . ?	*You want to take part in . . . , don't you?*
Vill du . . . ?	*Do you want to . . . ?*
Har du lust att . . . ?	*Do you feel like . . . ?*

Grammatik (*Language points*)

1 Joining clauses into one sentence

Please refer back to Units 1 and 5 for the basic rules about word order.

A sentence can have several clauses. *Jag har blivit insnöad* is a sentence. It is also a clause. *Jag blir försenad* is also a sentence or a clause. One can join two or more clauses into one sentence with the help of conjunctions, e.g. *Jag blir försenad, för jag har blivit insnöad.*

There are two kinds of conjunctions. Coordinating conjunctions – **och/samt** (*and*), **eller** (*or*), **för** (*as, because*), **men/utan** (*but*), **så** (*so*) – introduce main clauses. A main clause can stand alone. Coordinating conjunctions do not affect the word order:

Hon sitter **och** han står.   *She is sitting **and** he is standing.*

The subordinating conjunctions join subordinate clauses to main clauses. Subordinate clauses are groups of words which include a verb and form part of a sentence which must include a main clause. A subordinate clause cannot stand alone but is dependent on the main clause. Subordinate clauses always begin with a link word which can be:

a a relative pronoun or adverb (**som/vilken/vars/vad/där/dit**).
b an interrogative pronoun or adverb in indirect or reported speech
(**vem/vad/vilken/var/vart**).
c a subordinating conjunction.

The most common subordinating conjunctions are **att** (*that*), **då/när**
(*when*), **därför att** (*because*), **eftersom** (*as, since*), **fast/fastän** (*although*),
för att (*in order that*), **inte . . . förrän** (*not . . . until*), **innan** (*before*),
ju . . . desto (*the . . . the*), **medan** (*while*), **om** (*if*), **sedan** (*after*), **så** (*att*)
(*so that*), **tills** (*until*), **trots att** (*in spite of the fact that*), **än** (*than*).

All subordinate clauses have straight word order, i.e. the subject
comes before the verb:

John sa **att** han ville hjälpa   *John said **that** he wanted to*
Åke.   *help Åke.*

2 Word order in main clauses

No doubt you have noticed that the word order isn't always the same
in Swedish and in English. It is the main clauses which are different.
If something other than the subject or a coordinating conjunction
introduces a main clause, Swedish uses inverted word order, i.e. the
verb (or first verb, if there is more than one verb in the clause) comes
before the subject.

The words that cause the changed word order are: time, place and
cause adverbs, adverbial phrases and objects if they **introduce** a
main clause, or subordinate clauses if they **precede** a main clause.
Compare the sentences:

a De hyr en stuga i   *They rent a cottage in the*
skärgården på sommaren.   *archipelago in the summer.*
b På sommaren hyr de en   *In the summer they rent a*
stuga i skärgården.   *cottage in the archipelago.*
c I skärgården hyr de en   *In the archipelago they rent*
stuga på sommaren.   *a cottage in the summer.*
d En stuga hyr de i   *A cottage they rent in the*
skärgården på sommaren.   *archipelago in the summer.*
e Om de har råd, hyr de en   *If they can afford it, they'll rent*
stuga i skärgården på   *a cottage in the archipelago*
sommaren.   *in the summer.*

The first sentence has straight word order as it starts with the subject. All the following main clauses have inverted word order as they start with **b** a time adverb (**på sommaren**), **c** a place adverb (**i skärgården**), **d** the object (**en stuga**). In **e** the main clause has inverted word order as it is preceded by a subordinate clause (**Om de har råd**).

3 Inverted word order when *om* (*if*) is left out

Just as in English, the conditional conjunction **om** (*if*) is sometimes omitted. If that happens the word order in the subordinate clause is inverted, for example:

Om du kan ta med dig några smörgåsar vore det bra.	*If you can bring some sandwiches it would be good.*
Kan du ta med dig några smörgåsar /så/ vore det bra.	*Were you to bring some sandwiches it would be good.*
Om jag vore rik skulle jag sluta arbeta.	*If I were rich I would stop working.*
Vore jag rik skulle jag sluta arbeta.	*Were I rich I would stop working.*

4 Obligatory use of *som* in certain indirect questions

If **vem, vilken** or **vad** introduces a subordinate clause, and there is no other subject in that clause, it must be followed by **som**:

Han frågade **vem som** ringde.	*He asked who phoned.*
Hon undrade **vad som** var bäst.	*She wondered what was best.*

but

Han frågade **vem hon** ringde till.	*He asked who she phoned.*
Hon undrade **vad han** ville.	*She wondered what he wanted.*

5 *Jaså* – a very useful word

Jaså is a word which can express just about anything from mild surprise to disgust or scorn – it all depends on how you say it. The most common translations of it are *Oh, indeed, really, is that so, you don't say!* Often it is used merely to give the speaker time to think out what to say next.

6 Explaining *why*

Därför renders *that's why*. It introduces a main clause with inverted word order. **Därför att** answers the question *why* and renders *because, as, since*. It introduces a subordinate clause so the word order is straight:

Det blir mörkt tidigt. **Därför**   *It gets dark early. That's why*
vill vi ge oss iväg tidigt.   *we want to set off early.*
Det går inte **därför att** jag   *It isn't possible because*
inte kan åka skidor.   *I cannot ski.*

7 Translating *teach* and *learn*

If **lära** is followed by a reflexive pronoun in Swedish it is translated by *learn*, but if it is followed by an object it is translated by *teach*:

John lärde sig att åka skidor.   *John learnt to ski.*
De lärde John att åka skidor.   *They taught John to ski.*

8 Some difficult words

Note that the words **hela, halva, förra, båda** are followed by a noun in the definite form, but contrary to the normal rules there is no additional definite article in front of them:

hela dagen   *the whole day/all day*
halva dagen   *half the day*
förra året   *last year*
båda åren   *both years*

9 The most common prepositions

You have already met most of the Swedish prepositions. The most common prepositions are: **av** (*of/by/with*), **efter** (*after*), **framför** (*in front of*), **från** (*from*), **för** (*for*), **för . . . sedan** (*ago*), **genom** (*through*), **hos** (*at/at the home of*), **i** (*in/on*), **innanför** (*inside*), **med** (*with/by*), **om** (*about/in*), **på** (*on/in/at*), **till** (*to/for*), **under** (*under/during/for*), **utan** (*without*), **vid** (*at/by/on*), **över** (*over/above/across*).

English and Swedish prepositions do not always correspond to each other, so it is important that you pay particular attention to those expressions where the usage differs.

Study the drawing illustrating the use of some common prepositions.

bakom framför bredvid ovanpå

ovanför/över inuti/inne i utanför nedanför/under

10 Place names treated as neuters

Note that the neuter form of adjectives is used when referring to names of towns, provinces, countries and continents, for example:

Stockholm är vackert.	*Stockholm is beautiful.*
Sverige är långt.	*Sweden is long.*
Afrika är rikt på mineraler.	*Africa is rich in minerals.*

But **Stockhom är en vacker stad** as **vacker** refers to **en stad** here.

Övningar (*Exercises*)

1 The following telegrams have been sent by six different people. Work out the relationship between the people who have sent

and those who have received the telegrams, and link the telegrams to the senders.

a Erik Johansson Restaurang Belle Avenue – 400 72 Göteborg
'Hjärtliga gratulationer på födelsedagen John'

b Familjen Svensson Storgatan 7A – 421 84 Göteborg
'Anländer med familjen julafton möt 1120 SK522 Anne'

c Direktör Anders Svensson AB Svensson & Co Hamngatan 23 – 426 02 Göteborg
'Beklagar resan inställd familjeskäl Bengt Forsberg'

d Eva Lindström Odengatan 56 – 113 31 Stockholm
'Försenad bilolycka ingen skadad anländer torsdag Gunnar'

e Inga Andersson Parkgatan 75 – Norrköping
'Förlorat plånboken behöver pengar genast tack Sven'

f Bengt Forsberg Bergsgatan 32 Kiruna
'Kom far allvarligt sjuk Maria'

beklagar	*regret*	**förlorat**	*lost*
inställd	*cancelled*	**plånbok (-en,**	*wallet*
familjeskäl	*personal reasons*	**plånböcker)**	

i En dotter till föräldrarna och syskonen.
ii En syster till sin bror.
iii En affärsman till en annan affärsman.
iv En son till sin mor.
v En man till sin fru.
vi En anställd till en äldre kollega.

2 Combine the two clauses into one sentence by using one of the following conjunctions: **eftersom, fastän, innan, men, när, och, så.**

◆) **CD 2, TR 41**

a Han är lärare. Hon är kassörska.
b De har en katt. De har ingen hund.
c Hon har ingen bil. Hon åker tåg till arbetet.
d Lasse borstar tänderna. Han vill behålla dem.
e John stannar i Sverige. Han längtar hem.
f Lasse går ut med hunden. Han går till sängs.
g Ulla hör på radion. Hon lagar middagen.

3 Rewrite the following sentences, putting the words in bold first in the sentence. Make the necessary alterations to the word order.

◄) CD 2, TR 42

a Han cyklar till skolan **varje dag**.
b Min son bor i Italien **nu**.
c Pojkarna spelar **fotboll** på lördagarna.
d Han spelade tennis **under hela sin skoltid**.
e Man äter kräftor i augusti **i Sverige**.
f Jag kan köpa biljetter, **om du vill**.
g Han bodde i Sverige, **när han var barn**.

4 Complete the sentences below using **därför/därför att**.

a Jag tycker om att vara ute i friska luften. . . . . åker jag gärna skidor.
b Han gjorde arbetet . . . . han behövde pengar.
c Många kör bil till arbetet . . . . det är bekvämare.
d John var sjuk. . . . . gick han till doktorn.
e De vill åka till Sverige. . . . . lär de sig svenska.

5 Lasse has been too busy to tidy his room. Look at the picture overleaf and complete the sentences using one of the following prepositions: **i, innanför, inuti, nedanför, ovanför, ovanpå, på, under, utanför, vid**.

a Lasse ligger . . . . sängen.
b Kläderna ligger . . . . . . bordet.
c Kaffekoppen står . . . . stolen . . . . skrivbordet.
d Hunden ligger . . . . skrivbordet.
e Katten sitter . . . . fönstret.
f Fotbollen ligger . . . . bordet . . . . sängen.
g Böckerna ligger . . . . fönstret.
h Skorna står . . . . dörren.
i Väckarklockan står . . . . skåpet.
j Tavlan hänger upp och ned . . . . bokhyllan.

stol (-en, -ar)	*chair*	**upp och ned**	*upside down*
skrivbord (-et, -0)	*desk*	**bokhyll/a (-an,**	*bookshelves*
hänger	*hangs*	**-or)**	

QV

6 Now that Lasse has tidied his room, fill in the missing prepositions. Note that not all of the prepositions from the previous exercise can be used here, and some are needed more than once.

a Lasse sitter .... stolen .... skrivbordet.
b Kläderna hänger .... skåpet.
c Kaffekoppen står .... skåpet .... köket.
d Hunden ligger .... bordet.
e Katten sitter .... fönstret.
f Fotbollen ligger .... skåpet.
g Böckerna står .... bokhyllan.
h Skorna står .... skåpet.
i Väckarklockan står .... bordet .... sängen.
j Tavlan hänger rätt .... bokhyllan.

7 You have offered to go to Arlanda, Stockholm's airport, to meet two cousins from America. You have never met them, as your

aunt, their mother, emigrated to America before you were born. Your aunt is on the phone. Complete your part of the dialogue.

◀) **CD 2, TR 43**

Moster	Det var mycket snällt av dig att lova att möta Ann-Marie och Carl på flygplatsen.
You	*(Say that you think it will be so nice to meet your cousins. Carl is of course the same age as you, so you will probably get on very well.)*
Moster	Ja, ni har ungefär samma intressen. Han är mycket intresserad av sport, och han spelar fiol . . . och dataspel också, förstås.
You	*(Say: That sounds good, but what does he look like?)*
Moster	Han är mycket lång och smal. Han har ljust hår och blå ögon och glasögon. Folk säger att han är lik mig.
You	*(Say: Can you describe Ann-Marie as well?)*
Moster	Hon är två år yngre än Carl och ganska liten. Hon är inte tjock, men lite rundnätt. Hon har långt mörkt lockigt hår och bruna ögon som sin far. Hon spelar flöjt och är alltid på gott humör.
You	*(Say: Can you send a photo of them? Say that you are really looking forward to meeting them.)*

QUICK VOCAB

flygplats (-en, -er)	*airport*	**lång (-t -a)**	*tall*	
		smal (-t –a)	*slim*	
komma överens	*get on very well*	**glasögon (-en)**	*spectacles*	
		tjock (-t –a)	*fat*	
fiol (-en, -er)	*violin*	**rundnätt**	*short and plump*	
dataspel (-et, -0)	*computer game*			
		lockig (-t –a)	*curly*	
hur ser han ut?	*what does he look like?*	**flöjt (-en, -er)**	*flute*	
		på gott humör	*cheerful*	

Förstår du? *(Do you understand?)*

Sport och idrott (*Games and athletics*)

Sport och idrott är mycket populära fritidsaktiviteter i Sverige. Organiserad sport har funnits i Sverige i 200 år. Mer än två miljoner svenskar – nästan 25% av befolkningen – är medlemmar i någon idrottsklubb, och alla skolbarn har gymnastik och idrott på schemat.

Den svenska gymnastikens fader, Per Henrik Ling (1776–1839), utvecklade ett system av gymnastiska rörelser som användes både i Sverige och i andra länder.

Fotboll är den mest populära sporten, men ishockey, simning, bordtennis och orientering lockar också många. Ridning är särskilt populärt bland flickor. Eftersom Sverige har en så lång kust och många svenskar har båtar är det naturligt att segling är en vanlig sport. Omkring 500 båtar brukar delta i en kappsegling runt ön Gotland i Östersjön.

Ända sedan Björn Borg vann Wimbledon fem gånger i rad har tennis varit den sport som gjort Sverige mest känt utanför landets gränser.

Skidåkning är en massport i Sverige. Skolorna har sportlov i en vecka i februari så att alla barn och ungdomar ska få en chans att åka skidor.

Vasaloppet är Sveriges mest kända idrottsevenemang. Det äger rum den första söndagen i mars. Då åker 12 000 män och kvinnor skidor 85 km (53 miles) från Sälen i norra Dalarna till Mora i söder. Det första Vasaloppet ägde rum år 1922 till minne av Gustav Vasa som flydde den här vägen på skidor undan danskarna år 1521. Han blev övertalad att komma tillbaka och leda en bondearmé, som drev ut danskarna. Folket valde honom till kung och han kallas Landsfadern.

QUICK VOCAB

sport och idrott	*games and athletics*
fritidsaktivitet (-en, -er)	*leisure activity*
% (procent)	*per cent*
medlem (-men, -mar)	*member*
gymnastik (-en)	*gymnastics*
schema (-t, -n)	*timetable*
utveckl/a (-ar, -ade, -at)	*develop*
system (-et, -0)	*system*
rörelse (-n, -r)	*movement*
simning (-en)	*swimming*
bordtennis (-en)	*table tennis, ping-pong*
lock/a (-ar, -ade, -at)	*attract*
ridning (-en)	*horse riding*
kappsegling (-en, -ar)	*sailing race*
i rad	*running*
gräns (-en, -er)	*border*
massport (-en)	*sport for the masses*
sportlov (-et, -0)	*sports holiday*
Vasaloppet	*the Vasa ski race*
evenemang (-et, -0)	*great event*
äg/a (-er, -de, -t) rum	*take place*

till minne av	in memory of	led/a (-er, -de, lett)	lead
fly (-r, -dde,-tt)	flee	driv/a (-er, drev, drivit) ut	drive out
undan	away from		
övertal/a (-ar, -ade, -at)	persuade	Landsfadern	Father of the people

Rätt eller fel? (*True or false?*)

a Det har funnits organiserad sport i Sverige i 200 år.
b Den mest populära sporten i Sverige är tennis.
c Vasaloppet är en kappsegling.

Ten things to remember

1 Insnöad (*snowed in*) is also used when talking about people in a derogatory sense (*out of touch, lost*).
2 Note the expressions: **Han kom *för sent* och hon kom *för tidigt* men jag kom precis *i tid*** (*too late, too early, just in time*). **Att komma i tid = att vara punktlig.**
3 Note that *go skating* is åka skridskor: **När isen har lagt sig på sjön kan man *åka skridskor*** (*When the waters have frozen over one can skate/go skating*).
4 Note this idiomatic expression: **Jag känner mig *under isen*** (*under the weather*).
5 **Lära sig** means *to learn*, **lära ut** means *to teach*: **Jag lär mig spanska av en spanjor som är bra på att lära ut sitt språk.**
6 Note the translation of *I met her two years ago*: **Jag mötte henne *för* två år *sedan*.**
7 **Båda** and **bägge** are synonymous: **De har en dotter och en son. Båda/Bägge barnen är blonda och blåögda.**
8 **Under** translates either as *under or during*: **Hunden låg under skåpet under hela middagen. Det regnade under hela semestern.**
9 **Tycka om** means *think, have an opinion* (if the verb is stressed) or it means *like* (if the preposition is stressed): **Vad *tycker* du om filmen? Jag tycker *om* den.**
10 The opposite of **populär** is **impopulär**: **Höjda skatter är impopulära.**

18

God Jul!
Happy Christmas!

In this unit you will learn:

* Phrases used when writing letters
* About Swedish Christmas celebrations

Samtal 1 *(Dialogue 1)*

◄» **CD 2, TR 44**

John and Åke are talking about Christmas.

Åke	God Jul, John!
John	Tack, detsamma! Det är så vackert med stjärnorna och ljusen i alla fönster nu till jul. Förresten, får jag fråga dig hur ni firar jul?
Åke	Vår jul är lite annorlunda än den engelska. Du får ingen kalkon och plumpudding här. Vi har dopp i grytan på Lilla julafton, och på julafton har vi julbord med lutfisk, julskinka och risgrynsgröt, och mycket annat gott också. Sedan kommer jultomten med julklappar till 'alla snälla barn'. Förresten, det har kommit ett stort paket till dig, men du får inte packa upp det förrän på julafton.
John	O, det är bäst att du lämnar mig i fred, för jag har inte slagit in mina julklappar ännu, men du måste nog hjälpa mig med julrimmen.
Åke	Ta det lugnt! Julrimmen är ingen stor poesi, och det är många som inte bryr sig om rimmen nu för tiden.
John	När är julen slut?

Åke	Julen varar till tjugondag Knut. Då har vi barnkalas med julgransplundring då barnen äter upp allt som går att äta i granen. I julas gjorde Mamma och Lasse ett pepparkakshus. Det var en stor succé på julgransplundringen.		
John	Det låter gott.		
Åke	Det var gott. Julen är den bästa tiden på året!		

God Jul!	*Happy/Merry Christmas!*	**snäll**	*well-behaved*
tack, detsamma!	*the same to you!*	**paket (-et, -0)**	*parcel*
förresten	*by the way*	**pack/a (-ar, -ade, -at) upp**	*unpack*
stjärn/a (-an, -or)	*star*	**lämna mig i fred**	*leave me in peace*
ljus (-et, -0)	*light, candle*	**slå (-r, slog, slagit) in**	*wrap*
fönster (fönstret, fönster)	*window*	**julrim (-met, -0)**	*Christmas rhyme (on the presents)*
annorlunda	*different*		
kalkon (-en, -er)	*turkey*		
plumpudding (-en, -ar)	*Christmas pudding*	**ta det lugnt**	*take it easy*
dopp i grytan	*'dipping in the pot'*	**inte bryr sig om**	*don't bother about*
Lilla julafton	*December 23rd*	**tjugondag Knut**	*twenty days after Christmas*
julbord (-et, -0)	*Christmas buffet*		
lutfisk (-en)	*boiled ling*	**barnkalas (-et,-0)**	*children's party*
julskink/a (-an, -or)	*Christmas ham*	**julgransplundring (-en, -ar)**	*stripping of the Christmas tree*
risgrynsgröt (-en)	*(boiled) rice pudding*		
jultomt/e (-en, -ar)	*Father Christmas; Santa Claus*	**i julas**	*last Christmas*
julklapp (-en, -ar)	*Christmas present*	**pepparkakshus (-et, -0)**	*gingerbread house*
inte ännu	*not yet*	**succé (-n, -er)**	*success*

QUICK VOCAB

Rätt eller fel? (*True or false?*)

a Svenskarna äter alltid plumpudding till julmiddagen.
b I Sverige kommer jultomten på julafton.
c Julen varar i tjugo dagar i Sverige.

Brev (*Letters*)

John has been invited to Ingrid's wedding. By now he knows the family well. As it is a simple wedding at **Rådhuset** (the City Hall) and the dinner for close relatives and friends in her parents' house is informal, he writes an informal reply:

> *Göteborg den 3 oktober 2010*
>
> *Kära Barbro och Nils!*
>
> *Tack för er vänliga inbjudan till Ingrids och Bengts bröllop, och till middagen efteråt i ert hem. Det ska bli mycket roligt att få vara med.*
>
> *Många hälsningar*
>
> *John*

After John has returned home to England he writes a thank you letter to the Svensson family:

> *London den 30/10/10*
>
> *Kära Ulla och Anders!*
>
> *Varmt tack för allt ni gjorde för mig under hela året jag var i Sverige. Jag lärde mig mycket på firman, som jag har stor nytta av i mitt arbete. Jag fick också se så mycket av ert vackra land och jag har så fina upplevelser att tänka tillbaka på, men det bästa av allt var att få vara hos er – ni vet att jag tänker på er familj som mitt andra hem. Det blev ett år som jag aldrig ska glömma!*
>
> *Kära hälsningar!*
>
> *John*

He has also received an invitation to a formal dinner on the occasion of a senior colleague's 50th birthday. John finds that he will be out of the country on business, so he cannot attend. He writes the following letter:

2010.10.03

Bäste Erik!

Jag tackar för din vänliga inbjudan till middag

på restaurang Belle Avenue den 21/10. Tyvärr är

jag förhindrad att komma eftersom jag är i

Frankrike den veckan.

John Taylor

inbjudan	*invitation*	**nytta**	*use*	
bröllop	*wedding*	**upplevelse**	*experience*	QV
förhindrad	*prevented*			

Note: When dating letters, civil servants and business people nowadays use only numbers. Thus 100103 indicates that the letter was written on the 3rd of January 2010. They start with the year (10) then the month (01), and last is the day (03).

Christmas traditions

Jul Before Sweden was Christianized, Yule was a feast to celebrate the winter solstice. Modern-day Christmas customs are similar to those of other Western European countries, though the height of the celebrations is on Christmas Eve. However, the foods served are Swedish specialities.

Dopp i grytan Literally 'dipping in the pot'. The assembled family dip pieces of bread in the broth left over after boiling the ham. It is poor man's fare, an ancient tradition which is still very popular.

Lutfisk Literally 'lye fish'. This is dried ling that has to be soaked in lye and water, then boiled. You either love or hate it!

Julskinka Pride of place on **julbordet** (the special Christmas **smörgåsbord**) is taken by **julskinkan,** a whole ham boiled at home.

Risgrynsgröt The traditional dessert of rice pudding made with double cream and served with milk and cinnamon. There is an almond hidden in the pudding and it is said that whoever gets the almond is going to get married during the coming year.

Julklapp Father Christmas comes in person – while Dad just happens to be out – to deliver **julklapparna** to **'alla snälla barn'**.

Julrim It is – or was – the custom to write little verses on the presents, hinting at the contents of the parcels, and for the family to try to guess what is in each parcel.

Tjugondag Knut January 13th is the name day of **Knut** (Canute) in the Swedish calendar. It marks the end of the Christmas celebrations, when the children usually have a party and plunder the Christmas tree.

Så här säger man (*What to say*)

- start a letter

Älskade Frida!	*Beloved Frida,*
Kära Ulla!/Käre John!	*Dear Ulla,/Dear John,*
Bästa/Bäste vän!	*My dear friend,*
Bäste direktör Svensson!	*Dear Mr Svensson,*

- end a letter

Puss och kram!	*Hugs and kisses,*
Kära hälsningar!	*Love,*
Många hälsningar!	*Best wishes,*
Hjärtliga hälsningar!	*Kind regards,*
Med vänlig hälsning	*Yours sincerely,*
Högaktningsfullt	*Yours faithfully,*

Note that there is no equivalent in Swedish to *Dear Sir/Madam*. In business letters (unless you know the addressee's name, in which case you write as above), you start the letter without any introductory phrase.

Grammatik (*Language points*)

1 The 'wandering' adverbs

All the negations (**inte, aldrig, ej, icke**) and some adverbs, especially those which denote indefinite time (**alltid, bara, gärna, kanske, ofta, redan, snart**) change their place in the sentence depending on whether the clause is a main clause or a subordinate clause.

These adverbs are placed **after** the first verb in main clauses, but in subordinate clauses they are placed **before** the first verb:

Main clause   Jag åker **ofta** till Sverige.   *I **often** go to Sweden.*

                Han har **aldrig** varit   *He has **never** been*

                där.   *there.*

Sub. clause   Han frågade vem som **ofta** åker till Sverige.

               Han sa att han **aldrig** hade varit i Sverige.

Note that the negations **inte, icke, ej, aldrig** and the adverb **alltid** are placed between **att** and the infinitive:

Lasse lovade att **aldrig** äta godis igen.

Adverbs and adverbial phrases denoting definite time or place are placed either first or last in the sentence, but not together:

I Sverige snöar det på vintern.   *In Sweden it snows in the winter.*

På vintern snöar det i Sverige.   *In the winter it snows in Sweden.*

2 Transitive and intransitive verbs

Verbs which can take an object are called transitive verbs, e.g. **John skriver ett brev** (*John writes a letter*). Verbs which can never take an object are called intransitive verbs, e.g. **Hon rodnar** (*She blushes*). In English many verbs can be either transitive or intransitive e.g. *She burned the letter* (**Hon brände brevet**), *The house is burning* (**Huset brinner**). Swedish normally uses different, but related, verbs:

Transitive verbs		Intransitive verbs	
lay	lägg/a (-er, lade, lagt)	*lie*	ligg/a (-er, låg, legat)
put	ställ/a (-er, -de,-t)	*stand*	stå (-r, stod, stått)
put	sätt/a (-er, satte, satt)	*sit*	sitt/a (-er, satt, suttit)
burn	bränna, bränner, brände, bränt	*burn*	brinn/a (-er, brann, brunnit)

Note in particular the form **satt**, which is used both as the past tense of **sitta** and as the supine of **sätta**.

Ligga, stå, sitta are used when the subject of the clause 'lies', 'stands' or 'sits', i.e. is in a fixed position, whereas **lägga** is used when the object is put in a horizontal position, **ställa** when the object is put in a vertical position and **sätta** when it is put in the right place, for example:

Ulla ligger i sängen.	*Ulla is lying in bed.*
John står vid fönstret.	*John is standing by the window.*
Hatten sitter snett.	*The hat is askew.*
Han lägger brevet i lådan.	*He puts the letter in the drawer.*
Åke ställer boken på hyllan.	*Åke puts the book on the shelf.*
Hon sätter maten på bordet.	*She puts the food on the table.*

3 The ambiguous English verb *to ask*

The English verb *ask* is ambiguous. It can mean *to ask a question*, in which case it is translated into Swedish by **fråga,** or it can mean *to ask somebody to do something*, which is **be** in Swedish:

Han **frågade** vem hon var.	*He asked who she was.*
Hon **bad** honom köpa bröd.	*She asked him to buy bread.*

4 Prepositions in time expressions

When you talk about length of time, you use the preposition **i** in answer to the question *for how long?*:

Ulla låg till sängs (i) flera dagar.
Ulla lay in bed for several days.

In these expressions the preposition **i** could also be left out.

På is used about length of time + negation:

Ulla kunde **inte** gå till arbetet **på** flera dagar.	*Ulla couldn't go to work for several days.*

På is also used about length of time + completed action:

Han sprang maratonloppet **på** 3 timmar och 46 minuter.	*He ran the marathon in 3 hours 46 minutes.*

When you talk about a definite point in time, Swedish uses the following prepositions in answer to the question *when?*:

about future time

om + general time expression:	Terminen börjar **om** en vecka. *Term starts in a week.*

på + day of the week or parts of the day:	Hon kommer **på** tisdag. *She is coming on Tuesday.*
i + season:	Vi ska åka skidor **i** vinter. *We shall go skiing this winter.*
till + season + **-en**:	Vi ska hyra en stuga **till** sommaren. *We shall rent a cottage this summer.*
i + festival:	De ska gifta sig **i** pingst. *They are going to marry at Whitsun.*
till + festival + **-en**:	Farmor ska komma **till** julen. *Grandma is going to come at Christmas.*

about past time

för . . . sedan + general time expression:	Han kom **för** en vecka **sedan**. *He came a week ago.*
i + day of the week + **-s**:	Hon kom **i** fredags. *She came last Friday.*
på + day of the week + **-en**:	Det hände **på** måndagen. *It happened last Monday.*
i + season + **-as**:	De seglade **i** somras. *They sailed last summer.*
i + festival + **-as**:	Vi åkte skidor **i** påskas. *We went skiing last Easter.*

5 Packa, packa upp (Pack (up), unpack)

Note the difference in meaning between the Swedish and the English verbs in the following expressions:

Jag måste packa i kväll.	*I must pack (my bag) tonight.*
Han packade **upp** väskan.	*He unpacked his suitcase.*

Packa in renders *wrap up*.

6 Fred/frid (Peace)

When the English word *peace* denotes absence of war it is translated by **fred**, but if it denotes peace of mind it is translated by **frid**:

Alfred Nobel ville hjälpa till att skapa fred i världen.	*Alfred Nobel wished to help to create peace in the world.*
Julens budskap är 'frid på jorden'.	*The Christmas message is 'peace on earth'.*

7 Lov/ferier, semester (Holidays)

Holiday is translated by **lov** or **ferier** for all who are at schools, colleges or university. It corresponds roughly to *vacation*. For people in jobs the word **semester** is used.

Lasses jullov började den 22 december.	*Lasse's Christmas vacation started on 22 December.*
Vi vill åka till Grekland på semestern.	*We would like to go to Greece for our holiday.*

The main public holidays in Sweden are as follows. Note that banks, offices and shops are closed on the days given in bold, and usually close early on the preceding day.

Nyårsafton (New Year's Eve), **Nyårsdagen** (New Year's Day), Trettondagsafton (Twelfth Night), **Trettondagen** (Epiphany), Fastan (Lent), Skärtorsdagen (Maundy Thursday), **Långfredagen** (Good Friday), Påskafton (Easter Eve), **Påskdagen** (Easter Day), **Annandag Påsk** (Easter Monday), Valborgsmässoafton (Walpurgis Night, 30/4), **Första maj** (Labour Day), **Kristi Himmelsfärdsdag** (Ascension Day), Pingstafton (Whitsun Eve), **Pingstdagen** (Whitsunday), Annandag Pingst (Whit Monday), **Nationaldagen** (Sweden's National Day, 6/6), Midsommarafton (Midsummer Eve), **Midsommardagen** (Midsummer Day), **Allhelgonadagen** (All Saints' Day), Julafton (Christmas Eve), **Juldagen** (Christmas Day), **Annandag Jul** (Boxing Day).

The common seasonal greetings are:

Gott Nytt År!	*Happy New Year!*
Glad Påsk!	*Happy Easter!*
God Jul!	*Merry/Happy Christmas!*
God Fortsättning!	*May the New Year continue happily!*

Insight

The Swedish for *Good Friday* is **Långfredag**, reflecting the long suffering of Christ on the cross. In one of the plays by August Strindberg, *Påsk* (Easter), the painful passage through suffering and penitence to redemption is accompanied by Haydn's *The seven last words of Christ*.

Övningar (*Exercises*)

1 You have received a beautiful crystal bowl from a Swedish friend for Christmas. You telephone to thank her. Fill in your part of the conversation.

◀) CD 2, TR 45

Vännen	77 88 33 (sju, sju, åtta, åtta, tre, tre).
You	(*Say Merry Christmas and say you are Tony.*)
Vännen	Hej! Tack för den fina boken.
You	(*Say you want to thank her for the beautiful bowl.*)
Vännen	Det var roligt att du tyckte om den. Jag ville att du skulle ha ett minne från Sverige.
You	(*Say that you particularly liked the motif with the dance around the maypole and that you will always remember the dance on Midsummer Eve.*)
Vännen	Jag tyckte också att det var roligt, men jag hoppas att du kommer att använda skålen också. Du kan till exempel servera sallad i den.
You	(*Say that was a good idea. Ask what she is doing during the rest of the Christmas holiday.*)
Vännen	Vi ska åka upp till mormor i Jämtland över nyår. Där är det mycket snö, så vi kan åka skidor i en vecka.
You	(*Say you long to go skiing, too, but you have no snow. Wish her a Happy New Year and say Goodbye.*)

minne (-t -n)   *souvenir*   **längta efter**   *long to*

motiv (-et -0)   *motif*

2 The professor cannot find his things. Tell him where they are. Use one of the following verbs and insert it in the correct form: **ligga/ lägga; stå/ställa; sitta/sätta.**

◀) CD 2, TR 46

a Var är hans cykel? Den . . . . i garaget.

b Var är hans rock? Den . . . . på soffan.

c Var är hans skor? De . . . . vid dörren.

d Var är hans böcker? De . . . . på skrivbordet.

e Var är hans glasögon? De . . . . på näsan.

3 Using verbs from the same verb pairs as in the previous exercise, tell Lasse where to put the shopping.

   a .... grönsakerna i kylen (*fridge*)!
   b .... flaskorna på hyllan!
   c .... kaffet i skåpet!
   d .... kycklingen i frysen!
   e .... blommorna i vatten!

4 Insert **inte** in the correct place in the sentences below.

◀) CD 2, TR 47

   a Jag är gift.
   b Han sa att han var gift.
   c Det var hon, som ville gå.
   d Hon frågade, vad han tyckte om.
   e Mannen var full.
   f Åke frågade, om John ville åka hem.

5 Fill in the correct word, **be** or **fråga**, in the following sentences. Use the past tense.

◀) CD 2, TR 48

   a Åke .... Ulla att få låna bilen.
   b Han .... när föreställningen skulle börja.
   c Hon .... honom vänta till nästa jul.
   d Han .... vad hon gjorde i Sverige.
   e John .... om Åke ville hjälpa honom med julrimmen.

6 Choose the most appropriate time expression (**för . . . sedan, i, inte . . . . förrän, i påskas, i sommar, i somras, om, på**) for each of the sentences below.

   a Hon var i Italien .... en vecka.
   b John hade .... åkt skidor .... han kom till Sverige.
   c Affärerna stänger tidigt .... lördagarna.
   d De åt många ägg ....
   e Doktorn kommer .... eftermiddagen.
   f Bussen kommer .... en kvart.
   g Tåget gick .... en halvtimme ....
   h Vi ska resa till Sverige ....
   i Han vann Wimbledon ....

7 Here are some typical **julrim**. Match the rhymes with the presents.

  i choklad
  ii docka (*doll*)
  iii läppstift (*lipstick*)
  iv silkesstrumpor (*silk-stockings*)
  v parfym (*perfume*)
  vi tåg
  vii whisky

  a En liten flicka får du här,
    hoppas, hoppas hon blir dig kär!
  b Materialet har kommit ända ifrån Kina,
    för att pryda benen dina.
  c Du får inte äta allt på en gång,
    för då får du magont natten lång.
  d Här får du något rött,
    för att dina läppar ska le så sött.
  e En flaska till far,
    som från Skottland kommit har.
  f På golvet får du vara,
    när du med detta någonstans vill fara.
  g O, vad du ska lukta gott,
    när du några droppar från denna flaska fått!

pryd/a (-er, prydde, prytt) *adorn*   **golv (-et, -0)** *floor*   QV

Förstår du? (*Do you understand?*)

Lucia

Tidigt på morgonen den 13 december kommer Lucia, en flicka med långt ljust hår klädd i ett långt vitt linne med rött skärp och en krona med ljus på huvudet. Efter henne kommer hennes tärnor och stjärngossar, flickor i vita linnen med glitter i håret och pojkar, också i vita skjortor med långa spetsiga hattar med guldstjärnor på huvudet. De sjunger den välkända luciasången. I hemmen kommer Lucia med kaffe, pepparkakor och nybakade saffransbullar – som kallas lussekatter – och väcker far, som låtsas sova! På kvällen serverar Lucia ofta glögg.

Enligt den gamla kalendern var den 13 december årets längsta natt. Det var också det italienska helgonet S:ta Lucias dag. Hon firas knappast i Italien, och den svenska Lucia har mycket lite gemensamt med det italienska helgonet. Namnet Lucia kommer från det latinska ordet 'lux', som betyder ljus, och i Sverige firas Lucia som ljusdrottningen, en symbol för hoppet att ljuset ska komma tillbaka till jorden efter det långa vintermörkret.

Även om Lucia har firats på några ställen i västra Sverige ända sedan 1700-talet var det inte förrän på 1920-talet som man började fira Lucia allmänt över hela Sverige. Nu firas Lucia i praktiskt taget alla hem, i skolor och föreningar, på sjukhus och ålderdomshem, och varje stad brukar ha sin egen Lucia.

QUICK VOCAB

ljust hår	*fair hair*	glögg	*a heavily spiced*
skärp (-et, -0)	*sash*		*mulled wine*
ljus (-et, -0)	*candle*	kalender (-n,	*calendar*
tärn/a (-an,	*maid,*	kalendrar)	
-or)	*attendant*	helgon (-et, -0)	*saint*
stjärngoss/e	*'star boy'*	knappast	*hardly*
(-en, -ar)		gemensamt	*in common*
glitter	*tinsel*	med	*with*
(glittret)		symbol (-en, -er)	*symbol*
spetsig	*pointed*	hopp (-et)	*hope*
guldstjärn/a	*golden star*	jord (-en, -ar)	*earth*
(-an, -or)		allmänt	*generally,*
välkänd	*well-known*		*widely*
saffransbull/e	*saffron bun*	praktiskt taget	*practically*
(-en, -ar)		förening (-en, -ar)	*society, club*
lussekatt	*'Lucia cat'*	ålderdomshem	*old people's*
låtsas (låtsas,	*pretend*	(-met, -0)	*home*
låtsades,			
låtsats)			

Rätt eller fel? (*True or false?*)
a Den 13 december är årets längsta natt enligt den nya kalendern.
b I Sverige firas Lucia inte som en religiös fest.
c Lucia har firats i hela Sverige ända sedan 1700-talet.

Ten things to remember

1   On official documents, dates are stated in the following order: year, month and day (**2010-09-22**). In private correspondence, day, month and year is less bureaucratic: **22 september 2010**.

2   Swedish ID-numbers follow the same order: year, month and day of birth, plus four digits (the last of which is even for men, uneven for women): **440413-3912**.

3   Note that months and weekdays never take capital letters in Swedish.

4   Note that in main clauses, adverbs come after the first verb: **Jag såg aldrig bilen. Jag har aldrig sett bilen.**

5   Note that in subordinate clauses, the adverb comes before the first verb: **Han sade att han aldrig såg bilen. Han sade att han aldrig hade sett bilen.**

6   Note that in questions, the adverb comes after the first verb and subject: **Såg du aldrig bilen? Har du aldrig sett bilen?**

7   Transitive verbs can be followed by an object while intransitive ones cannot: **Hon lägger paketet på bordet – nu ligger det där. Han ställer sig vid väggen – nu står han där. Jag sätter mig på stolen – nu sitter jag där.**

8   Note that different prepositions indicate different times: **Vi åker alltid skidor *på vintern* (*in winter*). Vi åkte inte skidor**

i vintras (*in the past winter*) **för det fanns ingen snö. Vi ska åka skidor** *i vinter* (*in the coming winter*). **Vi simmar** *på sommaren*, **men inte** *i somras* **för det var för kallt.**

9 The preposition **till** can also be used to indicate that something will take place in the future: **Jag hoppas att det blir varmare** *till sommaren.*

10 Note that **Det var roligt att du tyckte om den** translates as *I am glad you liked it.*

Key to the exercises

Unit 1

True or false? **1** **a** F **b** T **c** F **2** **a** T **b** F **c** F
Exercises **1** **a** God morgon. **b** Goddag. **c** Adjö. **d** Hej. **e** Hej.
f God natt. **2** **a** Hon heter Jane. **b** Hon heter Jane. **c** Han heter
Anders. **d** Han heter Anders. **e** Han heter Lars. **f** Jag heter ... (your own
name). **3** **a** Kommer familjen Taylor från England? **b** Är Robert
Taylor ingenjör? **c** Är det John? **d** Kallas han Lasse? **e** Var det
allt? **4** **a** Han heter Sven Andersson. **b** Han heter Olle. **c** Hon
heter Lisa. **d** Han heter Per. **e** Hon heter Ingela. **f** Hon heter Svea
Andersson. **g** Han heter Sven Andersson. **5** **a** Hon **b** Han **c** De
d Ni **e** Vi **f** Den **g** Det **6** **a** England. **b** Han är pilot. **c** Han
heter Alexander **i** förnamn. **d** Han kommer från Skottland.
e Han är tandläkare. **f** Hon är lärare. **g** Hon heter Håkansson i
efternamn. **7** – Give your own name. – Nej, jag kommer från
England. – Nej, jag kommer från London. **8** – Hej! Vad heter
du? – Kommer du från Sverige? – Bor du i Stockholm? **True or
false?** **1** **a** F **b** T **c** F **2** **a** F **b** T **c** F

Unit 2

True or false? **1** **a** F **b** T **c** F **d** T **2** **a** F **b** F **c** T **3** **a** T **b** F **c** F
Exercises **1** familjen glaset sekreteraren huset trappan passet
hissen vinet hamnen saltet koppen kaffet middagen grädden **2** **a** Ja,
tack. **b** Nej, tack. **c** Ja tack, gärna. **d** Tack, det är bra. **e** Jag vill hellre
ha te, tack. **3** **a** Kan jag få en kall öl, tack! **b** Jag skulle vilja ha
saltet, tack! **c** Snälla John, servera vinet! **d** Var snäll och ge mig
lite kaffe! **e** Jag skulle vilja ha lite socker, tack! **4** **a** en kopp te
b ett glas sherry **c** en flaska rödvin **d** ett glas apelsinsaft **e** ett glas
vatten **5** varifrån – uppifrån – nerifrån – framifrån – bakifrån
– härifrån – därifrån **6** **a** Ja, de är törstiga. **b** Nej, Ulla lagar

middagen. c Nej, bara Lasse vill ha mera efterrätt. d Jo, de vill äta
frukost. e Nej, Robert tackar för maten. 7 ett – två – sex – tre –
fyra – åtta – fem 8 Jag skulle vilja ha en kopp kaffe. – Jag vill ha
mjölk och socker, tack. – Nej, tack. Jag är inte hungrig, bara törstig.
– Tack så mycket, det var mycket gott. True or false? a F b F c T d F

Unit 3

True or false? 1 a F b T c F d F 2 a F b F c T d F
Exercises 1 a flickor b veckor c frågor d exportfirmor e flaskor
f färjor g klockor h människor 2 a Ulla går på en kurs i fransk
konversation. b Åke lär sig spela gitarr. c Åke brukar träffa sina
vänner på onsdagarna. De går och fikar eller de kanske går på bio.
d Han går på en fotokurs. e De ska gå på en popkonsert. f Han
går till en idrottsklubb och sedan går han ut på stan. g De går ut
och går på morgonen och på eftermiddagen går Anders och Åke
på fotbollsmatch. 3 a i Klockan är tre. ii Klockan är halv fyra.
iii Klockan är kvart i sju. iv Klockan är kvart över tio. v Klockan
är sex. vi Klockan är tjugo över tio. vii Klockan är fem i halv nio.
viii Klockan är två minuter i ett. ix Klockan är fem över halv sex.
x Klockan är tolv. Det är middag/midnatt. b *This is of course
personal. A typical day may look like this*: i Kl. sju. ii Fem över sju.
iii Kvart i åtta. iv Halv nio. v Klockan nio. vi Halv ett. vii Klockan
fem. viii Klockan halv sju. ix Klockan halv tolv. 4 högt – stor –
vacker – fin – trevlig – dyr – lång – svårt – billiga – fattig 5 a går
b åker c går d går e åker f går g går h åka 6 a arton b tjugo
c fjorton d tjugoåtta e trettio f trettioen g tjugosex h sjuttionio . . .
åttiofyra 7 a trettiosju b åttioåtta c sjuttiofyra d tretton e fyrtionio
f femtiofem g tre h fyra True or false? 1 a F b T c F 2 a T b T
c F d F

Unit 4

True or false? 1 a F b T c T 2 a T b F c T d F
Exercises 1 a pojkar b sängar c ungdomar d dagar e båtar
f koppar g bilar h sjukdomar i flyktingar 2 a I . . . på b på c i
d på 3 a Han . . . henne b De . . . den c Hon . . . oss d Vi . . . honom

e Vi . . . er **f** De . . . dem   **4**   **a** Det är solsken men lite kallt. **b** Det
är solsken och varmt. Det kan regna och åska och blixtra. Det är
molnigt ibland. **c** Det regnar och blåser och stormar. Det är mulet
och kallt. **d** Det är mycket kallt. Det snöar ibland.   **5**   **a** Lördag
b Fredag **c** Söndag **d** Måndag **e** Tisdag   **6**   **a** lång **b** länge
c lång **d** länge **e** långt **f** länge **g** långa **h** länge   **7**   väcka – vaknar
– vaknar – väcker – väcka – väcker – väcka – vaknar   **8**   **a** spelar
b leker **c** spelar **d** spelar **e** leker **f** spelar   **9**   **a** sjön **b** Havet
c Havet **d** sjöar **e** havet **f** havet **g** sjön   **10**   God morgon. Vad är det
för väder idag? – Bra. Vill du åka ut till sommarstugan? – Vi kan
gå och bada. – Jag vill hellre segla om det inte blåser för mycket.
– I morgon är det söndag och vi kan spela golf på förmiddagen.
– Det ska bli skönt. True or false? **a** F **b** T **c** F

Unit 5

True or false?   **1**   **a** F **b** F **c** T   **2**   **a** T **b** F **c** T
Exercises   **1**   **a** Var **b** Vem **c** Hur **d** När **e** Varför **f** Vad **g** Vilken
h Vad/Var/När/Vem/Vilken   **2**   **a** Banken öppnar inte klockan ett.
b Det var inte dyrt. **c** Ligger banken inte vid torget? **d** Var det inte
dyrt? **e** Kan du inte växla en hundralapp? **f** När är banken inte öppen?
g Varför vill du inte växla en hundralapp?   **3**   **a** med **b** ut **c** in **d** in
e med   **4**   **a** länder . . . kuster **b** minuter . . . sekunder **c** händer . . .
fötter **d** bönder . . . traktorer **e** studenter . . . böcker **f** industrier . . .
maskiner **g** bröder . . . doktorer **h** söner . . . städer   **5**   **a** som **b** vilket
c vars/vilkas **d** vilken **e** vad som **f** vad   **6**   **a** en–komma–sex–noll–
nio– tre kilometer **b** etthundraåtti(o)sextusen engelska mil per sekund
c trehundraåtti(o)fyratusenfyrahundra kilometer **d** fyrahundrafyrti(o)-
niotusenniohundrasexti(o)fyra kvadratkilometer **e** en–komma–fem
miljoner   **7**   **a** sjuhundranitti(o)tre **b** tiohundra *or* tusen **c** tolv-
hundrafemti(o)två **d** trettonhundrafemti(o) **e** trettonhundranitti(o)
sju **f** femtonhundratjugotre **g** sextonhundrafyrti(o)åtta
h artonhundranio **i** artonhundrafjorton **j** nittonhundratjugoett
8   Brittiska Ambassaden. Skarpögatan sex till åtta. Postnummer
etthundrafemton nitti(o)tre STOCKHOLM. Telefon riktnummer
noll åtta. Abonnentnummer sex sju ett tre noll noll noll. Amerikanska
Ambassaden. Dag Hammarskjölds väg tretti(o)ett. Postnummer

etthundrafemton åtti(o) nio Stockholm. Telefon riktnummer noll åtta. Abonnentnummer sju åtta tre fem tre noll noll. Australiska Ambassaden. Sergels torg tolv. Postnummer etthundratre åtti(o)sex STOCKHOLM. Telefon riktnummer noll åtta. Abonnentnummer sex ett tre två nio noll noll. **9** Jag vill köpa ett fint hus i stället för vår lilla våning – Det kostar nog $3\frac{1}{2}$–4 miljoner kronor – Det kostar cirka 200 000 kronor. Då måste vi ge vår son en sportbil – 400 000 till – Det skulle vara roligt, men pengarna räcker nog inte till det. **True or false? a** F **b** F **c** T

Unit 6

True or false? 1 a T **b** F **c** F **d** T **2 a** F **b** F **c** T
Exercises 1 a Kan jag få en liter mjölk, tack! **b** Kan jag få en halv liter filmjölk, tack! **c** Kan jag få ett halvt kilo smör, tack! **d** Kan jag få ett och ett halvt dussin ägg, tack! **e** Kan jag få två limpor, tack! **f** Kan jag få tre kilo potatis, tack! **g** Kan jag få ett kvarts kilo kaffe, tack! **h** Kan jag få två hekto skinka, tack! **i** Kan jag få en burk ansjovis, tack! **j** Kan jag få ett par äpplen, tack! **2 a** en halv . . . en halv . . . en halvtimme **b** ett halvt . . . en halv . . . halva **c** halva . . . ett halvår **d** Halva **3 a** Åke är större än Lasse. **b** Lasses tröja är billigare än Janes kofta. **c** En Rolls Royce är dyrare än en Mini. **d** Mount Everest är högre än Ben Nevis. **e** Stockholm är mindre än London. **f** England har fler invånare än Sverige. **4 a** liten **b** liten **c** litet **d** små **e** litet **f** liten **g** litet **h** litet **i** små **j** liten Den lilla flickan från den lilla staden i det lilla landet. **5 a** Nej, jag har ingen bil. **b** Nej, jag har inget socker. **c** Nej, jag har inte haft någon TV. **d** Nej, jag har inga böcker. **e** Nej, jag har inte haft något hus. **f** Nej, jag har ingen fru. **g** Nej, jag har inga barn. **6 a** det här . . . den här . . . den här . . . det här **b** den där . . . det där . . . den där **c** De där . . . de här **7 a** ansikten **b** frimärken **c** konton **d** yrken **e** äpplen **f** ögon . . . öron **g** Hjärtans **8** (*suggested answer*) **a** Herrkläder: En pyjamas 250.00. En skjorta 250.00. En tröja 300.00. Sockor 25.00. En undertröja 75.00. Ett par kalsonger 75.00. Summa = 975.00 kr. Damkläder: Ett nattlinne 150.00. En kofta 300.00. En blus 150.00. Underkläder (BH, underklänning, trosor, strumpbyxor) 250.00. En baddräkt 150.00. Summa = 1000 kr. **b** Ett par jeans 350.00. En T-shirt 150.00. Summa = 500 kr. **c** Ett

halsband 150.00. Ett armband 50.00. Ett par örhängen 50.00.
Summa = 250.00 kr. **9** Jag måste köpa något att ta med mig
hem. – Ja, men det har jag nog inte råd med. – Den är underbart
vacker, men tyvärr har jag inte så mycket pengar kvar. – Ja, jag
köper en sådan där älg. Den blir ett fint minne från Sverige.
– Javisst, en sådan måste jag ha. **True or false? a** T **b** T **c** F

Unit 7

True or false? **1 a** T **b** F **c** F **d** T **2 a** F **b** F **c** T
Exercises **1 a** ett kök . . . skåp **b** ett skåp . . . bröd . . . mjöl . . . ris
c kylskåpet . . . ett dussin ägg . . . kött . . . ett halvt kilo smör
d lite socker . . . kaffet . . . inget socker . . . teet **e** bär . . .
hallon . . . blåbär **f** vykort . . . hus **2 a** Var är blommorna? **b** Var
är hundarna? **c** Var är böckerna? **d** Var är skorna? **e** Var är kvittona?
f Var är lärarna? **g** Var är barnen? **h** Var är männen? **3** tycker
om . . . tycker om . . . tycker inte om . . . tycker mycket
om . . . tycker mest om . . . tycker om . . . tycker om **4 a** Den
ligger på Storgatan vid kanalen mitt emot torget. **b** Det ligger på
Kungsgatan mitt emot torgståndet med blommor. **c** Det ligger
i hörnet av Drottninggatan och Järnvägsgatan mitt emot torget och
parkeringsplatsen. **d** Den ligger på Tunnelgatan på andra sidan om
järnvägsstationen. **e** Den ligger på Parkvägen på andra sidan om
kanalen mitt emot sjukhuset. **f** Den ligger på Järnvägsgatan mitt
emot torget. **g** Det ligger vid Parkvägen mitt emot operan. **h** Den
ligger på Järnvägsgatan mellan stationen och banken mitt emot
torget. **5 a** Gå över Drottninggatan och rakt över torget. Gå
sedan över Kungsgatan. **b** Gå rakt fram på Järnvägsgatan förbi
turistbyrån och stationen. Polisstationen ligger mellan stationen
och banken. **c** Gå över Järnvägsgatan och snett över torget. Gå
över Storgatan. **d** Gå till höger. Gå över Drottninggatan och gå
längs torget. Gå över Kungsgatan och ta till vänster. Musikaffären
ligger mellan apoteket och bokhandeln. **e** Gå till höger längs
Storgatan. Gå över gatan vid apoteket och fortsätt rakt fram
på Kungsgatan förbi musikaffären och bokhandeln. Varuhuset
Domus ligger på Kungsgatan mellan bokhandeln och posten.
f Gå till höger och sedan över Järnvägsgatan. Gå rakt fram längs
Drottninggatan. Gå över bron. Gå rakt fram på Skolgatan förbi

Kafé Continental. **g** Gå över Kanalgatan. Ta till vänster och gå över bron. Gå till höger. Gå över Storgatan. Apoteket ligger i hörnet av Storgatan och Kungsgatan. **h** Kör rakt fram till Kanalgatan och ta till vänster. Kör över bron och rakt fram på Drottninggatan. Kör över Järnvägsgatan och genom tunneln. Bensinstationen ligger på vänster sida. **i** Gå till vänster och över Järnvägsgatan. Köp blommor på torget. Gå över Storgatan och ta till höger. Gå över bron och gå till vänster på Kanalgatan. Följ Parkvägen till vänster förbi Operan. **j** Gå till höger längs Storgatan. Gå över bron till vänster. Kafé Continental ligger mitt emot bron. **6** Jag ska gå ut med en vän. – Det är Kerstin. Först ska vi gå på bio och sedan ska vi gå på ett kafé. – Om en halvtimme på bion. – Jag tar bussen. – Tack så mycket. **True or false?** **a** F **b** T **c** F

Unit 8

True or false? **1** **a** F **b** T **c** F **2** **a** T **b** F **c** T
Exercises **1** Nej, det har jag inte. Finns det något ledigt bord? – Jag föredrar hörnbordet. Kan jag få se på matsedeln, tack! – Kan jag få leverpastej med rostat bröd, lövbiff med persiljesmör, jordgubbstårta och kaffe, tack. – Bara ett glas vatten. – Jag vill inte ha stekt potatis. Jag vill ha ris. – Vaktmästarn, får jag be om notan? – Det är jämna pengar. **2** **a** talade **b** stannade **c** smakade **d** diskuterade **e** spelade **f** parkerade **g** joggade **h** regnade **3** **a** gott **b** bra **c** god/bra **d** bra **e** bra **f** god **g** Bra **h** gott . . . godare/bättre . . . godast/bäst **4** Fröken! Ursäkta, jag tycker inte om musslor och ägg. Jag beställde skinka, svamp, lök och paprika. Kan jag få en flaska äpplemust på samma gång, tack! **5** **a** min dotter, mina söner och mitt arbete. **b** din bil, ditt hem och dina barn. **c** hans fru, hans bok och hans pojkar? **d** hennes barn, hennes man och hennes kläder. **e** vår stad, vårt land och våra hus. **f** er mat, ert vin och era middagar. **g** deras hund, deras hus och deras cyklar. **6** **a** Det är din dyra bok. **b** Det är hans billiga byxor **c** Det är hennes nya klänning. **d** Det är vårt lilla hus. **e** Det är era bra böcker. **f** Det är deras stora kök. **7** **a** Kött, fisk, fågel och ägg. **b** Grönsaker t ex bönor, sallad, kål, blomkål, brysselkål, ärter, sparris, morötter, paprika, purjolök. Frukt t ex jordgubbar, hallon, blåbär. **c** Potatis, pasta, ris, mjölk, filmjölk, ost, bröd. **d** Alkohol, kaffe, te, kakor, tårtor etc. **e** Maten i

toppen är dyrast. **8** **1**c **2**f **3**g **4**d **5**a **6**b **7**e **9** **a** lika ... som
b mindre än **c** samma ... som **d** inte så ... som **e** större än **True or**
false? **a** F **b** F **c** T

Unit 9

True or false? **1** **a** T **b** F **c** F **2** **a** F **b** T **c** T **3** **a** T **b** F **c** T
Exercises **1** Ursäkta, jag har kört vilse. Kan ni hjälpa mig? – Jag
ska åka norrut, till Stockholm. – Är det långt? – Finns det någon
bensinstation i närheten? Jag har ont om bensin. – Då är det bäst att
jag kör till bensinstationen först. Tack för hjälpen! **2** bytte ... tyckte
... hände ... åkte ... glömde ... stängde ... hjälpte ... köpte **3** **a** får
b måste **c** fick **d** får inte **e** måste ... fick **f** måste inte **4** väl ...
nog ... ju ... ju ... väl ... nog ... ju ... nog **5** **a** Nej, han är
ogift. **b** Nej, hon var olydig. **c** Nej, hon ogillade henne. **d** Nej, de
är obekväma. **e** Nej, det är oväder. **f** Nej, de var odjur. **6** **a** öster
b norra **c** sydpolen **d** nordväst **e** sydost/sydöst **f** västerut **g** Östberlin
och Västberlin **h** Sydamerika ... Nordamerika **i** nordostpassagen ...
norr **j** sydostliga ... södra ... Östeuropa **7** **a** 11° (−10° : +1°)
b 26° (−25° : +1°) **c** Östersund **d** Mulet och frost −1° **e** Omväxlande
solsken och molnigt, lite regn. Temperaturen ±0° **f** Längst norrut vid
gränsen till Norge. **g** Mitt i Sverige. **8** Det står en sten mitt på
åkern. Varför står den där? – En runsten, vad är det? – Vad skrev de
på runstenarna? **True or false?** **a** T **b** F **c** T **d** T

Unit 10

True or false? **1** **a** F **b** T **c** T **d** T **2** **a** T **b** F **c** F **d** T
Exercises **1** **a** iv **b** i **c** v **d** viii **e** iii **f** vi **g** ii **h** vii **2** **a** full **b** fulla
c fullt **d** Fulla **e** fullmåne **f** Fullt **g** fulla **3** var som helst ... vem
som helst ... vad som helst ... när som helst **4** **a** mormor
b dotterdotter *or* barnbarn **c** moster **d** svärson **e** dotterson or barnbarn
f svägerska **g** dotterdotters dotterdotter *or* barnbarnsbarnbarn
h morbror **i** svåger **j** svärmor **5** **a** många **b** Mycket **c** Hela/Allt
d Många **e** Allt **f** mycket **g** Alla **6** **a** förälskat sig **b** förlovade sig
c gifta sig **d** känner ... dig **e** skynda dig **f** raka sig **7** Ja, gärna.
– Jag kommer från (Norwich) i England. *This answer depends on*

you, of course. – Ja, det har jag *or* Nej, det har jag inte. – Jag är turist. – Jag skulle gärna vilja ha en kall öl, tack! – Ja, tack, mycket gärna. – Tack, det var mycket roligt. **True or false?** a F b F c F d T

Unit 11

True or false? 1 a F b T c T d F 2 a T b F c F
Exercises 1 a v b vii c ix d i e iv f ii g viii h iii i vi 2 a sken
b steg . . . gick c bjöd d bröt e for f flög g svalt h njöt
i vann 3 a irländare b islänning c skotte d ryss . . . ryska
e norrman f portugis g kines . . . kinesiska h fransyska 4 a Vet
b Känner c Kan d kan/vet e vet f kan g vet . . . kan h känner
i kan 5 a hjul b framsätet c bagageluckan d ratten e motorn
f fotbromsen g vindrutetorkaren h hastighetsmätaren i bilbältet
j lyktorna k bensin 6 a New York ligger sydväst om London,
på andra sidan om Atlanten, vid Amerikas östra kust. b Paris
ligger sydost om London, i nordvästra delen av Frankrike.
c Rom ligger sydsydost om London, nära Italiens västra kust vid
Medelhavet. d Reykjavik ligger långt nordväst om London, vid
Islands sydvästra kust, i norra Atlanten, söder om Polcirkeln.
e Moskva ligger nordost om London, lite norr om centrala delen av
Ryssland. f London ligger i södra delen av England, på östkusten, vid
Temsen, som rinner ut i Engelska kanalen. 7 Vattenlinjen, vad är
det? – Behöver de ingen bensin? – Det låter verkligen bra. Jag önskar
att alla bussar skulle använda den tekniken ju förr desto bättre.
True or false? a T b F c T d F

Unit 12

True or false? 1 a F b T c F d F 2 a F b F c T
Exercises 1 a 904 och 980 b 13.10 och 16.27 c 12.34 och 15.43
d Alla dagar utom några helgdagar e Alla dagar mellan 27/6
och 15/8 f Nummer 904. Kl. 17.30 2 a ska b kommer att/ska
c Tänker/Ska d blir e tänker inte f blir g ska/kommer att h Ska/Tänker
i kommer att 3 a februari b januari, mars, maj, juli, augusti,
oktober, december c april, juni, september, november d juni e december
f mars, april, maj g juni, juli, augusti h september, oktober, november
i december, januari, februari 4 Då . . . Sedan . . . Då . . . Sedan . . .
Då 5 a Göteborg C – Abisko Turiststation b *single* c 13.42 18.12

d 16.45 10.34 **e** 5, 12 **f** 34, 7 **g** 3 **h** SEK 1889   **6**   **a** älv **b** älvar
c ån **d** floden **e** älvarna **f** floderna **g** åarna   **7**   **a** anländer **b** går
c kommer (fram)/anländer **d** kom (fram) ... gått **e** ankommande ...
avgående   **8**   **a** F **b** F **c** T   **9**   **a** *Halfway* **b** *Fine almost the whole
time* **c** *They'll visit Åke and John* **d** *The mosquitoes*   **10**   Har du
sett norrskenet? – Var ska man vara för att ha en bättre chans
att få se det? – Hur ser norrskenet ut? – Är det vackert? **True or
false?**   **a** F **b** F **c** T **d** F

Unit 13

True or false?   **1**   **a** F **b** T **c** T   **2**   **a** F **b** F **c** T   **3**   **a** T **b** F **c** T
Exercises   **1**   **a** Bertil och Siv Andersson vill ha ett dubbelrum
med dusch. **b** Tore Olsson vill ha ett enkelrum med dusch. Han
behöver också garage. **c** Eva Sköld vill ha ett enkelrum med bad
eller dusch. **d** Familjen Vik vill ha två dubbelrum, ett med bad och
ett med dusch. De behöver också garage.   **2**   **a** fjärde **b** sjätte
c sjunde **d** den sjätte juni **e** den fjortonde juli **f** den sjuttonde maj
g den tjugotredje april   **3**   **a** varje/var **b** var **c** varenda **d** vart
e Vart och ett **f** varannan   **4**   **a** gående **b** Cyklande **c** döende
d stigande . . . fallande **e** leende **f** levande   **5**   **a** *It is a first-class
hotel in the old-fashioned style. It is situated in the Old Town and
has a restaurant, bars, sauna and excellent conference rooms. It has
113 rooms.* **b** *It is a modern and comfortable hotel, situated by the
City Air Terminal. It has a restaurant, bars, conference rooms. It
is very large – 410 rooms.* **c** *A modern hotel close to the centre.
If you buy the Holiday Card, children under 13 stay free in their
parents' room and teenagers get a discount on a separate room.
Breakfast is included. You also get a gift voucher for the hotel's
restaurant and hundreds of discounts on Avis rented cars, car ferries,
Swedish glass etc.* **d** *It is situated 15 minutes from the centre. You
pay the full price for the first night but half price for the following
nights. Breakfast is included.* **e** *Modern student rooms with shower
and toilet. Cheap. Outside the centre. Particularly suitable for
conferences and groups.* **f** *Youth hostel on board a windjammer.
Central position. Cheap.*   **6**   **a** *Grand Hotell, as the President is a
VIP.* **b** *The Crown Hotel, because of the discount for the teenager
and free accommodation for the children.* **c** *af Chapman, as that
is the cheapest.* **d** *Hotell Amaranten, as it is conveniently situated*

by the City Air Terminal. **e** Welcome Hotell Barkarby, as they only have to pay half price after the first night. **f** Hotell Reisen, as it is furnished in the old style and in a central position. **g** Sommarhotell, as it is student accommodation at a reasonable price. **7** Kan jag beställa en måltid upp på rummet? – Jag vill börja med rökt lax. – Jag vill ha ugnsstekt anka med apelsinsås. – Ja, tack, fruktsallad med vispgrädde. – Ja, en halvflaska vitt vin, och kaffe efteråt, tack. True or false? **a** F **b** T **c** T

Unit 14

True or false? **1** **a** F **b** T **c** T **2** **a** F **b** F **c** T
Exercises **1** Före – framför – Förut – inte förrän – Innan **2** **a** Var bor de? **b** Vart reste han? **c** Var träffade han henne? **d** Vart körde de? **e** Vart ringde han? **f** Vart ska de resa? **3** **a** dit **b** där **c** här **d** hit **e** där **4** l hem . . . ute . . . hemma **c** in **b** upp **a** Där **d** ut **f** ut **e** upp **h** ner **i** upp . . . inne **k** framme . . . ut **j** hem . . . där **g** här **5** **a** 'Dödsdansen', 'Spöksonaten' *and* 'Fordringsägaren' **b** 'Fordringsägaren' **c** Strindbergssalen, N. Bantorget **d** tel. 200843 *or Box office* **e** 'Dödsdansen' *is sold out and* 'Spöksonaten' *is playing in Buenos Aires.* **6** **a** tänker **b** tycker **c** tror **d** trodde **e** tycker **f** trodde **g** tänker **7** **a** 'Shirley Valentine' *is a play.* 'Fågelhandlaren' *is an operetta. The* 'opera feast' *is a cavalcade with operettas, musicals and Viennese melodies played by the Stockholm Operetta Ensemble.* **b** 'Shirley Valentine' **c** Mondays at 7.00 p.m. Gunilla Nyroos. **d** By telephoning the box office between 10.00 and 17.00. **8** **a** av **b** för **c** i **d** av **e** för **f** för **9** **a** stackars **b** nytt **c** äkta **d** dumma **e** hårt **f** medelålders **g** sant **h** stängt **10** Var är Historiska museet? – När är det öppet? – Vad kan man se där? – Då finns det kanske saker där från England också? – Det kan jag förstå, men vikingarna var inte lika populära bland engelsmännen. True or false? **a** T **b** F **c** F

Unit 15

True or false? **1** **a** F **b** T **c** F **2** **a** T **b** F **c** F
Exercises **1** Ursäkta, kan ni tala om för mig hur jag kan komma till Kaknästornet från T-centralen? – Vilket är det snabbaste sättet att

komma till Skansen från Norrmalmstorg? – Var ligger Kulturhuset?
– Hur ska jag lättast komma till Sergels torg från Kungsträdgården?
– Hur kan jag komma till Drottningholms slottsteater? **2** Vilken
opera spelar ni? – Vad handlar den om? – När börjar operan och
när slutar den? – Kan jag få två biljetter, tack. – Kan jag betala
med kreditkort? **3 a** *Romeo and Juliet, May 28.* **b** *At 7.30 p.m.*
c *SEK 590.* **d** *Row 6, seat 164.* **e** *No admission.* **4 a** strykas
b vändas **c** skämmas . . . minnas **d** träffades **e** säljas **f** sytts
g förbrukas **h** hoppades . . . lyckas **i** kysstes **5 a** De måste byta tåg
b T-centralen, Slussen, och Gamla stan. **c** Fruängen eller Norsborg.
d Hagsätra. **e** 3 stycken per person. **6** sin – sin – Hans – hans – sin
– sina – hennes – sitt – deras – hans – sin – hennes – sin **7 a** blinde
b rödhårige **c** yngste **d** sjuka **e** lilla **8** Goddag. Jag skulle vilja
hyra en bil. – Jag vill ha en mellanstor bil med automatlåda. – Över
helgen. Hur mycket kostar det? – Varsågod. Jag vill ha helförsäkring.
Hur stor är deponeringsavgiften? – Tack, det var bra. **True or false?**
a F **b** T **c** T **d** F

Unit 16

True or false? **1** **a** F **b** T **c** T **2** **a** T **b** F **c** T **3** **a** T **b** F **c** T
Exercises **1** **a** 4 **b** 6 **c** 2 **d** 7 **e** 5 **f** 8 **g** 3 **h** 1 **2** **a** grillade **b** stekta
c bränt **d** försvunna **e** obebodd **f** förlovade **g** stängda **h** köpta
i druckne **3** **a** ansiktet **b** skorna **c** benet **d** munnen **e** hatten
4 **a** O/Å **b** Å/O **c** Fy **d** Usch **e** Oj **5** **a** En gång om året. **b** Fyra
gånger i månaden. **c** Två gånger om dagen. **d** Sex gånger i veckan.
e Åttio gånger i minuten. **6** Jag har/ont i ryggen/ryggvärk/värk i
ryggen. – Det började igår kväll. – Nej, det kan jag inte, jag ligger
till sängs. – Nej, jag har inte feber, men jag kan inte sova för ryggen
värker så mycket. – Siv Eriksson. Jag bor på Strandvägen 59, Malmö.
– Tack, doktorn. **True or false?** **a** T **b** T **c** F

Unit 17

True or false? **1** **a** F **b** T **c** T **2** **a** F **b** F **c** T
Exercises **1** **a** vi **b** i **c** iii **d** v **e** iv **f** ii **2** **a** och **b** men **c** så
d eftersom **e** fastän **f** innan **g** när **3** **a** Varje dag cyklar han till
skolan. **b** Nu bor min son i Italien. **c** Fotboll spelar pojkarna på

lördagarna. **d** Under hela sin skoltid spelade han tennis. **e** I Sverige äter man kräftor i augusti. **f** Om du vill kan jag köpa biljetter. **g** När han var barn bodde han i Sverige. **4** **a** Därför **b** därför att **c** därför att **d** Därför **e** Därför **5** **a** ovanpå **b** under **c** på . . . vid **d** på **e** utanför **f** på . . . vid **g** nedanför/under **h** innanför/vid **i** (inne) i/(inut-) i **j** ovanför/över **6** **a** på . . . vid **b** (inut-) i **c** i . . . i **d** under **e** innanför **f** (ovan-) på **g** i **h** (inne) i **i** på . . . vid **j** ovanför/över **7** Jag tycker det ska bli så roligt att träffa mina kusiner. Carl är ju lika gammal som jag, så vi ska nog komma överens. – Det låter bra, men hur ser han ut? – Kan du beskriva Ann-Marie också? – Kan du skicka ett foto av dem? Jag ser verkligen fram emot att träffa dem. True or false? **a** T **b** F **c** F

Unit 18

True or false? **a** F **b** T **c** T
Exercises **1** God Jul! Det är Tony. – Jag vill tacka dig för den vackra skålen. – Jag tyckte särskilt om motivet med dansen kring majstången och jag ska alltid komma ihåg dansen på midsommarafton. – Det var en bra idé. Vad ska du göra under resten av jullovet? – Jag längtar också efter att åka skidor men vi har ingen snö. Gott Nytt År och hej då. **2** **a** står **b** ligger **c** står **d** ligger **e** sitter **3** **a** Lägg **b** Ställ **c** Sätt **d** Lägg **e** Sätt **4** **a** Jag är inte gift. **b** Han sa(de) att han inte var gift. **c** Det var hon, som inte ville gå. **d** Hon frågade, vad han inte tyckte om. **e** Mannen var inte full. **f** Åke frågade, om John inte ville åka hem. **5** **a** bad **b** frågade **c** bad **d** frågade **e** frågade **6** **a** i **b** inte . . . förrän **c** på **d** i påskas **e** på **f** om **g** för . . . sedan **h** i sommar **i** i somras **7** **a** ii **b** iv **c** i **d** iii **e** vii **f** vi **g** v True or false? **a** F **b** T **c** F

Some useful verbs

The following is an alphabetical list of common irregular and auxiliary verbs. These can be used as patterns for other verbs with a prefix; e.g. the forms of the verb **stå** (*stand*) apply to **förstå** (*understand*). The hyphen in front of some past participles indicates that this form is used only with a prefix.

Infinitive	Present	Past tense	Supine	Past Participle
be(dja)	ber	bad	bett	-bedd
binda	binder	band	bundit	bunden
bita	biter	bet	bitit	biten
bjuda	bjuder	bjöd	bjudit	bjuden
bli(va)	blir	blev	blivit	bliven
brinna	brinner	brann	brunnit	brunnen
brista	brister	brast	brustit	brusten
bryta	bryter	bröt	brutit	bruten
bära	bär	bar	burit	buren
böra	bör	borde	bort	–
dra(ga)	drar	drog	dragit	dragen
dricka	dricker	drack	druckit	drucken
driva	driver	drev	drivit	driven
duga	duger	dög/dugde	dugt	–
dö	dör	dog	dött	–
dölja	döljer	dolde	dolt	dold
falla	faller	föll	fallit	fallen
fara	far	for	farit	faren
finna	finner	fann	funnit	funnen
finnas	finns	fanns	funnits	–
flyga	flyger	flög	flugit	-flugen
flyta	flyter	flöt	flutit	-fluten
frysa	fryser	frös	frusit	frusen
få	får	fick	fått	–
försvinna	försvinner	försvann	försvunnit	försvunnen

ge(giva)	ger	gav	gett(givit)	given
glida	glider	gled	glidit	gliden
glädja	gläder	gladde	glatt	–
gnida	gnider	gned	gnidit	gniden
gripa	griper	grep	gripit	gripen
gråta	gråter	grät	gråtit	gråten
gå	går	gick	gått	gången
göra	gör	gjorde	gjort	gjord
ha(va)	har	hade	haft	-havd
heta	heter	hette	hetat	–
hinna	hinner	hann	hunnit	hunnen
hugga	hugger	högg	huggit	huggen
hålla	håller	höll	hållit	hållen
kliva	kliver	klev	klivit	-kliven
knyta	knyter	knöt	knutit	knuten
komma	kommer	kom	kommit	kommen
krypa	kryper	kröp	krupit	krupen
kunna	kan	kunde	kunnat	–
le	ler	log	lett	–
leva	lever	levde	lev(a)t	-lev(a)d
lida	lider	led	lidit	liden
ligga	ligger	låg	legat	-legad
ljuda	ljuder	ljöd	ljudit	–
ljuga	ljuger	ljög	ljugit	-ljugen
lyda	lyder	löd/lydde	lytt	-lydd
låta	låter	lät	låtit	-låten
lägga	lägger	la(de)	lagt	lagd
–	måste	måste	måst	–
niga	niger	neg	nigit	–
njuta	njuter	njöt	njutit	njuten
nysa	nyser	nös	nyst	–
pipa	piper	pep	pipit	–
rida	rider	red	ridit	riden
rinna	rinner	rann	runnit	runnen

riva	river	rev	rivit	riven
ryta	ryter	röt	rutit	–
se	ser	såg	sett	sedd
sitta	sitter	satt	suttit	-sutten
sjuda	sjuder	sjöd	sjudit	sjuden
sjunga	sjunger	sjöng	sjungit	sjungen
sjunka	sjunker	sjönk	sjunkit	sjunken
ska (skola)	ska(ll)	skulle	(skolat)	–
skilja	skiljer	skilde	skilt	skild
skina	skiner	sken	skinit	–
skjuta	skjuter	sköt	skjutit	skjuten
skrika	skriker	skrek	skrikit	-skriken
skriva	skriver	skrev	skrivit	skriven
skryta	skryter	skröt	skrutit	-skruten
skära	skär	skar	skurit	skuren
slippa	slipper	slapp	sluppit	-sluppen
slita	sliter	slet	slitit	sliten
slå	slår	slog	slagit	slagen
slåss	slåss	slogs	slagits	–
smyga	smyger	smög	smugit	-smugen
snyta	snyter	snöt	snutit	snuten
sova	sover	sov	sovit	–
spricka	spricker	sprack	spruckit	sprucken
sprida	sprider	spred	spridit	spriden
springa	springer	sprang	sprungit	sprungen
sticka	sticker	stack	stuckit	stucken
stiga	stiger	steg	stigit	-stigen
stjäla	stjäl	stal	stulit	stulen
strida	strider	stred	stridit	-stridd
stryka	stryker	strök	strukit	struken
stå	står	stod	stått	-stådd
stöd(j)a	stöder	stödde	stött	stödd
suga	suger	sög	sugit	sugen
supa	super	söp	supit	-supen
svida	svider	sved	svidit	–
svika	sviker	svek	svikit	sviken
svälja	sväljer	svalde	svalt	svald
svälta	svälter	svalt	svultit	svulten

svär(j)a	svär(jer)	svor	svurit	svuren
säga	säger	sa(de)	sagt	sagd
sälja	säljer	sålde	sålt	såld
sätta	sätter	satte	satt	satt
ta(ga)	ta(ge)r	tog	tagit	tagen
tiga	tiger	teg	tigit	-tegen
tillåta	tillåter	tillät	tillåtit	tillåten
tjuta	tjuter	tjöt	tjutit	–
tvinga	tvingar	tvingade	tvingat	tvingad
tvinga	tvingar	tvang	tvungit	tvungen
–	tör	torde	–	–
(töras)	törs	tordes	torts	–
vara	är	var	varit	–
veta	vet	visste	vetat	–
vika	viker	vek	vikit	viken/vikt
vilja	vill	ville	velat	–
vinna	vinner	vann	vunnit	vunnen
vrida	vrider	vred	vridit	vriden
välja	väljer	valde	valt	vald
vänja	vänjer	vande	vant	vand
växa	växer	växte	växt/vuxit	vuxen
äta	äter	åt	ätit	äten

Translations of the tongue-twisters

Below are the translations of the tongue-twisters in the Pronunciation section.

b   Barbro's brother only bathed at Barsebäck.

c   Carl's cousin danced the can-can with a cowboy in Canada. Cecilia cycled through central Cyprus for cigarettes and lemons.

d   David drank grape-juice and started up the accordion music.

f   The ingenious Fia proposed to the dreadful Fredrik.

g   Gustav grilled the pig at dawn.
Gerd liked the mudbath after the aerobics.

h   Laurel and Hardy have been cheered the whole half of autumn.

j   An angry elk was sitting in the Christmas tree in Gothenburg.

k   Karin hugged the sly cat Katarina.
Kerstin peered coldly at the chick at Köping.

l   Lasse hobbled lamely along the leafy avenues of Lund.

m   Mats fed many suspicious musicians with environmentally friendly medicine.

n   Nisse rejected any nocturnal meetings with Nora.

p   Pelle seized the opportunity to try out his pistol on the parrot.

q   Quist disqualified women.

r   Ruth praised Rolf's nice reindeer.

s   Sven replied kindly when Sixten cursed.

t   Loyal Tilda thanked the dentist when he extracted the bad tooth.

v   Do you want to know where Vilhelm was during the week?

x   Xantippa played the xylophone for Xerxes.

z   Zakarias, the gipsy, saw the sun at the zenith at a zoo in New Zealand.

ng   English girls speak English in England.

gn   Magnus sauntered calmly behind the wagon in the rain.

kn   Knut, tie the knot! Knut tied the knot without grumbling.

sk	It is shameful to boast and brag at school.
sk	The hypocritical boss in the pink shirt played the records on the beautiful starry evening in the archipelago.
sj	Seven sick nurses nursed seven seasick sailors.
stj	Don't steal the star!
skj	I hid the shirts in the shed.
tj	The old hag nagged the girl not to kiss the twentieth
k	Chinaman on his cheek. Whoopee!

Glossary of grammatical terms

adjectives Adjectives provide more information about nouns. They can express quality, e.g. *Cheap* shoes. **Billiga** skor. They can also express quantity, e.g. *Many* girls. **Många** flickor.

There are three degrees of comparison in adjectives: positive, comparative and superlative, examples of which are: *Cheap, cheaper, cheapest.* **Billig, billigare, billigast.** *Many, more, most.* **Många, fler/a, flest.**

Possessive adjectives denote ownership, e.g. *My* shoes. **Mina** skor. *His* car. **Hans** bil.

Demonstrative adjectives, e.g. *That* dog. **Den där** hunden.

The articles (definite: *the*; indefinite: *a/an*) are also adjectives, as are the numerals (cardinals: *one, two.* **En/ett, två.** Ordinals: *first, second.* **Första, andra**).

adverbs provide more information about a verb, e.g. He left *quietly*. **Han gick tyst.** However, adverbs can also provide more information on an adjective or another adverb, for instance, She was *very* beautiful. **Hon var mycket vacker.** She sang *very beautifully*. **Hon sjöng mycket vackert**.

Adverbs can be divided into the following categories: time (*often, now*; **ofta, nu**); place (*in, out*; **in/inne, ut/ute**); quality (*beautifully*; **vackert**); quantity (*enough, almost*; **tillräckligt, nästan**); number (*once*; **en gång**); cause (*therefore, why*; **därför, varför**); mood (*perhaps*; **kanske**). In English, adverbs often (but not always) end in *-ly*. The equivalent of this in Swedish is usually (but not always) *-t*.

articles There are two types of articles: indefinite and definite. In English, the indefinite article is *a/an*. In Swedish, it is *en/ett*. In English, the definite article is *the*. *The* is an ending in Swedish and not a separate word: either *-en/n* or *-et/t*, depending on whether the noun is an **en-** word or a neuter **ett-** word, and if the noun ends in a vowel or a consonant.

clause A clause is a unit that usually consists of at least a verb and a subject, though the subject may be understood. For example, *She writes.* **Hon skriver.** *Don't buy rubbish!* **Köp inte skräp!**

comparative When we make comparisons we need the comparative form of the adjective or adverb. In English, this usually means adding *-er* to the adjective or adverb, or putting *more* in front of it. This dress is *cheaper* than that one. **Den här klänningen är *billigare* än den där.**

conjunctions Conjunctions are words which link words, phrases, clauses or sentences. Examples of conjunctions are: *and, but, for, because, unless, though.*

Swedish distinguishes between coordinating conjunctions, which introduce main (independent) clauses (**och, eller, men** etc.) and subordinating conjunctions, which introduce subordinate (dependent) clauses (**att, för att, eftersom, innan, så att** etc.). Subordinate clauses are dependent on a main clause because they do not make sense if they stand alone. For instance, *He learnt Swedish so that he could read Strindberg.* **Han lärde sig svenska så att han kunde läsa Strindberg.**

gender In English, gender is usually linked to male or female persons or animals. For example, the English refer to a man as *he* and a woman as *she*. Objects and beings of an indeterminate sex are referred to as having neuter gender. Therefore, for instance, a table is referred to as *it*. In Swedish, nouns are either common gender (*en-* words) or neuter gender (*ett-* words). There are some rules to help you, but you have to accept that the gender of every noun has to be learned.

imperative The imperative is the form of the verb used to give directions, instructions, orders or commands: *Come* here! **Kom** hit! *Go* home! **Gå** hem!

infinitive The infinitive is the basic form of the verb. This is the form that you will find in the dictionary. In Swedish, most infinitives end in *-a*, e.g. **tala** (*to speak*), **komma** (*to come*), **äta** (*to eat*).

interjections Interjections are words which stand alone in a sentence, expressing strong emotions, e.g. *oh* **o**, *ugh* **usch**, *indeed* **jaså**.

irregular verbs Life would be considerably easier if all verbs behaved in a regular fashion. Unfortunately, Swedish, like other European languages, has verbs which do not behave according to a set pattern and are therefore commonly referred to as irregular verbs.

nouns Nouns are words for persons, places or things, e.g. *worker arbetare*, *Sweden Sverige*, *house hus*, *courage mod*. They are often called 'naming words'. A compound noun consists of two separate nouns, e.g. *railway järnväg*, *girlfriend flickvän*.

number This term is used to indicate whether something is singular or plural. See singular.

object The term object expresses the 'receiving end' relationship between a noun and a verb. Thus, for example, the thief is said to be at the receiving end of the arrest in the sentence 'The police officer arrested the *thief*. **Polisen arresterade** *tjuven*.' The thief is therefore said to be the *object* of the sentence.

In sentences such as '*My mother gave the driver some money*', the phrase '*some money*' is said to be the direct object, because the money is actually what the mother gave. The phrase '*the driver*' is said to be the indirect object because the driver was the recipient of the giving.

personal pronouns As their name suggests, personal pronouns refer to persons, e.g. *I jag*, *he han*, *she hon* etc. See pronouns.

plural See singular.

possessives Words like *my min*, *our vår*, *their deras* are called possessives.

prepositions Words like *in i*, *on på*, *between mellan* are called prepositions. Prepositions often tell us about the position of something. They are normally followed by a noun or a pronoun. For example, The bank is *between* the school and the church. **Banken ligger** *mellan* **skolan och kyrkan.** This present is *for* you. **Den här presenten är** *till* **dig.**

pronouns Pronouns fulfil the same function as nouns and usually replace nouns which have already been mentioned, e.g. My girlfriend (noun) is Swedish. *She* (pronoun) is pretty. **Min flickvän** (noun) **är svenska. *Hon*** (pronoun) **är söt.**

Pronouns, like nouns, have gender, number and case. Apart from the already mentioned personal pronouns, there are other kinds, for instance, relative pronouns (*that* **som**, *which* **vilken**). These include demonstrative pronouns (*this* **den här**, *those* **de där**), indefinite pronouns (*some* **några**), interrogative pronouns (*who?* **vem?**) and reflexive pronouns (*myself* **mig**, *himself* **sig**, *herself* **sig**).

reflexive verbs When the subject and the object of a verb are one and the same, the verb is said to be reflexive, e.g. *I washed myself* before going out. **Jag tvättade mig innan jag gick ut.** *We amused ourselves.* **Vi roade oss.**

singular The terms singular and plural are used to make the contrast between 'one' and 'more than one', e.g. *book/books* **bok/böcker.**

subject The term subject expresses a relationship between a noun and a verb. Therefore, in the sentence 'My mother gave the driver some money', because the mother does the giving, the mother is said to be the subject of the verb *to give*.

subjunctive mood The subjunctive mood expresses something unreal, for example, wishful thinking: If I *were* rich . . . **Om jag *vore* rik** . . . It is used very rarely in modern English and mainly in some set phrases in Swedish, e.g. It *would be* nice if you could come. **Det *vore* roligt om du kunde komma.** *Long live* the Queen! *Leve* **drottningen!**

superlative The superlative is used for the most extreme version of a comparison. This dress is the *cheapest*. **Den här klänningen är den billigaste.** See also comparative.

tense Most languages use different verb forms to indicate an aspect of time. These changes in the verb are traditionally referred to as tenses. The tenses may be present, past or future. For instance She *is* at home. **Hon *är* hemma.** He *went* away. **Han *gick* bort.** *We will go* to the cinema tonight. **Vi *ska gå* på bio i kväll.**

English also uses continuous tenses, with verbs ending in *-ing*. In Swedish, these normally correspond to a simple verb form – present or past tense: She *is writing* a letter. **Hon *skriver* ett brev.** He *was washing* his car. **Han *tvättade* sin bil.**

verbs Verbs are words that communicate the action, state or sensation of a noun, e.g. *to travel* ***att resa***, *to eat* ***att äta***, *to see* ***att se***. Verbs are either transitive or intransitive. Transitive verbs describe an action which affects an object, e.g. He *starts* the car. **Han** ***startar*** **bilen**. Intransitive verbs do not affect an object, e.g. The car *starts*. **Bilen** ***startar***.

I started the car is an example of a verb in active voice. In passive voice, it would be *The car was started by me*. ***Bilen startades av mig***.

There are two participles used with verbs such as *to be* ***att vara*** and *to have* ***att ha***: the present participle (*speaking* ***talande***) and the past participle (*spoken* ***talad***).

Swedish uses a special verb form, the supine, after **har** to form the present perfect and after **hade** to form the pluperfect tense, whereas English uses the past participle. For instance, He has *forgotten* it **Han har** ***glömt*** **det**. He had *forgotten* it **Han hade** ***glömt*** **det**. It is only used in this position and it never changes.

Taking it further

Books

Swedish: An Essential Grammar, Philip Holmes and Ian Hinchliffe, Routledge, 1997.

A Concise Swedish Grammar, Kerstin Ballardini and Sune Stjärnlöf, Natur och Kultur Läromedel, Sverige, 2000.

Svenska Skrivregler, Eva Raam-Inghult, Liber AB, Sverige 2000.

Svenska Akademiens Grammatik, Svenska Akademien, Sverige, 1999.

Handbok i Svenska: skriva och tala, rätt och fel, grammatik, knepiga ord, Gösta Åberg, AB Wahlström & Widstrand, Sverige, 2001.

På väg mot svenskt uttal, Robert Bannert, Studentlitteratur AB, Sverige, 1994.

Svensk Lexikologi: ord, ordbildning, ordböcker och databaser, Sven-Göran Malmgren, Studentlitteratur AB, Sverige 1994.

Fult Språk: Svordomar, dialekter och annat ont, Lars-Gunnar Andersson, Carlsson bokförlag AB, Sverige, 2001.

SVENSKA UTIFRÅN, Lärobok i svenska, Britta Holm, Roger Nyborg and Nils-Owe Pettersson, Svenska institutet, Sverige, 2001.

Fokus på Sverige. Nybörjarbok i svenska som främmande språk, Gunnel Arklund et al. Studentlitteratur AB, Sverige, 1997.

Dictionaries

Modern Engelsk–Svensk Ordbok, Prisma, 1980.

Modern Svensk–Engelsk Ordbok, Prisma, 1979.

Swedish Dictionary, David Harper, Routledge 1995.

Svenska Akademiens ordbok on the net: http://www.g3.spraakdata.
gu.se/saob/

Svenska Akademiens Ordlista, Svenska Akademien, Sverige, 1998.

Norstedts svenska uttalslexikon, Per Hedelin, Norstedts ordbok,
Sverige, 1997.

Svenska Akademiens Ordlista (CD). Norstedts ordbok, Sverige, 1998.

Svensk ordbok (CD). Norstedts ordbok, Sverige, 2000.

Newspapers

8 Sidor http://www.8sidor.se (easy read paper)

Arbetaren http://www.arbetaren.se

Dagens Industri http://www.di.se

Dagens Nyheter http://www.dn.se

Göteborgs-Posten http://www.gp.se

Svenska Dagbladet http://www.svd.se

Expressen (in italics) http://www.expressen.se

Aftonbladet (in italics) http://www.aftonbladet.se

Sydsvenska Dagbladet Snällposten (in italics)
http://www.sydsvenskan.se

General links

Virtual Sweden http://www.sweden.se

TEMO, survey organization: http://www.temo.se

For linguistic matters, especially the Svenska Akademiens ordbok
online: http://spraakdata.gu.se/

For information from the Swedish Institute about studies and
research in Sweden for foreign students: http://www.si.se

Cultural links: http://www.kultur.nu/

Swedish National Road Administration: http://www.vv.se/for-lang/
english/index.htm

Swedish news in English: http://www.thelocal.se/

The official gateway to all internet-based tourist information on
Sweden is http://www.visitsweden.com

You can almost always find information about specific cities in
Sweden by entering http://www.*cityname*.se

Radio Sweden

Radio Sweden broadcasts 30-minute programmes daily on short
wave, medium wave (1179 kHz, 254 m AM), satellite and the internet
(http://www.sr.se). Write to SR P6 Radio Sweden International, SE-
105 10 Stockholm, Sweden, for a free current programme. Swedish
television on the internet: svt.se.

SVT Europa broadcasts Swedish news, sports, children's entertainment
and drama programmes, and is available by subscription throughout
Europe. For more information contact SVT Europa's customer
services: ConNova TVX AB. Tel. (+46) 141 203910. E-mail: info.
tvx@connova.se. Web: http://www.connova.se/tvx

Visiting Sweden

If you are in Stockholm visit The Swedish Institute at Slottsbacken 10,
Stockholm (nearest tube stations Gamla Stan or Kungsträdgården).
Mailing address: Box 7434, SE-103 91 Stockholm, Sweden. Tel.
(+46) 8 453 78 00. Fax: (+46) 8 20 72 48. E-mail: si@si.se. Web:
http://www.si.se

The Swedish Academy: http://www.svenskaakademien.se
The Nobel Foundation: http://www.nobel.se
The Swedish National Bibliography: http://www.libris.kb.se

The publisher has used its best endeavours to ensure that the URLs for
external websites referred to in this book are correct and active at the time
of going to press. However, the publisher has no responsibility for the
websites and can make no guarantee that a site will remain live or that
the content is or will remain appropriate.

Swedish–English glossary

Italic has been used in the Swedish words to indicate a stressed syllable if the main stress is on a syllable other than the first one.

absolut *definitely*

adel (-n) *nobility*

adjö *goodbye*

adlande (-t) *raising to the nobility*

Afrika *Africa*

afton (-en aftnar) *evening*

aj *ow; ouch*

all (-t -a) *all*

alldeles lagom *just right*

allemansrätten *right of public access*

allergisk mot *allergic to*

alles*amman*/s/ *all of us*

allmänt *generally; widely*

alltid *always*

allting *everything*

alltså *that is to say; you know; thus*

allvarlig (-t -a) *serious*

ambul*ans* (-en -er) *ambulance*

Amerika *America*

amerik*ansk* (-t -a) *American*

andra världskriget *Second World War*

andra/andre *second*

anknytning (-en -ar) *extension*

ankomst (-en -er) *arrival*

ankrace (-t -n) *duck race*

anm*äl*/a (-er -de -t) *to report*

annan (annat andra) *other*

annat *other things*

annorlunda *different*

ansikte (-t -n) *face*

ansjovis (-en -ar) *anchovies*

antal (-et -0) *number*

antingen . . . eller *either . . . or*

använd/a (-er -e använt) *to use*

apelsinsaft (-en -er) *orange juice*

apotek (-et -0) *pharmacy; chemist's*

appar*at* (-en -er) *device; apparatus*

april *April*

arbet/a (-ar -ade -at) *to work*

arm (-en -ar) *arm*

armbåg/e (-en -ar) *elbow*

art (-en -er) *species*

arton *eighteen*

artonde *eighteenth*

Asien *Asia*

attrakt*ion* (-en -er) *attraction; event*

aug*usti* *August*

Australien *Australia*

australier (-n -0) *Australian*

automatlåd/a (-an -or) *automatic gears*

av betydelse *of any importance*

avgas (-en -er) *exhaust fumes*

avgasrör (-et -0) *exhaust pipe*
avgift (-en -er) *charge; fee*
avgång *departure time*
avres/a (-an -or) *departure*
avsevärt *considerably*
avskaff/a (-ar -ade -at) *to abolish*
axel (-n axlar) *shoulder*

bad (-et -0) *bath*
bad/a (-ar -ade -at) *to go swimming*
badrum (-met -0) *bathroom*
bagageluck/a (-an -or) *boot of car*
bakifrån *from behind*
balkong (-en -er) *balcony*
bank (-en -er) *bank*
bara *only*
barnkalas (-et -0) *children's party*
bastu (-n -r) *sauna*
befolkning (-en -ar) *population*
begär/a (begär begärde begärt) *to request*
behandling (-en -ar) *treatment*
behåll/a (-er behöll behållit) *to keep*
behöv/a (-er -de -t) *to need*
beklag/a (-ar -ade -at) *to regret*
bekräftelse (-n -r) *confirmation*
bekväm (-t -a) *comfortable*
bekymr/ad (-at -ade) *worried*
ben (-et -0) *leg; bone*
bensin (-en) *petrol*
bensinmack (-en -ar) *petrol station*

bensinstation (-en -er) *petrol station*
berg (-et -0) *mountain*
berätt/a (-ar -ade -at) *to tell*
berömd (berömt berömda) *famous*
beskriv/a (-er beskrev beskrivit) *to describe*
besläkt/ad (-at -ade) *related*
beställ/a (-er -de -t) *to book; order*
besvik/en (-et -na) *disappointed*
besvärlig (-t -a) *difficult; awkward*
besökare (-n -0) *visitor*
betal/a (-ar -de -t) *to pay*
betrakt/a (-ar -ade -at) (sig) *to regard (himself)*
betyd/a (-er -de betytt) *to mean*
betyg (-et -0) *grade; mark*
bevar/a (-ar -ade -at) *to preserve*
bidrag/a (-er bidrog -it) *to contribute*
bilbälte (-t -n) *seat belt*
biljett (-en -er) *ticket*
biljettautomat (-en) *ticket machine*
biljon (-en -er) *billion*
billig (-t -a) *cheap*
biltjuv (-en -ar) *car thief*
bilverkstad (-en --städer) *garage*
bind/a (-er band bundit) *to bind; tie*
bio (-n) *cinema*
biograf (-en -er) *cinema*

bit (-en -ar) *piece*
björkkvist (-en -ar) *birch branch*
björn (-en -ar) *bear*
bl.a. (bland annat) *among
   other things; inter alia*
bland *among*
bland/a (-ar -ade -at) *to mix*
blek (-t -a) *pale*
blindtarmsinflammation
   (-en -er) *appendicitis*
blodtryck (-et) *blood pressure*
blomkål (-en, blomkålshuvuden)
   cauliflower
blyfri *unleaded*
blå (blått blå/a) *blue*
blåbär (-et -0) *blueberry*
blås/a (-er -te -t) *to blow; be
   windy*
blöd/a (-er blödde blött) *to
   bleed*
bo (-r -dde -tt) *to live*
bok (-en böcker) *book*
bokhandel (-n) *book shop*
bokhyll/a (-an -or) *bookshelf*
bonde (-n bönder) *peasant*
bord (-et -0) *table*
bordtennis (-en) *table tennis*
borgare *burghers*
borst/a (-ar -ade -at) *to brush*
bort/a *away*
bot/a (-ar -ade -at) *to cure*
bottenvåningen *ground floor*
bra *good; well; fine*
bred (brett breda) *broad*
breddgrad (-en -er) *latitude*
brev (-et -0) *letter*
brinn/a (-er brann brunnit)
   burn; be on fire
bro (-n -ar) *bridge*

broms/a (-ar -ade -at) *to brake*
bronsåldern *the Bronze Age*
bror (brodern bröder) *brother*
brorsdotter *niece (brother's
   daughter)*
brorson *nephew (brother's son)*
broschyr (-en -er) *pamphlet*
bruk/a (-ar -ade -at) *to usually
   do something*
brukade vara *used to be*
bry sig om *to care about*
brygg/a (-an -or) *jetty*
bryt/a (-er bröt brutit) *to
   break off*
bränslecell (-en -er) *fuel cell*
bröd (-et -0) *bread*
bröllop (-et -0) *wedding*
bröst (-et -0) *breast; chest*
bull/e (-en -ar) *roll*
bunt (-en -ar) *bunch*
burk (-en -ar) *tin; jar*
busshållplats (-en -er) *bus stop*
butik (-en -er) *shop; boutique*
by (-n -ar) *village*
bygg/a (-er, -de, -t) *build*
byt/a (-er -te -t) *to change;
   exchange*
byta tåg *to change trains*
båda *both*
både . . . och *both . . . and*
båt (-en -ar) *boat; ship*
bänk (-en -ar) *row (of seats)*
bär (-et -0) *berry*
bärgningsbil (-en -ar)
   breakdown van
bördig (-t -a) *fertile*
börj/a (-ar -ade -at) *to begin;
   start*
böter (pl.) *fines*

centralvärme (-n) *central heating*

centrum (-et) *centre*

ceremoniella funktioner *ceremonial functions*

cesiumhalt (-en) *caesium content*

choklad (-en) *chocolate*

chokladsås (-en -er) *chocolate sauce*

civilstånd (-et) *civil status*

cykl/a (-ar -ade -at) *to cycle*

dagens rätt *today's special*

daghem (-met -0) *day nursery*

dagl (dagligen) *daily*

dalahäst (-en -ar) *Dala horse*

damavdelningen *ladies' wear*

damfrisörsk/a (-an -or) *hairdresser*

dans (-en -er) *dance*

dansös (-en -er) *female dancer*

dataspel (-et -0) *computer game*

de *they*

de där/de här *those/these*

de flesta *most people*

de högsta *the highest*

december *December*

del (-en -ar) *part*

delas upp *to be divided*

delas ut *to be shared out; awarded*

del/ta (ga) (-tar -tog -tagit) *to take part*

deltid *part-time*

dem *them*

den närmaste motsvarigheten *the nearest equivalent*

den/det *it*

den/det där *that*

den/det här *this*

deponeringsavgift *deposit*

deras *their(s)*

dess *its*

dessert (-en -er) *dessert*

det finns *there is; there are*

det går bra *that's all right*

det gör detsamma *it doesn't matter; I don't care*

det mesta *most of it*

det är bäst att vi *we had better*

detsamma *the same*

diet (-en) *diet*

dig *you* (sing. obj.); *yourself*

dillpotatis *potatoes boiled with dill*

din (ditt dina) *your(s)*

diriger/a (-ar -ade -at) *to direct*

diskuter/a (-ar -ade -at) *to discuss*

dit *(to) there;* rel. *where*

djur (-et -0) *animal*

doktorinn/a (-an -or) *doctor's wife*

domkyrk/a (-an -or) *cathedral*

dopp i grytan *'dipping in the pot'*

dopp (-et -0) *dip, plunge*

dos (-en -er) *dose*

dotter (-n döttrar) *daughter*

dra (-r drog dragit) ut *to extract*

drak/e (-en -ar) *dragon*

drick/a (-er drack druckit) *to drink*

dricks *tip; service charge*

driv/a (-er drev drivit) ut *to drive out*

Drottninggatan *Queen Street*
dryck (-en -er) *drink*
drygt *slightly more than*
dröj/a (-er -de -t) *to hold on; be late*
dröm (drömmen drömmar) *dream*
du *you* (sing. informal)
dubbelrum (-met -0) *double room*
dum (-t dumma) *stupid*
dusch (-en -ar) *shower*
dussin (-et -0) *dozen*
d.v.s. (det vill säga) *that is to say*
dygn (-et -0) *the 24-hour day*
dynamit (-en) *dynamite*
dyr (-t -a) *expensive*
då *then*
då säger vi det *agreed*
däck (-et -0) *tyre*
där *there;* rel. *where*
där borta *over there (any direction)*
där framme *over there (in front)*
därför *that's why*
därför att *because*
därifrån *from there*
dö (-r dog dött) *to die*
dörr (-en -ar) *door*

eftermiddag (-en -ar) *afternoon*
efternamn *surname*
efterrätt (-en -er) *dessert; sweet*
eftersom *as*
efterträd/a (-er -de efterträtt) *to succeed a person*
eftervärlden *posterity*

efteråt *afterwards*
egen (eget egna) *own*
ej *not*
ekonomi (-n -er) *economy*
ekonomisk (-t -a) *economic*
elak (-t -a) *malicious*
eld (-en, -ar) *fire*
eld/a (-ar, -ade, -at) *light a fire*
eldfast form *ovenproof dish*
elev (-en -er) *pupil*
elfte *eleventh*
eller *or*
eller också *or else*
elva *eleven*
emellertid *however*
emigrer/a (-ar -ade -at) *to emigrate*
en/ett *a/an; one*
enda *single; only*
engelska (-n) *English (language)*
engelsk/a (-an -or) *Englishwoman*
Engelska kanalen *English Channel*
engelsman (-nen engelsmän) *Englishman*
enhetlig (-t, -a) *homogeneous*
enkel *single*
enkelhet (-en -0) *simplicity*
enkelrum (-met -0) *single room*
enkron/a (-an -or) *1-krona coin*
enligt *according to*
ensam (-t ensamma) *alone; by ourselves*
epokgörande *epoch-making*
er *you* (pl. obj.); *yourselves*
er (-t -a) *your(s)*

Erikskrönikan *the Eric Chronicle*
ersätt/a (-er ersatte ersatt) *to replace*
etnisk (-t -a) *ethnic*
ett halvt kilo (1/2 kg) *half a kilo*
ett kvarts kilo *a quarter of a kilo*
ett slags *a kind of*
Europa (pronounced Eropa) *Europe*
evenemang (-et -0) *great event*
examen (pl. examina) *examination*
expedit (-en -er) *shop assistant*
expeditionsavgift (-en -er) *commission; service charge*
expert (-en -er) *expert*
extrapris (-et -er) *special offer*

faktiskt *really; actually; in fact*
familj (-en -er) *family*
familjeskäl *personal reasons*
fantastiskt *fantastically*
far (fadern fäder) *father*
far/a (-an -or) *danger*
farbror (-n farbröder) *uncle (father's brother)*
farfar *grandpa (lit. father's father)*
farfarsfar *greatgrandfather (father's side)*
farlig (-t -a) *dangerous*
farmor *grandma (lit. father's mother)*
farmorsmor *greatgrandmother (father's side)*
fast *though; fixed*

faster (-n fastrar) *aunt (father's sister)*
fatt/as (fattas -ades -ats) *to be missing*
fattig (-t -a) *poor*
feber (-n) *fever*
februari *February*
fel (-et -0) *fault; wrong*
fem *five*
femhundrakronorssedel (-n --sedlar) *500-kronor (bank) note*
femkron/a (-an -or) *5-kronor coin*
femte *fifth*
femtio *fifty*
femtionde *fiftieth*
femtiooöring (-en -ar) *50-öre coin*
femton *fifteen*
femtonde *fifteenth*
festmiddag (-en -ar) *banquet*
fik/a (-ar -ade -at) *to have a coffee*
fil (mjölk) *(thin) yoghurt*
fin (-t -a) *fine*
finger (fingret fingrar) *finger*
finhack/ad (-at -ade) *finely chopped*
finn/e (-en -ar) *Finn*
finnas kvar *to remain*
finska (-n) *Finnish (language)*
finsk/a (-an -or) *Finnish woman*
fiol (-en -er) *violin*
fir/a (-ar -ade -at) *to celebrate*
fiskrätt (-en -er) *fish dish*
fix/a (-ar -ade -at) *to fix*
fjorton *fourteen*

fjortonde   *fourteenth*
fjärde   *fourth*
fjärdedel (-en -ar)   *quarter*
fjärrtåg (-et -0)   *long-distance train*
flask/a (-an -or)   *bottle*
fler/a   *several*
flick/a (-an -or)   *girl*
flingor   *cornflakes*
flod (-en -er)   *river*
fly (-r -dde -tt)   *to flee*
flyg/a (-er flög flugit)   *to fly*
flyget   *aeroplanes (colloquial)*
flygplats (-en -er)   *airport*
flykting (-en -ar)   *refugee*
flyt/a (-er flöt flutit)   *to float*
flytande   *fluent*
flytt/a (-ar -ade -at)   *to move*
fläskkotlett (-en -er)   *pork chop*
flöjt (-en -er)   *flute*
folk (-et -0)   *people*
folkomröstning (-en -ar)   *referendum*
fordon (-et -0)   *vehicle*
form (-en)   *form*
forskningsres/a (-an -or)   *scientific expedition*
fortfarande   *still*
fortsätt/a (-er --satte --satt)   *to continue*
fot (-en fötter)   *foot*
fotbollsmatch (-en -er)   *football match*
fotbroms (-en -ar)   *foot-brake*
fotokurs (-en -er)   *photography course*
fram/me   *in front; there; forward*
framgång (-en -ar)   *success*

framifrån   *from the front*
framsäte (-t -n)   *front seat*
fransk   *French*
franska (-n)   *French (language)*
fransman (-nen fransmän)   *Frenchman*
fransysk/a (-an -or)   *Frenchwoman*
fredag   *Friday*
fredspris (-et -0)   *peace prize*
fridlyst   *specially protected*
frihetshjält/e (-en -ar)   *champion of liberty*
frisk (-t -a)   *well; healthy*
friska luften   *open air*
fritidsaktivitet (-en -er)   *leisure activity*
frontalkrock (-en -ar)   *head-on crash*
fru (-n -ar)   *Mrs; wife*
frukost (-en -ar)   *breakfast*
frukt (-en -er)   *fruit*
fruktsallad (-en -er)   *fruit salad*
frys (-en frysskåp)   *freezer*
frys/a (-er frös frusit)   *to be/ feel cold*
frysa till is   *to freeze, freeze over*
fråg/a (-an -or)   *question*
från   *from*
främst   *foremost*
fröken (fröknar)   *Miss*
full (-t -a)   *full; drunk*
fullt med folk   *crowded*
fyll/a (-er -de -t) på   *to fill up with*
fynd (-et -0)   *bargain*
fyra   *four*
fyrtio   *forty*
fyrtionde   *fortieth*

fysik (-en) *physics*
få (-r fick fått) *to get; be*
 allowed to; have to
få lov att *to be allowed to*
fågelvägen *as the crow flies*
fält (-et -0) *field*
färdig (-t -a) *ready*
färgglad (-a) *brightly coloured*
färgteve (-n) *colour television*
färj/a (-an -or) *ferry*
färsk (-t -a) *fresh*
färskvaror *fresh food,*
 perishables
fästning (-en -ar) *fortress*
född *born*
födelsedag (-en -ar) *birthday*
följ/a (-er -de -t) (med) *to*
 follow; accompany
fönster (fönstret
 fönster) *window*
för *too; for; because*
för . . . sedan *ago*
för att *(in order) to*
för länge *too long*
förbi *past*
fördel (-en -ar) *advantage*
före *before*
före/dra (--drar --drog --dragit)
 to prefer
förening (-en -ar) *society, club*
föreställning (-en -ar)
 performance
författarinn/a (-an -or)
 authoress
förfärlig (-t -a) *terrible*
förhindr/ad (-at -ade)
 prevented
förkylning (-en -ar) *cold (illness)*

förköpsbiljett (-en -er)
 advance purchase ticket
förlor/a (-ar -ade -at) *to lose*
förlov/a (-ar -ade -at) sig *to*
 get engaged
förmiddagskaffe (-t) *morning*
 coffee
förmodligen *probably*
förmögenhet (-en -er) *wealth*
förnamn *Christian (first) name*
föroren/a (-ar -ade -at) *to*
 pollute
förorening (-en -ar) *pollution*
förresten *by the way*
förrätt (-en -er) *starter*
försen/ad (-at -ade) *late; delayed*
först (-a) *first*
första gången *the first time*
förstå (-r förstod förstått) *to*
 understand
förstås *of course*
förstör/a (förstör -de -t) *to*
 destroy
försur/a (-ar -ade -at) *to acidify*
försvinn/a (-er --svann
 --svunnit) *to disappear*
försäkring (-en -ar) *insurance*
försäljare (-n -0) *market-*
 trader
försök/a (-er -te -t) *to try*
försörj/a (-er -de -t) sig *to*
 provide for oneself
förtroende (-t -n) *confidence*
förut *before; previously*
förvånansvärt *surprisingly*
förälder (-n föräldrar) *parent*
förälsk/a (-ar -ade -at) sig i *to*
 fall in love with

gammaldags *old-fashioned*

ganska *rather*

garage (-t -0) *garage*

garner/a (-ar -ade -at) *to garnish*

gaspedal (-en -er) *accelerator; throttle*

gatukorsning (-en -ar) *junction*

gatukök (-et -0) *street kitchen*

ge sig iväg *to set off*

ge (-r gav gett/givit) *to give*

gemensamt med *in common with*

genast *at once*

genuin (-t -a) *genuine*

geografi (-n) *geography*

gift (med) *married (to)*

gift/a (-er -e -0) sig *to get married*

gitarr (-en -er) *guitar*

gjort *done*

Glad Påsk! *Happy Easter!*

glas (-et -0) *glass; glassware*

glasbruk (-et -0) *glassworks*

glass (-en) *ice-cream*

glasögon (-en -0) *spectacles*

glitter *tinsel*

glögg *a heavily-spiced mulled wine*

god natt *goodnight*

God Fortsättning! *May the New Year Continue Happily!*

God Jul! *Merry Christmas!*

goddag *how do you do?*

godis (-et) *sweets*

golf (-en) *golf*

golfklubb/a (-an -or) *golf-club*

Golfströmmen *the Gulf Stream*

gott *nice (about food)*

Gott Nytt År! *A Happy New Year!*

grad (-en -er) *degree*

grattis (*slang for* gratulationer) *congratulations*

gravad lax *marinated salmon*

Grekland *Greece*

grillspett (-et -0) *kebab*

grund/a (-ar -ade -at) *to found*

grundlägg/a (-er grundlade grundlagt) *to lay the foundations of*

grädde (-n) *cream*

gränd (-en -er) *lane*

gröngul (-t -a) *greenish-yellow*

grönsak (-en -er) *vegetable*

gul (-t -a) *yellow*

guldstjärn/a (-an -or) *golden star*

gurk/a (-an -or) *cucumber*

gyllene *golden*

gymnastik (-en) *gymnastics*

gå (-r gick gått) *to go; walk*

gå av *to get off*

gå en runda *to play a round (golf)*

gå till sängs *to go to bed*

gå varm *to become overheated*

gå vilse *to get lost*

gå över *to pass*

gå över till *to change (over) to*

gång (-en -er) *time; occasion*

gäll/a (-er -de -t) *to apply to; be valid*

gärna *willingly; gladly*

gästgivargård (-en -ar) *old coaching inn*

gäststug/a (-an -or) *(little) guest-house*

göra (gör gjorde gjort)   *to do; make*

göra någon skillnad   *to make any difference*

göra ont   *to hurt*

göra sig förtjänt   *to distinguish oneself*

göra upp eld   *to light a camp fire*

göteborgar/e (-en -0) *Gothenburger*

ha (-r hade haft)   *to have*

ha lust   *to feel like*

ha ont om   *to be short of*

ha råd med   *to afford*

hak/a (-an -or)   *chin*

hallon (-et -0)   *raspberry*

hals (-en -ar)   *throat*

halsfluss (-en)   *tonsillitis*

halv sju   *at half past six*

halvljus   *dipped headlights*

hamn (-en -ar)   *port; harbour*

han   *he*

hand (-en händer)   *hand*

handbroms (-en -ar)   *hand-brake*

handelsfirm/a (-an -or)   *trading (commercial) firm*

handl/a (-ar -ade -at)   *to go shopping; buy*

hans   *his*

hastighetsmätare (-n -0) *speedometer*

hav (-et -0)   *sea*

hej   *hallo; hi*

hej så länge   *so long*

hejsan   *informal greeting*

hel (-t -a)   *whole*

hela   *the whole; all*

helförsäkring (-en -ar) *comprehensive insurance*

helgdag   *public holiday*

helgon (-et -0)   *saint*

helljus (-et -0)   *full beam*

hellre   *rather*

helt och hållet   *entirely*

helylle   *pure wool*

hem   (*to*) *home*

hem (-met -0)   *home*

hemma   *at home*

hemspråk (-et -0)   *mother tongue*

henne   *her*

hennes   *her(s)*

herr (-en -ar)   *Mr*

het/a (-er hette hetat)   *to be called*

hinn/a (-er hann hunnit) *to have time to*

hiss (-en -ar)   *lift*

hit (*to*)   *here*

hitt/a (-ar -ade -at)   *to find*

hjortron (-et -0)   *cloudberry*

hjul (-et -0)   *wheel*

hjälp (-en)   *help*

hjälp/a (-er -te -t)   *to help*

hjälpa till   *to help with*

hjärnblödning (-en -ar)   *stroke*

hjärtattack (-en -er)   *heart attack*

hjärtliga lyckönskningar *hearty congratulations*

hon   *she*

honom   *him*

hopp (-et)   *hope*

host/a (-ar -ade -at)   *to cough*

hotell (-et -0)   *hotel*

hovmästare (-n -0)   *head-waiter*

humör (-et)   *mood*

hundra *hundred*
hundrade *hundredth*
hundralapp (-en -ar)
  100-kronor note
hungrig (-t -a) *hungry*
hur *how*
hur dags *at what time*
hur ofta *how often*
hur som helst *in any way; just
  anyhow*
hus (-et -0) *house*
huvud (-et -0 *or* -en) *head*
huvudregel (-n --regler) *main
  rule*
huvudsakligen *mainly*
huvudstad (-en --städer) *capital*
huvudvärk (-en) *headache*
hyr/a (hyr -de -t) *to rent*
hål (-et -0) *hole*
hår (-et) (collective sing.) *hair*
hård (hårt hårda) *hard*
hårdkokt (-a) *hardboiled*
hälsa på *to greet; say 'hello' to*
hälsa på *to visit*
hämt/a (-ar -ade -at) *to fetch*
länd/a (-er -e länt) *to happen*
häng/a (-er -de -t) *to hang*
här *here*
härifrån *from here*
höft (-en -er) *hip*
höger *right*
högertrafik *driving on the
  right*
högst *at most*
höj/a (-er -de -t) *to raise*
hör/a (hör -de -t) *to hear*
hörn (-et -0) *corner*
hörnbord (-et -0) *corner table*

hösnuva (-n) *hayfever*
höst (-en -ar) *autumn*

i *in*
i alla fall *anyway*
i det gröna *in the open;
  outdoors*
i form av *in the form of*
i fred *in peace*
i förrgår *the day before
  yesterday*
i julas *last Christmas*
i kväll *tonight; this evening*
i land *ashore*
i medeltal *on average*
i morgon *tomorrow*
i morgon bitti *early tomorrow
  morning*
i morse *early this morning*
i närvaro av *in the presence of*
i rad *running; consecutive*
i slutet på *at the end of*
i stället för *instead of*
i synnerhet *in particular;
  especially*
i så fall *in that case*
i varje fall *in any case*
i övermorgon *the day after
  tomorrow*
iakttagelse (-n -r) *observation*
ibland *sometimes*
icke-rökare *non-smoker*
idag *today*
idrottsklubb (-en -ar) *athletics
  club*
igen *again*
igår *yesterday*
igår morse *early yesterday
  morning*

illa *bad*
imponerande *impressive*
import- och
exportfirma *import and export firm*
importer/a (-ar -ade -at) *to import*
in *into*
inbjudan *invitation*
indian (-en -er) *(American) Indian*
indisk (-t -a) *Indian*
individ (-en -er) *individual*
industri (-n -er) *industry*
influensa (-n) *influenza; flu*
inför/a (inför -de -t) *to introduce*
ingen orsak *you are welcome; don't mention it*
ingen som helst *none whatsoever*
ingenjör (-en -er) *engineer*
ingå (-r ingick ingått) *to be included*
inkomst (-en -er) *income*
inlagd gurka *gherkin*
inlagd sill *pickled herrings*
inlagda rödbetor *pickled beetroots*
inne *in (inside)*
innehåll/a (-er --höll --hållit) *to contain*
inomhus *indoors*
insläpp *admission*
insnö/ad (-at -ade) *snowbound*
instift/a (-ar -ade -at) *to establish*

inställ/d (-t -da) *cancelled*
inte ... förrän *not until*
inte alls *not at all*
inte bry sig om *not to bother about*
inte vara förtjust i *not to care for*
internatskola *boarding school*
intresse (-t -n) *interest*
intresserad av *interested in*
invandrare (-n -0) *immigrant*
invånare (-n -0) *inhabitant*
ironisk (-t -a) *ironic*
Italien *Italy*
italiensk (-t -a) *Italian*
italienska (-n) *Italian (language)*

ja *yes*
jadå *oh yes*
jag *I*
jag/a (-ar -ade -at) *to hunt*
januari *January*
jaså *really?; is that so?*
javisst *yes, certainly; yes, of course*
jobb (-et -en) *the place of work*
jogg/a (-ar -ade -at) *to go jogging*
jord (-en -ar) *earth*
jorden runt *around the world*
jordgubbstårt/a (-an -or) *strawberry gateau*
jourtjänsten *emergency services*
ju *of course; as you know*
ju ... desto *the ... the*
Jugoslavien *Yugoslavia*

julbord (-et -0)   *Christmas buffet*

julgransplundring (-en -ar)   *stripping of the Christmas tree*

juli   *July*

julklapp (-en -ar)   *Christmas present*

julrim (-met -0)   *Christmas rhyme*

julskink/a (-an -or)   *Christmas ham*

jultomt/e (-en -ar)   *Father Christmas; Santa Claus*

juni   *June*

just bakom   *just behind*

jämna pengar   *the right amount*

jämnt   *exactly*

järnvägsstation (-en -er)   *railway station*

jättesnäll (-t, -a)   *terribly kind*

kafé (-et -er)   *café*

kaffe (-t)   *coffee*

kalender (-n kalendrar)   *calendar*

kalkon (-en -er)   *turkey*

kall (-t -a)   *cold*

kallas   *to be called*

kalvstek (-en -ar)   *roast veal*

kanal (-en -er)   *canal*

kanske   *perhaps*

kappsegling (-en -ar)   *sailing-race*

karakteriser/a (-ar -ade -at)   *to characterize*

kart/a (-an -or)   *map; town plan*

kasser/a (-ar -ade -at)   *to condemn; discard; destroy*

kassörsk/a (-an -or)   *cashier (female)*

katastrof (-en -er)   *catastrophe; disaster*

kejsarinn/a (-an -or)   *empress*

kemi (-n)   *chemistry*

kil/a (-ar -ade -at) in   *to pop in*

kill/e (-en -ar)   *boy*

kilo (-t -[n])   *kilo*

kind (-en -er)   *cheek*

kinesisk (-t -a)   *Chinese*

kiosk (-en -er)   *kiosk*

kivas om   *to argue about*

klag/a (-ar -ade -at) på   *to complain about*

klagomål (-et -0)   *complaint*

klar (-t -a)   *ready*

klar/a (-ar -ade -at) sig   *to manage*

klick (-en -ar)   *knob (of butter)*

klimat (-et -0)   *climate*

klipphäll (-en -ar)   *bare rock*

klä (-r -dde -tt) någon   *to suit somebody*

klä majstången   *to decorate the maypole*

kläder (plural)   *clothes*

knappast   *hardly*

knä (- (e)t -n)   *knee*

koft/a (-an -or)   *cardigan*

kollektivtrafik (-en)   *public transport*

kollider/a (-ar -ade -at)   *to collide*

komm/a (-er kom kommit)   *to come*

komma fram   *to arrive*

komma ihåg *remember*
komma överens *agree; get on*
konditori (-et -er) *café; pâtisserie*
konkurrens (-en) *competition*
konsert (-en -er) *concert*
konst (-en -er) *art*
konstmuseum *art museum*
konstnär (-en -er) *artist; designer*
konsument (-en -er) *consumer*
konto (-t -n) *account*
kontor (-et -0) *office*
konversation (-en -er) *conversation*
koppling (-en -ar) *clutch*
korvkiosk (-en -ar) *hot-dog stand*
kost/a (-ar -ade -at) *to cost*
krabb/a (-an -or) *crab*
krans (-en -ar) *wreath*
kreditkort (-et -0) *credit card*
krig (-et -0) *war*
kring *around*
kristallskål (-en -ar) *crystal bowl*
kronjuvel (-en -er) *crown jewels; state regalia*
kropp (-en -ar) *body*
kudde (-n -ar) *pillow*
kultur (-en -er) *culture*
kung (-en -ar) (from 'konung') *king*
Kungsan (colloquial) *Kungsträdgården (a park)*
Kungsgatan *King Street*
kunna (kan kunde kunnat) *can; to be able to; know*

kurs (-en -er) *course; class*
kusin (-en -er) *cousin*
kust (-en -er) *coast*
kvalitet (-en -er) *quality*
kvar *left*
kvart i åtta *a quarter to eight*
kvartal (-et -0) *quarter (of a year)*
kvarterskrog (-en -ar) *local restaurant*
kvinn/a (-an -or) *woman*
kvitto (-t -n) *receipt*
kväll (-en -ar) *evening*
kyckling (-en -ar) *chicken*
kyla (-n) *cold*
kylare (-n -0) *radiator*
kylskåp (-et -0) *fridge*
kyrk/a (-an -or) *church*
källare (-n -0) *basement*
känd (känt kända) *known*
känn/a (-er kände känt) *to feel; know*
kö (-n -er) *queue*
kök (-et -0) *kitchen*
köp/a (-er -te -t) *to buy*
kör/a (kör -de -t) (bil) *to drive*
köra av vägen *to drive off the road*
körfält (-et -0) *lane*
körkort (-et -0) *driving licence*
kött (-et) *meat*
köttbull/e (-en -ar) *meatball*

lager (lagret lager) *layer*
lagom *just right; enough*
land (-et länder) *country*
Landsfadern *Father of the people*

landskap (-et -0) *province; scenery*

lapp (-en -ar) *Sami, inhabitant of Lapland*

lax (-en -ar) *salmon*

led/a (-er -de lett) *to lead*

ledare (-n -0) *leader*

ledig (-t -a) *free; vacant*

leds/en (-et -na) *sorry; sad*

legitimation (-en) *proof of identity*

lev/a (-er -de -t) *to live*

levande *living; growing*

leverpastej (-en -er) *liver pâté*

levnadsstandard (-en -er) *standard of living*

ligg/a (-er låg legat) *to lie; be situated*

liggvagn (-en -ar) *couchette*

lika långt *as far*

lika vanligt som *as common as*

liksom *like; as well as*

lilla *little*

Lilla julafton *December 23rd*

lillasyster *little sister*

lillebror *little brother*

limp/a (-an -or) *loaf*

lingon (-et -0) *cranberries*

linje (-n -r) *line*

linne/a (-an -or) *twinflower*

list/a (-an -or) *list*

lite *a little*

lite för mycket *a little too much*

lite grann *a little*

lite över *a little past*

liten (litet små) *little; small*

liter (-n -0) *litre*

liv (-et -0) *life*

livegen, livegna *serf (-s)*

ljus (-t -a) *light; fair*

ljus (-et -0) *light; candle*

lock/a (-ar -ade -at) *to attract*

lockig (-t -a) *curly*

lott (-en -er) *lottery ticket*

lov/a (-ar -ade -at) *to promise*

luft (-en) *air*

luftig (-t -a) *airy*

lugn (-t -a) *calm*

lung/a (-an -or) *lung*

lunginflammation (-en -er) *pneumonia*

lur/a (-ar -ade -at) *to cheat*

lussekatt *'Lucia cat'*

lutfisk (-en) *boiled ling*

lykt/a (-an -or) *headlight*

lys/a (-er -te -t) *to shine; be switched on*

lyssn/a (-ar -ade -at) *to listen*

lyxrestaurang (-en -er) *luxury restaurant*

låg (lägre, lägst) *low (lower, lowest)*

lån/a (-ar -ade -at) *to borrow; lend*

lång (-t -a) *long; tall*

långsam (-t -ma) *slow*

låt/a (-er lät låtit) *to let; sound*

läcker (läckert läckra) *delicious*

läge *situation*

lägenhet (-en -er) *flat*

lägg/a (-er la(de) lagt) *to lay; put*

lägg/a (-er la(de) lagt) sig *to go to bed*

lägga in backen *to get into reverse gear*

lägga in ettan *to get into first gear*
lägst *lowest*
läkare (-n -0) *doctor*
lämna mig i fred *leave me in peace*
längd (-en -er) *length*
länge *long (about time)*
längt/a (-ar -ade -at) efter *to long to; to long for*
lär/a (lär -de -t) sig *to learn*
lärare (-n -0) *teacher*
lärarinn/a (-an -or) *female teacher*
lärjung/e (-en -ar) *disciple*
läs/a (-er -te -t) *to read; study*
läskedryck (-en -er) *soft drink*
lätt (lätt lätta) *light; easy*
lördag *Saturday*
lös (-t -a) *loose*
lös/a (-er -te -t) *to dissolve*
lös/a (-er -te -t) in *to cash*
lövbiff (-en -ar) *minute-steak*

mag/e (-en -ar) *stomach*
magnetisk (-t -a) *magnetic*
maj *May*
majoritet (-en -er) *majority*
makt (-en -er) *power*
maktlös (-t -a) *powerless*
mamm/a (-an -or) *mother*
man *one; you; people; they*
man (-nen män) *man; husband*
mark (-en -er) *ground*
mars *March*
massport (-en) *popular sport*
massös (-en -er) *masseuse*
mat (-en) *food*
matavdelning (-en -ar) *food hall*

match (-en -er) *match*
matsedel (-n --sedlar) *menu*
matsked (-en -ar) *tablespoon*
matsäck (-en -ar) *packed lunch*
matt (matt matta) *faint*
med *with*
medan *while*
medborgarskap (-et -0) *citizenship*
medeltida *medieval*
medeltiden *the Middle Ages*
medlem (-men -mar) *member*
medvetslös (-t -a) *unconscious*
medvind *following wind*
mekaniker (-n -0) *mechanic*
mellan *between*
mellersta *central*
men *but*
met/a (-ar -ade -at) *to angle, to fish*
middag (-en -ar) *dinner*
midnatt *midnight*
midnattssol (-en) *Midnight Sun*
midvintermörker *Midwinter Darkness*
mig *me; myself*
migrän (-en) *migraine*
mild (milt milda) *mild*
miljard (-en -er) *a thousand million*
miljon (-en -er) *million*
miljö (-n -er) *environment*
miljöförstöring (-en) *environmental pollution*
miljövänlig (-t -a) *environmentally friendly*
min (mitt mina) *my; mine*

mindre *smaller*

mineral (-et -0 *or* -(i)er)
  mineral

mineralvatten (-vattnet -0)
  mineral water

minne (-t -n) *souvenir*

minoritet (-en -er) *minority*

minsk/a (-ar -ade -at) *to
  decrease*

minst *at least*

minsta *slightest*

miss/a (-ar -ade -at) *to miss*

mitt emot *opposite*

mjöl (-et -0) *flour*

mjölk (-en) *milk*

mo(de)r (-n mödrar) *mother*

moderniser/a (-ar -ade -at) *to
  modernize*

molnig (-t -a) *cloudy*

moms-kvitto (-t -n) *VAT receipt*

monarki (-n -er) *monarchy*

morbror (lit. mors bror) *uncle
  (mother's brother)*

morgon (-en morgnar)
  morning

mormor *grandma (lit.
  mother's mother)*

morot (-en morötter) *carrot*

mosaik (-en -er) *mosaic*

Moskva *Moscow*

moster (lit. mors syster) *aunt
  (mother's sister)*

motiv (-et -0) *motif*

motor (-n motorer) *motor*

motsvarande *corresponding*

mottagning (-en -ar) *surgery;
  reception*

mulen (mulet mulna) *overcast*

mun (-nen -nar) *mouth*

museum (museet museer)
  museum

musik (-en) *music*

musikaffär (-en -er) *music
  shop*

mussl/a (-an -or) *clam*

mycket *very; much*

mycket gärna *yes, please,
  I would love it*

mygg (-et -0) *mosquito*

mysig (-t -a) (colloquial) *(nice
  and) cosy*

må illa *to feel sick*

mål/a (-ar -ade -at) *to paint*

mån/e (-en -ar) *moon*

måndag *Monday*

många *many*

mångkulturell *multi-cultural*

Mälardrottningen *The Queen
  of Lake Mälaren*

människ/a (-an -or) *person;
  pl. people*

märk/a (-er -te -t) *to notice*

mässling (-en) *(the) measles*

mätt *satisfied; full up (about
  food)*

mönster (mönstret
  mönster) *pattern*

mörk (-t -a) *dark*

möt/a (-er -te -t) *to meet*

nack/e (-en -ar) *nape of the
  neck*

namn (-et -0) *name*

napp/a (-ar -ade -at) *to bite
  (about fish)*

nation (-en -er) *nation*

natt (-en nätter) *night*

nattuggl/a (-an -or) *night-owl*

natur (-en -er) *nature, scenery*
naturligtvis *of course; naturally*
nederbörd (-en) *precipitation*
nedsatt pris *reduced price*
nej *no*
ner/e *down*
nerifrån *from below*
ni *you* (pl. and formal sing.)
nio *nine*
nionde *ninth*
nittio *ninety*
nittionde *ninetieth*
nitton *nineteen*
nittonde *nineteenth*
njut/a (-er njöt njutit) *to enjoy*
nobelpristagare (-n -0) *Nobel prize winner*
nog *probably; I think*
noggrann (noggrant noggranna) *careful*
noll *nought, zero*
nomad (-en -er) *nomad*
Nordens Venedig *the Venice of the North*
norr *north*
Norrland *the northern half of Sweden*
norrsken (-et -0) *the northern lights; Aurora Borealis*
norrut *northwards*
not/a (-an -or) *bill*
november *November*
nu *now*
nuförtiden *nowadays*
numera *nowadays*
nummer (numret nummer) *number*
nybak/ad (-at -ade) *freshly baked*

nyckel (-n nycklar) *key*
nymalen (nymalet nymalna) *freshly ground*
nytt/a (-an) *use*
någon *someone; anyone*
någon annans *somebody else's*
någon (något några) *some; any*
någon som helst *anybody*
någonstans *anywhere; somewhere*
något annat *something else*
något/någonting *something; anything*
när *when*
närhet (-en) *vicinity*
när som helst *at any time; whenever*
närmast (-e) *nearest*
näs/a (-an -or) *nose*
nästa (the) *next*
nästan *almost*
nöje (-t -n) *pleasure*

o *oh*
o.d. (och dylikt) *etc.*
obligatorisk (-t -a) *compulsory*
och *and*
också *also; too*
officiell (-t -a) *official*
ofta *often*
oftast *in most cases*
oktober *October*
olik (-t -a) *different (from)*
om *(about time) in*
om *if*
om året *per year*
ombudsman (-nen ombudsmän) *representative of the people; ombudsman*

omelett (-en -er) *omelette*

omgående *at once*

omkring (abbrev. 'o') *around*

omläggning (-en) *change-over*

område (-t -n) *area*

omsorgsfull (-t -a) *careful*

omvandl/a (-ar -ade -at) *convert*

omväxlande *alternating*

onsdag *Wednesday*

ont i halsen *a sore throat*

ont i magen *stomach-ache*

oper/a (-an -or) *opera*

ordentlig (-t -a) *proper*

ordn/a (-ar -ade -at) *to arrange; get; obtain*

organisation (-en -er) *organization*

orättvis (-t -a) *unfair*

oss *us; ourselves*

ost (-en -ar) *cheese*

ostlig *easterly*

o.s.v. (och så vidare) *etc.*

ovanför *above*

ovanlig (-t -a) *unusual*

pack/a (-ar -ade -at) *to pack*

pack/a (-ar -ade -at) upp *to unpack*

paket (-et -0) *parcel*

pann/a (-an -or) *forehead*

papp/a (-an -or) *father*

paprik/a (-an -or) *(sweet) pepper*

par (-et -0) *pair; couple*

park (-en -er) *park*

parkeringsplats (-en -er) *car park*

parkett *stalls*

parti (-et -er) *political party*

pass (-et -0) *passport*

pass/a (-ar -ade -at) *to fit*

passer/a (-ar -ade -at) *to pass*

passkontrollören *Immigration Officer*

pengar *money*

peppar (-n) *pepper*

pepparkakshus (-et -0) *gingerbread house*

perfekt *perfect(ly)*

persilja (-n) *parsley*

persiljesmör (-et) *parsley butter*

person (-en -er) *person*

pickolo (-n) *porter; bellboy*

pilot (-en -er) *pilot*

planer/a (-ar -ade -at) *to plan*

plats (-en -er) *place; room*

platsbiljett (-en -er) *seat reservation (ticket)*

platsnummer (--numret --nummer) *seat number*

plattform (-en -ar) *platform*

plock/a (-ar -ade -at) *to pick*

plog/a (-ar -ade -at) *to clear (of snow)*

plumpudding (-en -ar) *Christmas pudding*

plånbok (-en plånböcker) *wallet*

pojk/e (-en -ar) *boy*

polcirkeln *the Arctic circle*

polisen *the police*

polisstation (-en -er) *police station*

politik (-en) *politics; policy*

politisk *political*

popkonsert *pop concert*
populär (-t -a) *popular*
post/a (-ar -ade -at) *to post*
posten *the post office*
potatis (-en -ar) *potato*
potatismos (-et) *mashed potatoes*
praktikant (-en -er) *trainee*
praktiskt taget *practically*
prat/a (-ar -ade -at) *to talk*
present (-en -er) *present*
pris (-et -er) *price*
pris (-et -er) *prize*
prisklass (-en -er) *price category*
problem (-et -0) *problem*
procent *per cent*
produkt (-en -er) *product*
prov/a (-ar -ade -at) *to try on*
pryd/a (-er -de prytt) *to adorn*
präst (-en -er) *member of clergy; parson*
präster *clergy*
pröv/a (-ar -ade -at) *to try*
punktering (-en -ar) *puncture*
på *on; at; in*
på allvar *seriously*
på landet *in the countryside*
på stan (from 'staden') *into town*
pålägg (-et -0) *things to put on rolls; toppings*
päron (-et -0) *pear*

rad (-en, -er) *row*
radio (-n radioapparater) *radio*
radioaktivitet (-en) *radioactivity*

rak (-t -a) *straight*
ratt (-en -ar) *steering wheel*
REA (short for 'realisation') *sale*
recept (-et -0) *prescription; recipe*
redan *already*
regel (-n regler) *rule; regulation*
regering (-en -ar) *government*
regn/a (-ar -ade -at) *to rain*
regnig (-t -a) *rainy*
rekommender/a (-ar -ade -at) *to recommend*
religion (-en -er) *religion*
ren (-t -a) *clean*
ren (-en -ar) *reindeer*
reningsverk (-et -0) *sewage works*
renskötsel (-n) *reindeer farming*
res/a (-an -or) *journey*
res/a (-er -te -t) *to travel; erect; raise*
resecheck (-en -ar) *traveller's cheque*
reserver/a (-ar -ade -at) *to reserve*
reseskildring (-en -ar) *travel account*
rest (-en -er) *rest*
restaurang (-en -er) *restaurant*
ridning (-en) *horse-riding*
riksdag (-en -ar) *the Swedish parliament*
riksdagsledamot (-en --ledamöter) *member of parliament*
riktig (-t -a) *real; true*
riktigt *really; properly*

rimlig (-t -a)   *reasonable*
ring/a (-er -de -t)   *to ring*
ring/a (-er -de -t) efter   *to ring for*
ris (-et)   *rice*
risgrynsgröt (-en)   *(boiled) rice pudding*
rolig (-t -a)   *nice; funny*
rondell (-en -er)   *roundabout*
rostat bröd   *toast*
rum (-met -0)   *room*
rundnätt   *short and plump*
runt   *around*
runt omkring   *around*
rygg (-en -ar)   *back*
ryska (-n)   *Russian (language)*
råd (-et -0)   *advice*
råka ut för   *to be involved in; meet with*
räck/a (-er -te -t)   *to be enough*
rädd (-a)   *afraid*
rädd/a (-ar -ade -at)   *to save*
räk/a (-an -or)   *prawn*
räkn/a (-ar -ade -at) med   *to calculate*
ränt/a (-an -or)   *interest (money)*
rätt (-en -er)   *dish*
rätt (-en)   *right*
röd (rött röda)   *red*
rödbetslag (-en)   *liquid from pickled beetroot*
rödspätt/a (-an -or)   *plaice*
rödvin (-et)   *red wine*
rökare   *smoker*
rör/a (rör -de -t) sig   *to keep moving*
rörelse (-n -r)   *movement*
röst/a (-ar -ade -at)   *to vote*
rösträtt (-en)   *the right to vote*

saffransbull/e (-en -ar)   *saffron bun*
sak (-en -er)   *thing*
sakt/a (-ar -ade -at) farten   *to slow down*
sallad (-en -er)   *lettuce; salad*
salladshuvud (-et -en)   *lettuce (lit. 'head of lettuce')*
salt (-et)   *salt*
samband (-et -0)   *connection*
sambo (-n)   *live-in partner*
same (-n -r)   *Lapp, Laplander*
samiska (-n)   *the language of the Lapps*
samma   *the same*
sammankall/a (-ar -ade -at)   *to summon*
sann (sant sanna)   *true, real*
schema (-t -n)   *timetable*
se (-r såg sett)   *to see*
se efter   *to look after*
se till bara   *just see to it*
se ut som   *to look like, to resemble*
sedan   *afterwards*
sedan dess   *since then*
sedan urminnes tider   *from time immemorial*
segelfartyg (-et -0)   *windjammer*
segl/a (-ar -ade -at)   *to sail*
segling (-en -ar)   *sailing*
sekreterare (-n -0)   *secretary*
semester (-n semestrar)   *holiday*
senap (-en)   *mustard*
senast   *at the latest*
september   *September*
server/a (-ar -ade -at)   *to serve*
serveras   *is served*

servitris (-en -er) *waitress*

sex *six*

sextio *sixty*

sextionde *sixtieth*

sexton *sixteen*

sextonde *sixteenth*

siffr/a (-an -or) *figure*

sig (sing.) *himself/herself/itself/
oneself*

sig (pl.) *themselves*

signalhorn (-et -0) (tuta) *hooter*

simning (-en) *swimming*

sin (sitt sina) *his/her/its/their
own*

sittvagn (-en -ar) *coach with
ordinary seats (on train)*

SJ (Statens Järnvägar) *the
State Railways*

sju *seven*

sjuk (-t -a) *ill*

sjukdom (-en -ar) *illness*

sjukhus (-et -0) *hospital*

sjukskötersk/a (-an -or) *nurse*

sjunde *seventh*

sjung/a (-er sjöng sjungit) *to sing*

sjuttio *seventy*

sjuttionde *seventieth*

sjutton *seventeen*

sjuttonde *seventeenth*

själv (-t -a) *self; -self/-selves*

självklart *obvious; natural*

självservering *self-service*

sjätte *sixth*

sjö (-n -ar) *lake*

sjökapten (-en -er) *(sea) captain*

ska det inte vara? *wouldn't
you like?*

ska (ska(ll) skulle skolat) *shall*

skad/a (-an -or) *damage*

skaldjur (-et -0) *shellfish*

skatt (-en -er) *treasure; tax*

skattkammare (-n -0) *treasury*

skick/a (-ar -ade -at) *to send*

skidlov (-et -0) *skiing vacation*

skild (-a) *divorced*

skin/a (-er sken skinit) *to shine*

skink/a (-an -or) *ham*

skjut/en (-et -na) *shot*

skog (-en -ar) *forest*

skol/a (-an -or) *school*

skolplikt (-en) *compulsory
schooling*

Skottland *Scotland*

skott/e (-en -ar) *Scot*

skraml/a (-ar -ade -at) *to rattle*

skrift (-en -er) *publication*

skrivbord (-et -0) *desk*

skrämm/a (-er skrämde skrämt)
to frighten

skräp (-et -0) *rubbish*

skulle vilja *would like to*

skulle vilja ha *would like to
have*

skydd/a (-ar -ade -at) *to protect*

skyddshelgon (-et -0) *patron
saint*

skyltfönster (--fönstret -0)
shop window

skynd/a (-ar -ade -at) sig *to
hurry*

skådespelersk/a (-an -or) *actress*

skål! *cheers!*

skåp (-et -0) *cupboard*

skäl (-et -0) *reason*

skämd *(about food) gone off*

skärp (-et -0) *belt; sash*

skön (-t -a) *nice; comfortable; lovely*

slita sig ifrån *to tear oneself away*

slott (-et -0) *palace; castle*

slut/a (-ar -ade -at) *to finish*

slutsåld *sold out*

slå (-r slog slagit) *to hit; strike; chime*

slå (-r slog slagit) in *to wrap*

slå upp ett tält *to pitch a tent*

släkting (-en -ar) *relative*

släng/a (-er -de -t) ut *to throw out*

släpp/a (-er -te -t) av *to let out (of car)*

släppa ut *to discharge*

slätt (-en -er) *plain*

smak (-en -er) *taste*

smak/a (-ar -ade -at) *to taste*

smaksätt/a (-er --satte --satt) *to season*

smal (-t -a) *narrow; slim*

smitt/ad (-at -ade) *infected; contaminated*

smultron (-et -0) *wild strawberries*

smörgås (-en -ar) *sandwich*

smörgåsbord *Swedish traditional buffet*

snabb (-t -a) *fast*

snabbköp (-et -0) *self-service shop; supermarket*

snaps *aquavit*

snart *soon*

snett *diagonally*

snäll (-t -a) *kind; well-behaved*

snöplog (-en -ar) *snow-plough*

snöskoter (-n snöskotrar) *snow-mobile*

sock/a (-an -or) *sock*

socker (sockret socker) *sugar*

sockersjuka (-n) *diabetes*

sol (-en -ar) *sun*

solsken (-et -0) *sunshine*

som *as*

som *who; which; that*

som vanligt *as usual*

sommar (-en somrar) *summer*

son (-en söner) *son*

sopsäck (-en -ar) *dustbin*

sort (-en -er) *sort*

sov/a (-er sov sovit) *to sleep*

sovrum (-met -0) *bedroom*

sovsäck (-en -ar) *sleeping-bag*

sovvagn (-en -ar) *sleeper*

spanjor (-en -er) *Spaniard*

spanska (-n) *Spanish (language)*

sparkonto (-t -n) *savings account*

sparrissopp/a (-an -or) *asparagus soup*

speciell (-t -a) *special*

spel/a (-ar -ade -at) *to play*

spela skivor *to play records*

spetsig (-t -a) *pointed*

spis (-en -ar) *cooker; fireplace*

sport och idrott *games and athletics*

sprick/a (-er sprack spruckit) *to crack, split*

sprid/a (-er -de spritt) sig *to spread*

spring/a (-er sprang sprungit) *to run*

sprit (-en) *spirits; alcohol*

språk (-et -0)   *language*
spår (-et -0)   *track; line*
spårvagn (-en -ar)   *tram*
spänna fast   *to fasten*
spännande   *thrilling*
spärr (-en, -ar)   *barrier*
stad (-en städer)   *city; town*
stadshuset   *City Hall*
standard (-en)   *standard*
stann/a (-ar -ade -at)   *to stop;
to stay*
starkt   *(about drinks) alcoholic*
stat (-en -er)   *state*
statistik (-en)   *statistics*
statligt stöd   *state subsidy*
statsminister (-n --ministrar)
prime minister
statstjänsteman (-nen --män)
civil servant
staty (-n -er)   *statue*
stenåldern   *the Stone Age*
stick/a (-ar -ade -at)   *to knit*
stiftelse (-n -r)   *foundation*
stig/a (-er steg stigit)   *to step;
rise*
stig/a (-er steg stigit) på   *to step
in*
stig/a (-er steg stigit) upp   *to
get up*
stil (-en -ar)   *style*
stjärn/a (-an -or)   *star*
stjärngoss/e (-en -ar)   *star boy*
stjärt (-en -ar)   *bottom; tail*
stockholmar/e (-en -0)
Stockholmer
stol (-en -ar)   *chair*
stopp/a (-ar -ade -at)   *to stop*
storasyster   *big sister*
Storbritannien   *Great Britain*

storebror   *big brother*
storlek (-en -ar)   *size*
storm/a (-ar -ade -at)   *to blow
a gale*
storstad (-en --städer)   *big city*
strand (-en, stränder)   *beach*
strax   *soon*
strax efter   *soon after*
strax intill   *next door; right
beside*
strumpbyxor   *tights*
student (-en -er)   *student*
studentsk/a (-an -or)   *female
student*
studerande (-n -0)   *student*
studeranderabatt (-en -er)
student discount
styck (pl. stycken)   *each ('per
piece')*
styr/a (styr -de -t)   *to steer*
styvdotter   *stepdaughter*
styvfar   *stepfather*
styvmor   *stepmother*
styvson   *stepson*
stå (-r stod stått)   *to stand*
stånd (-et -0)   *estate*
städ/a (-ar -ade -at)   *to tidy up*
städersk/a (-an -or)   *female
cleaner*
ställning (-en -ar)   *position*
stämm/a (-er, stämde stämt)   *to
be correct/right*
stämpl/a (-ar -ade -at)   *to stamp*
stäng/a (-er -de -t)   *to shut*
stöld (-en -er)   *theft*
stör/a (stör -de -t)   *to disturb*
störst (-a)   *largest*
succé (-n -er)   *success*
sur   *sour; acid*

svamp (-en -ar)   *mushroom*
svar (-et -0)   *answer*
svensk   *Swedish*
svensk (-en -ar)   *Swede*
svensk/a (-an -or)   *Swedish woman*
svenska (-n)   *Swedish (language)*
Sverige   *Sweden*
svåger (-n svågrar)   *brother-in-law*
svårighet (-en -er)   *difficulty*
svägersk/a (-an -or)   *sister-in-law*
svärdotter (-n --döttrar)   *daughter-in-law*
svärfar   *father-in-law*
svärmor   *mother-in-law*
svär/son (-en --söner)   *son-in-law*
Sydamerika   *South America*
sydlig (-t -a)   *southerly*
sydspetsen   *the southernmost point*
symbol (-en -er)   *symbol*
syre (-t)   *oxygen*
synd   *pity; shame*
syssling/nästkusin   *second cousin*
system (-et -0)   *system*
syster/dotter (-n --döttrar)   *niece (sister's daughter)*
syster/son (-en --söner)   *nephew (sister's son)*
så   *so; how*
så . . . som   *as . . . as*
så . . . som möjligt   *as . . . as possible*
så gärna   *by all means; with pleasure*
sångersk/a (-an -or)   *female singer*

säg/a (-er sa(de) sagt)   *to say*
säker (-t säkra)   *sure; certain*
säkert   *certainly; surely*
sälj/a (-er sålde sålt)   *to sell*
säng (-en -ar)   *bed*
särskilt   *particularly*
sätt/a (-er satte satt)   *to put; to place*
sätta in   *to deposit*
söder   *south*
södra   *southern*
söndag   *Sunday*

T-centralen (abbrev. tunnelbanecentralen)   *underground main station*
T-tröj/a (-an -or)   *T-shirt*
ta (-r tog tagit)   *to take*
ta det lugnt   *to take it easy*
ta hand om   *to take care of*
ta med sig   *to bring*
ta ut   *to withdraw*
ta (-r tog tagit) med   *to bring*
tablett (-en -er)   *tablet*
tack   *thank you; please*
tack vare   *thanks to*
tack, detsamma!   *the same to you!*
tacksam (-t tacksamma)   *grateful*
tagit emot   *received*
tal/a (-ar -ade -at)   *to speak*
tal/a (-ar -ade -at) om   *to tell*
tand (-en tänder)   *tooth*
tandläkare (-n -0)   *dentist*
tank/a (-ar -ade -at)   *to fill up with petrol*
tapp/a (-ar -ade -at)   *to lose*
te (-et)   *tea*

teater (-n teatrar) *theatre*
teknik (-en -er) *technology*
telefon (-en -er) *telephone*
telefonautomat (-en -er)
　payphone
temperatur (-en -er)
　temperature
tennis (-en) *tennis*
termos (-en -ar) *thermos*
tesked (-en -ar) *teaspoon*
testamente (-t -n) *will*
testamenter/a (-ar -ade -at)
　to bequeath
tid (-en -er) *time*
tidig (-t -a) *early*
tidigt i förrgår *early the day*
　before yesterday
tidning (-en -ar) *newspaper*
till *to; for*
till exempel (abbrev. t.ex.)
　for example (e.g.)
till minne av *in memory of*
till slut *in the end*
tillbaka *back*
tillgänglig (-t -a) *accessible;*
　available
tillräcklig (-t -a) *sufficient;*
　enough
tillsätt/a (-er --satte --satt)
　to add
timm/e (-en -ar) *hour*
ting (-et -0) *(hist.) thing*
tio *ten*
tiokron/a (-an -or) *10-kronor*
　coin
tionde *tenth*
tisdag *Tuesday*
titt/a (-ar -ade -at) *to look*

Tjernobylolyck/a (-an -or) *the*
　accident at Chernobyl
tjock (-t -a) *fat*
tjuga (slang) *20-kronor note*
tjugo *twenty*
tjugokronors/sedel (-n --sedlar)
　20-kronor note
tjugondag Knut *twenty days*
　after Christmas
tjugonde *twentieth*
toalett (-en -er) *toilet*
tolfte *twelfth*
tolv *twelve*
tomat (-en -er) *tomato*
tomt (-en -er) *private plot*
tonåring (-en -ar) *teenager*
torg (-et -0) *market place*
torgstånd (-et -0) *market stall*
torsdag *Thursday*
traditionellt *traditionally*
trafik (-en) *traffic*
trafikljus (-et -en) *traffic-light*
trafikolyck/a (-an -or) *road*
　traffic accident
tre *three*
tre trappor upp *on the third*
　floor
tredje *third*
trettio *thirty*
trettionde *thirtieth*
tretton *thirteen*
trettonde *thirteenth*
trevlig (-t -a) *nice; pleasant*
trevlig resa *have a nice journey*
tro (-r -dde -tt) *to believe*
tron (-en -er) *throne*
tråkig (-t -a) *boring; dull;*
　a shame

tråkigt   *sad; unfortunate*
träff/a (-ar -ade -at)   *to meet*
träsko (-n -r)   *clog*
tröj/a (-an -or)   *sweater*
trött (trött trötta)   *tired*
tumm/e (-en -ar)   *thumb*
tunnel (-n tunnlar)   *tunnel*
tur   *luck*
tur och retur (abbrev. T. o. R.)
    return ticket
Turkiet   *Turkey*
tusen   *thousand*
tusende   *thousandth*
tusenlapp (-en -ar)
    1000-kronor note
tut/a (-ar -ade -at)   *to hoot*
två   *two*
tvärgat/a (-an -or)   *crossroad
    (in town), side road*
tvärtom   *on the contrary; the
    opposite*
tyck/a (-er -te -t)   *to think;
    consider*
tycker om (stress on o)
    to like
tycker om (stress on y)   *to
    think of*
typisk (-t -a)   *typical*
tyska (-n)   *German (language)*
tyst (tyst tysta)   *quiet; silent*
tyvärr   *unfortunately*
tå (-n -r)   *toe*
tåg (-et -0)   *train*
tål/a (tål -de -t)   *to agree with
    (about food)*
täck/a (-er -te -t)   *to cover*
tält (-et -0)   *tent*
tält/a (-ar -ade -at)   *to camp*

tänk/a (-er -te -t)   *to think;
    intend to*
tärn/a (-an -or)   *maid;
    attendant*
törstig (-t -a)   *thirsty*

ugn (-en -ar)   *oven*
underbar (-t -a)   *wonderful*
underlig (-t -a)   *curious*
underteckn/a (-ar -ade -at)
    to sign
undervisning (-en)   *tuition*
undr/a (-ar -ade -at)   *to wonder*
ungdom (-en -ar)   *youth,
    young people*
ungdomsrabatt (-en -er)   *youth
    discount*
ungefär   *approximately*
ungerska (-n)   *Hungarian
    (language)*
unik (-t -a)   *unique*
upp/e   *up*
upp och ner   *upside-down*
uppfinnare (-n -0)   *inventor*
uppfinning (-en -ar)   *invention*
uppgift (-en -er)   *detail;
    information*
uppifrån   *from above*
uppkallad efter   *named after*
upplag/a (-an -or)   *edition*
upplevelse (-n -r)   *experience*
upplysning (-en -ar)   *information*
upprör/a (upprör -de -t)   *to upset*
uppseende (-t)   *sensation*
upptag/en (-et --tagna)   *busy;
    engaged; booked*
ur/gammal (--gammalt
    --gamla)   *ancient*
ursprung (-et -0)   *origin*

ursäkta! *excuse me!; pardon!;*
  sorry!
usch *ugh; ooh*
ut/e *out*
ut ur *out of*
utan *without*
utanför *outside*
utbildning (-en -ar) *education*
ute *outside*
utfart (-en -er) *exit*
utlänning (-en -ar) *foreigner*
utmärkt (-a) *excellent*
utnyttj/a (-ar -ade -at) *to
  exercise*
utnämn/a (-er -de -t) *to appoint*
utom *except*
utomhus *outdoors*
utomlands *abroad*
utsikt (-en -er) *view*
utsålt *sold out*
utsökt *exquisite*
utveckl/a (-ar -ade -at)
  to develop

vacker (-t vackra) *beautiful*
vad beträffar *with regard to*
vad som helst *anything;
  whatever*
vagn (-en -ar) *coach*
vakn/a (-ar -ade -at) *to wake up*
val (-et -0) *election*
vald (valt valda) *elected*
valfri (valfritt valfria) *of your
  own choice*
vandr/a (-ar -ade -at)
  omkring *to wander around*
vaniljsås (-en -er) *vanilla custard*
vanlig (-t -a) *common; usual*
vanligast *most common*

vanligtvis *usually*
var *where*
var . . . . ifrån *from . . . . where*
var som helst *anywhere;
  wherever*
var/a (-ar -ade -at) *to last*
vara (är var varit) *to be*
vara med *to take part*
vara med och bestämma *to
  take part in decision making*
vara rädd om *to take care of*
varandra *each other; one
  another*
varannan dag *every other day*
vardagsrum (-met -0) *sitting
  room*
varg (-en -ar) *wolf*
varier/a (-ar -ade -at) *to vary*
varifrån *from where, whence*
varm (-t -a) *warm*
varmrätt (-en -er) *main course*
varningsmärke (-t -n) *warning
  sign*
varsågod/a *here you are; please*
vart *where (to)*
vart . . . . än *wherever*
varuhus (-et -0) *department
  store*
Vasaloppet *the Vasa ski race*
vatten (vattnet -0) *water*
veck/a (-an -or) *week*
veckoslut (-et -en) *weekend*
vem som helst *anybody;
  whoever*
verand/a (-an -or) *veranda*
verk/a (-ar -ade -at) *to seem*
verkligen/verkligt *really*
verkstad (-en --städer) *garage*
veta (vet visste vetat) *to know*

vetenskaps/man (--mannen --män) *scientist*
vi *we*
vi ses *see you*
vi ses snart *see you soon*
vid *at; by*
vid halv nio-tiden *around half past eight*
vidd (-en -er) *vast expanse; wide open space*
video (-n, videoapparater) *video*
viking (-en -ar) *Viking*
vikt (-en -er) *weight*
viktig (-t -a) *important*
vild (vilt vilda) *wild*
vilken *what a*
vilken (vilket vilka) *which; what*
vill du vara snäll och . . . *please*
vill gärna *would like to*
vilse *lost*
viltstängsel (--stängslet -0) *game fence*
vin- och spriträttigheter *fully licensed*
vindrutetorkare (-n -0) *windscreen wiper*
vinlist/a (-an -or) *wine list*
vinter (-n, vintrar) *winter*
vis/a (-ar -ade -at) *to show*
vis/a (-ar -ade -at) sig *to appear*
vispgrädde (-n) *whipped cream*
vissa *certain*
vistelse (-n -r) *stay*
vore *were; would be*
vuxen (vuxna) *adult*
vykort (-et -0) *postcard*
våning (-en -ar) *floor; apartment*
våningssäng (-en -ar) *bunk bed*
vår (-t -a) *our(s)*

vår (-en -ar) *spring*
väck/a (-er -te -t) *to wake; rouse*
väckarklock/a (-an -or) *alarm clock*
väder (vädret -0) *weather*
väg (-en -ar) *road; way*
vägkorsning (-en -ar) *crossroads*
vägskäl (-et -0) *crossroads (out of town)*
väjningsplikt *duty to give way*
väl *I suppose; probably; well*
väl markerad *well-marked*
väldigt *tremendously*
välj/a (-er valde valt) *to choose*
välkommen/välkomna *welcome*
välkän/d (-t -da) *well-known*
vän (-nen -ner) *friend*
väninn/a (-an -or) *female friend*
vänj/a (-er vande vant) sig *to get used to*
vänster *left*
vänt/a (-ar -ade -at) *to wait*
värdshus (-et -0) *country inn*
värk/a (-er -te -t) *to ache*
värld (-en -ar) *world*
världsberöm/d (-t -da) *world-famous*
världsmedborgare (-n -0) *world citizen*
värme (-n) *heat*
väsk/a (-an -or) *bag; suitcase*
väster *west*
västkustsallad *west coast salad*
väte (-t) *hydrogen*
vätsk/a (-an -or) *liquid*
väx/a (-er -te -t) *to grow*
växel (-n växlar) *gear; switchboard*

växelkurs (-en -er) *exchange rate*

växelspak (-en -ar) *gear lever*

växl/a (-ar -ade -at) *to change (money or gear)*

växlingsavgift (-en -er) *commission; service charge*

växt (-en -er) *plant*

yr (-t -a) *dizzy*

yrke (-t -n) *occupation; profession*

yt/a (-an -or) *surface*

ytterligare *further*

å (-n åar) *(small) river*

åk/a (-er -te -t) *to go; travel*

åka skidor *to go skiing*

åka skridskor *to skate*

ålder (-n åldrar) *age*

ålderdomshem (-met -0) *old people's home*

ång/a (-an -or) *steam*

år (-et -0) *year*

ås (-en -ar) *ridge*

återlöses *to be redeemed*

åtminstone *at least*

åtta *eight*

åttio *eighty*

åttionde *eightieth*

åttonde *eighth*

äg/a (-er -de -t) *to own*

äg/a (-er -de -t) rum *to take place*

äggrätt (-en -er) *egg dish*

ägn/a (-ar -ade -at) sig åt *to make a living from*

älg (-en -ar) *elk*

älsk/a (-ar -ade -at) *to love*

älv (-en -ar) *river*

ämne (-t -n) *subject*

än *than*

änd/a (-an -ar) *end*

ända in i vår tid *right up to our time*

ändå *anyway*

äng (-en -ar) *meadow*

ännu *yet*

äppelkak/a (-an -or) *apple cake*

äpple (-t -n) *apple*

äpplemust *apple juice*

är *is*

ärter *peas*

ärv/a (-er -de -t) *to inherit*

ät/a (-er åt ätit) *to eat*

även *also*

även om *even if*

ö (-n -ar) *island*

ög/a (-at -on) *eye*

öl (-et) *beer*

önsk/a (-ar -ade -at) *to wish*

öppen (öppet öppna) *open*

öppn/a (-ar -ade -at) *to open*

ör/a (-at -on) *ear*

öster *east*

östlig (-t -a) *easterly*

östra *eastern*

över *over; across; via*

övergångsställe (-t -n) *pedestrian crossing*

överskott (-et) *surplus*

överskrid/a (-er --skred --skridit) *to exceed*

övertal/a (-ar -ade -at) *to persuade*

övertyg/a (-ar -ade -at) *to convince*

English–Swedish glossary

a/an en/ett
abroad utomlands
accident olyck/a (-an -or)
adult vuxen (vuxet vuxna)
advice råd (-et -0)
afford (v.) ha råd med
afraid rädd (-a)
afternoon eftermiddag
  (-en -ar)
again igen
age ålder (-n åldrar)
air luft (-en)
all all (-t -a)
almost nästan
always alltid
and och
animal djur (-et -0)
answer svar (-et -0)
any någon (något några)
apple äpple (-t -n)
approximately ungefär
area område (-t -n)
around omkring (*abbrev.* o.)
arrive (v.) komm/a (-er kom
  kommit) fram
art konst (-en -er)
as eftersom
at på; vid
  at last till slut
  at least åtminstone
  at once genast
  at what time? hur dags?
author författar/e (-en -na)
autumn höst (-en -ar)

available tillgänglig (-t -a)
away bort/a

back tillbaka
bad dålig (-t -a)
bag väsk/a (-an -or)
bank bank (-en -er)
bargain fynd (-et -0)
bath bad (-et -0)
be (v.) vara (är var varit)
beach strand (-en stränder)
beautiful vacker (-t vackra)
because därför att; för
bed säng (-en -ar)
bedroom sovrum (-met -0)
beer öl (-et)
before före; förut
begin (v.) börj/a (-ar -ade -at)
behind bakom
believe (v.) tro (-r -dde -tt)
between mellan
bill not/a (-an -or)
birthday födelsedag (-en -ar)
book bok (-en böcker)
boring tråkig (-t -a)
born född (fött födda)
borrow (v.) lån/a (-ar -ade -at)
both båda
bottle flask/a (-an -or)
boy pojk/e (-en -ar)
bread bröd (-et -0)
breakfast frukost (-en -ar)
bridge bro (-n -ar)
bring (v.) ta (tar tog tagit) med

brother bror (brodern bröder)
bus stop busshållplats (-en -er)
busy upptag/en (-et -na)
but men
buy (v.) köp/a (-er -te -t)
by vid

café kafé (-et -er)
camp tält/a (-ar -ade -at)
can (v.) kunna (kan kunde kunnat)
canal kanal (-en -er)
capital huvud/stad (-en --städer)
car park parkeringsplats (-en -er)
careful noggrann (noggrant noggranna)
castle slott (-et -0)
cathedral domkyrk/a (-an -or)
central mellersta; central (-t -a)
centre centrum (-et)
certain säker (-t säkra)
chair stol (-en -ar)
change (v.) byt/a (-er -te -t)
change (money or gear) (v.) växl/a (-ar -ade -at)
charge avgift (-en -er)
cheap billig (-t -a)
chemist's apotek (-et -0)
choose (v.) välj/a (-er valde valt)
church kyrk/a (-an -or)
cinema bio (-n); biograf (-en -er)
city stad (-en städer)
civil status civilstånd (-et)
clean ren (-t -a)
clothes kläder

cloudy molnig (-t -a)
coast kust (-en -er)
coffee kaffe (-t)
cold kall (-t -a)
come (v.) komm/a (-er kom kommit)
complain about (v.) klag/a (-ar -ade -at) på
compulsory obligatorisk (-t -a)
continue (v.) fortsätt/a (-er --satte --satt)
corner hörn (-et -0)
country land (-et länder)
couple par (-et -0)
course kurs (-en -er)
credit card kreditkort (-et -0)

daily dagl (*short for* dagligen)
damage skad/a (-an -or)
danger far/a (-an -or)
dark mörk (-t -a)
daughter dotter (-n döttrar)
decide (v.) bestämm/a (-er bestämde bestämt)
delayed försen/ad (-at -ade)
delicious läcker (-t läckra)
dentist tandläkare (-n -0)
department store varuhus (-et -0)
departure avres/a (-an -or)
describe (v.) beskriv/a (-er beskrev beskrivit)
destroy (v.) förstör/a (förstör -de -t)
die (v.) dö (-r dog dött)
difficult svår (-t -a)
dinner middag (-en -ar)
disappointed besvik/en (-et -na)
dish rätt (-en -er)

divorced skild (-a)

do/make (v.) göra (gör gjorde gjort)

doctor läkar/e (-en -0)

down ner/nere

dream dröm (drömmen drömmar)

dress (v.) klä (-r -dde -tt) sig

drink (v.) drick/a (-er drack druckit)

drink dryck (-en -er)

drive (v.) kör/a (kör -de -t)

dry torr (-t -a)

early tidigt

earth jord (-en -ar)

east öst/er

easy lätt (lätt lätta)

eat ät/a (-er åt ätit)

either . . . or antingen . . . eller

elk älg (-en -ar)

engaged (busy) upptag/en (-et -na)

engaged (to be married) förlov/ad (-at -ade)

English (language) engelska (-n)

enjoy (v.) njut/a (-er njöt njutit)

environment miljö (-n -er)

etc. o.s.v./osv (och så vidare)

evening kväll (-en -ar)

everything allting

excellent utmärkt (-0 -a)

except (for) utom

exchange rate växelkurs (-en -er)

excuse me ursäkta

exit (buildings) utgång (-en -ar)

exit (roads) utfart (-en -er)

expensive dyr (-t -a)

face ansikte (-t -n)

fair ljus (-t -a)

fall in love with förälsk/a (-ar -ade -at) sig i

family famílj (-en -er)

famous berömd (berömt berömda)

fast snabb (-t -a)

father far (fadern fäder)

fault fel (-et -0)

fee avgift (-en -er)

feel (v.) känn/a (-er kände känt)

fetch (v.) hämt/a (-ar -ade -at)

find (v.) hitt/a (-ar -ade -at)

fine fin (-t -a)

finish (v.) slut/a (-ar -ade -at)

first först (-a)

flat lägenhet (-en -er)

fly (v.) flyg/a (-er flög flugit)

food mat (-en)

for för

foreigner utlänning (-en -ar)

forest skog (-en -ar)

freedom frihet (-en [-er])

fresh färsk (-t -a)

friend vän (-nen -ner)

frighten (v.) skrämm/a (-er skrämde skrämt)

from från

fruit frukt (-en -er)

full full (-t -a)

garden trädgård (-en -ar)

get engaged förlov/a (-ar -ade -at) sig

get married gift/a (-er -e -0) sig

get off gå *av*

get on gå *på*

get up *(in the morning)*   stig/a
   (-er steg stigit) *u*pp
girl   flick/a (-an -or)
give (v.)   ge (-r gav givit)
glad   glad (glatt glada)
go (travel) (v.)   åk/a (-er -te -t)
go (walk) (v.)   gå (-r gick gått)
goodbye   adjö
grateful   tacksam (-t -ma)
great   stor (-t -a)
greet (v.)   häls/a (-ar -ade -at) på
grow (v.)   väx/a (-er -te -t)

Happy Christmas!   God Jul!
Happy Easter!   Glad Påsk!
Happy New Year!   Gott Nytt År!
hard   hård (hårt hårda)
have (v.)   ha (-r hade haft)
healthy   frisk (-t -a)
hear (v.)   hör/a (hör -de -t)
heart   hjärta (-t -n)
help (v.)   hjälp/a (-er -te -t)
here   hit/här
   here you are   varsågod (-a)
hi   hej
home   hem (-met -0)
hope   hopp (-et)
hospital   sjukhus (-et -0)
hot   het (-t -a)
hotel   hotell (-et -0)
hour   timm/e (-en -ar)
house   hus (-et -0)
how   hur
   How do you do?   Goddag
   how many   hur många
   how much   hur mycket
hungry   hungrig (-t -a)
hurry (v.)   skynd/a (-ar -ade
   -at) sig

hurt (v.)   göra (gör gjorde
   gjort) ont
husband   man (-nen män)

I   jag
if   om
ill   sjuk (-t -a)
important   viktig (-t -a)
in   i
income   inkomst (-en -er)
inn   gästgivargård (-en -ar)
instead of   i stället för
interest   intresse (-t -n)
interested in   intresserad av
into   in
introduce (persons) to (v.)
   presenter/a (-ar -ade -at) för
invention   uppfinning (-en -ar)
island   ö (-n -ar)
it   den/det

journey   res/a (-an -or)
just right   (alldeles) lagom

keep (v.)   beh*å*ll/a (-er behöll
   beh*å*llit)
key   nyckel (-n nycklar)
kind   snäll (-t -a)
kind (a kind of)   ett slags
knife   kniv (-en -ar)
know (v.)   veta (vet visste vetat)

lake   sjö (-n -ar)
language   språk (-et -0)
large   stor (-t -a)
lay (v.)   lägg/a (-er la[de] lagt)
learn (v.)   lära (lär lärde lärt)
left   vänster (vänstra)
left (over)   kvar
lend (v.)   lån/a (-ar -ade -at)
length   längd (-en -er)

less mindre
lie (v.) ligg/a (-er låg legat)
life liv (-et -0)
lift hiss (-en -ar)
light ljus (-et -0)
like (v.) tyck/a (-er -te -t) om
listen (v.) lyssn/a (-ar -ade -at)
little liten (litet små) (lilla)
live (stay) (v.) bo (-r bodde bott)
live (life) (v.) lev/a (-er -de -t)
long (about time) länge
long lång (-t -a)
look titt/a (-ar -ade -at)
love älsk/a (-ar -ade -at)
luck tur (-en)

man man (mannen män)
many många
map kart/a (-an -or)
married (to) gift (med)
mean (v.) betyd/a (-er -de betytt)
meat kött (-et -0)
meet (v.) träff/a (-ar -ade -at)
member medlem (-men -mar)
memory minne (-t -n)
menu mat/sedel (-n --sedlar)
milk mjölk (-en)
Miss fröken (fröknar)
money pengar (pl)
month månad (-en -er)
moon mån/e (-en -ar)
morning morgon (-en morgnar)
mother mor (modern mödrar)
mountain berg (-et -0)
move (v.) flytt/a (-ar -ade -at)
Mr herr (-en -ar)
Mrs fru (-n -ar)
much mycket

name namn (-et -0)
narrow smal (-t -a)
near nära
need (v.) behöv/a (-er -de -t)
new ny (-tt nya)
newspaper tidning (-en -ar)
next nästa
nice trevlig (-t -a)
nice (about food) gott
nice (fun) rolig (-t -a)
night natt (-en nätter)
no nej [nä]
note lapp (-en -ar)
notice (v.) märk/a (-er -te -t)
now nu
number nummer (numret nummer)
nurse sjukskötersk/a (-an -or)

occupation yrke (-t -n)
of course förstås; naturligtvis
office kontor (-et -0)
old gammal (-t gamla)
on på
one en/ett
open öpp/en (-et -na)
opposite mitt emot
or eller
order (v.) beställ/a (-er -de -t)
other annan (annat andra)
out ut/e
over över
overcast mulen (mulet mulna)
own (v.) äg/a (-er -de -t)
own egen (eget egna)

pair par (-et -0)
pale blek (-t -a)
parcel paket (-et -0)
pardon ursäkta

parent förälder (-n föräldrar)
partner (live-in
  partner) sambo (-n)
partner (business) partner (-n -0)
part-time deltid (-en -er)
passport pass (-et -0)
pay (v.) betal/a (-er -de -t)
per cent procent
performance föreställning
  (-en -ar)
perhaps kanske
persuade (v.) övertal/a
  (-ar -ade -at)
petrol bensin (-en)
pharmacy apotek (et -0)
pick (v.) plock/a (-ar -ade -at)
platform plattform (-en -ar)
play (v.) spel/a (-ar -ade -at)
play (unorganized play) (v.)
  lek/a (-er -te -t)
pleasant trevlig (-t -a)
please var snäll och . . .
pleasure nöje (-t -n)
police polis (-en -er)
pollution förorening (-en -ar)
poor fattig (-t -a)
population befolkning (-en -ar)
post office posten
postcard vykort (-et -0)
prefer (v.) före/dra (-drar
  -drog -dragit)
prescription recept (-et -0)
price pris (-et -er)
prime minister statsminister
  (-n --ministrar)
prize pris (-et -er)
probably nog; väl; förmodligen
promise (v.) lov/a (-ar -ade -at)
protect (v.) skydd/a (-ar -ade -at)

put (v.) lägg/a (-er la[de] lagt)
put (place) (v.) sätt/a (-er satte
  satt)

quarter fjärdedel (-en -ar);
  kvarts
question fråg/a (-an -or)
queue kö (-n -er)
quick snabb (-t -a)

railway station järnvägsstation
  (-en -er)
rain regn (-et)
ready färdig (-t -a); klar (-t -a)
really faktiskt; riktigt;
  verkligen
receipt kvitto (-t -n)
receive (v.) ta (tar tog tagit)
  emot
recipe recept (-et -0)
relative släkting (-en -ar)
rent (v.) hyr/a (hyr -de -t)
restaurant restaurang (-en -er)
right höger
river flod (-en -er)
road väg (-en -ar)
room rum (-met -0)
roundabout rondell (-en -er)
rubbish skräp (-et)
run (v.) spring/a (-er sprang
  sprungit)

sad leds/en (-et -na)
sale REA (*short for* realisation)
same samma
satisfied (about food) mätt
  (mätt mätta)
save (v.) rädd/a (-ar -ade -at)
say (v.) säg/a (-er sa[de] sagt)
sea hav (-et -0)

see (v.)   se (ser såg sett)
  see you soon   vi ses snart
self-service shop   snabbköp
  (-et -0)
sell (v.)   sälj/a (-er sålde sålt)
serious   allvarlig (-t -a)
several   fler/a
shall (v.)   ska[ll] (skulle
  skolat)
shine   skin/a (-er sken skinit)
shop   affär (-en -er)
show (v.)   vis/a (-ar -ade -at)
shut (v.)   stäng/a (-er -de -t)
sing (v.)   sjung/a (-er sjöng
  sjungit)
single (only)   enda
single (unmarried)   ogift
size   storlek (-en -ar)
sleep (v.)   sov/a (-er sov sovit)
slow   sakta; långsam (-t -ma)
small   liten (litet små) (lilla)
smoker   rökare (-n -0)
someone   någon
something   något; någonting
sometimes   ibland
son   son (-en söner)
soon   snart; strax
speak (v.)   tal/a (-ar -ade -at)
stamp   frimärke (-t -n)
stand (v.)   stå (-r stod stått)
stay (v.)   bo (-r -dde -tt)
still   fortfarande
stop (v.)   stann/a (-ar -ade -at)
straight   rak (-t -a)
stupid   dum (-t dumma)
subject   ämne (-t -n)
succeed in (v.)   lyckas (lyckas
  lyckades lyckats)
sugar   socker (sockret socker)

sun   sol (-en -ar)
supermarket   snabbköp (-et -0)
surname   efternamn (-et -0)
swim (v.)   simm/a (-ar -ade -at)

table   bord (-et -0)
tablet   tablett (-en -er)
take (v.)   ta[ga] (tar tog tagit)
  take part   del/ta[ga] (--tar
  --tog --tagit)
  take place   äg/a (-er -de -t)
  rum
talk (v.)   prat/a (-ar -ade -at)
tall   lång (-t -a)
taste (v.)   smak/a (-ar -ade -at)
teacher   lärar/e (-en -0)
telephone   telefon (-en -er)
tell (v.)   berätt/a (-ar -ade -at)
thank you   tack
theatre   teater (-n teatrar)
then   då
there   dit/där
there is/there are   det finns
there was/there were   det fanns
thing   sak (-en -er)
think (believe) (v.)   tro
  (-r -dde -tt)
think (consider) (v.)   tyck/a
  (-er -te -t)
think (thoughts) (v.)   tänk/a
  (-er -te -t)
thirsty   törstig (-t -a)
ticket   biljett (-en -er)
time   tid (-en -er)
tired   trött (trött trötta)
today   idag
toilet   toalett (-en -er)
  (slang. 'toa')
tomorrow   i morgon

tonight i kväll
too för
  too long (about time) för
  länge
train tåg (-et -0)
tram spårvagn (-en -ar)
travel (v.) res/a (-er -te -t)
trousers (a pair of) (ett par)
  byxor
true sann (sant sanna)
try (v.) försök/a (-er -te -t)

understand (v.) förstå
  (-r förstod förstått)
unfair orättvis (-t -a)
unfortunately tyvärr
unleaded blyfri
unusual ovanlig (-t -a)
up upp/e
use (v.) använd/a (-er -e använt)
used to be brukade vara
usually vanligtvis

vacant ledig (-t -a)
VAT receipt moms-kvitto
  (-t -n)
vegetable grönsak (-en -er)
very mycket
view (opinion) åsikt (-en -er)
view (scenery) utsikt (-en -er)
village by (-n -ar)
visit häls/a (-ar -ade -at) på

wait (v.) vänt/a (-ar -ade -at)
waiter kypar/e (-en -0)

waitress servitris (-en -er)
wake (v.) väck/a (-er -te -t)
  wake up (v.) vakn/a (-ar -ade
  -at)
walk gå (-r gick gått)
war krig (-et -0)
warm varm (-t -a)
water vatten (vattnet -0)
weather väder (vädret -0)
week veck/a (-an -or)
weekend veckoslut (-et -0)
well bra
when när
where var/vart
which vilken (vilket
  vilka) / som
while medan
who (interrogative) vem
  (vilken vilket vilka)
whole hel (-t -a)
wife/Mrs fru (-n -ar)
wish (v.) önsk/a (-ar -ade -at)
with med
without utan
woman kvinn/a (-an -or)
wonderful underbar (-t -a)
work (v.) arbet/a (-ar -ade -at)
world värld (-en -ar)
worried bekym/rad (-at -ade)

year år (-et -0)
yes ja
yesterday igår

zero noll

Index to grammar notes

Adjectives

Adverbs

Conjunctions

Interjections

Nouns

Numerals

Orthography

Prepositions

Word order and sentence construction